ENTRE SŒURS

Kristin Hannah

ENTRE SŒURS

Roman

Traduit de l'anglais (États-Unis)
par Christine Auché-Guiral

ÉDITIONS FRANCE LOISIRS

Titre original : *Between Sisters*
Édition originale : Ballantine Books, New York

Édition du Club France Loisirs,
avec l'autorisation des Presses de la Cité

Éditions France Loisirs,
123, boulevard de Grenelle, Paris.
www.franceloisirs.com

© Kristin Hannah, 2003
© Presses de la Cité, un département de place des éditeurs, 2007,
pour la traduction française
ISBN 978-2-298-00731-2

*Pour ma sœur Laura et pour mon père, Laurence,
et, comme toujours, pour Benjamin et Tucker.
Je vous aime tous.*

« Nous ne voyons pas les choses telles qu'elles sont, nous les voyons telles que nous sommes. »

ANAÏS NIN

« Si l'amour est la réponse, pouvez-vous reformuler la question, s'il vous plaît ? »

LILY TOMLIN

1

Le Dr Bloom attendait patiemment une réponse.

Meghann Dontess se renfonça dans son fauteuil en examinant ses ongles. Il était temps qu'elle se fasse faire une manucure. Plus que temps, même.

— J'essaie de ne pas me laisser envahir par les sentiments, Harriet. Vous le savez bien. Je trouve que ça m'empêche de profiter de la vie.

— Est-ce pour cette raison que vous venez me voir toutes les semaines depuis quatre ans ? Parce que vous savez profiter de la vie ?

— Si j'étais vous, je n'insisterais pas là-dessus. Ce n'est pas très flatteur pour vos talents de psychiatre. Vous savez, j'étais peut-être normale quand j'ai fait votre connaissance.

— Vous avez encore une fois recours à l'humour pour vous protéger.

— Vous êtes trop gentille. Ce n'était pas drôle.

Mais Harriet ne sourit pas.

— Je vous trouve rarement drôle.

— Et moi qui rêvais d'une carrière de comique.

— Parlons du jour où Claire et vous avez été séparées.

Mal à l'aise, Meghann se tortilla sur son siège. Au moment précis où elle avait besoin de répondre du tac au tac, c'était le trou.

Elle savait bien où Harriet voulait en venir et Harriet savait qu'elle savait. Sans réponse de sa patiente, elle reposerait simplement la question.

— Séparées. Un mot propre et net. Distancié. Bien dit, mais je n'ai rien à ajouter.

— Ce qui est intéressant, c'est que vous ayez poursuivi votre relation avec votre mère en vous éloignant de votre sœur.

Meghann haussa les épaules.

— Maman est actrice. Moi, avocate. Nous sommes toutes les deux à l'aise avec les faux-semblants.

— C'est-à-dire ?

— Avez-vous déjà lu une de ses interviews ?

— Non.

— Elle raconte à qui veut l'entendre que nous vivions dans une pauvreté affligeante, mais que nous nous aimions. Nous ne la contredisons pas.

— Vous habitiez Bakersfield quand cette comédie a pris fin, non ?

Meghann garda le silence. Harriet avait réussi à la ramener à ce sujet douloureux comme on manœuvre un rat à travers un labyrinthe.

Harriet continua.

— Claire avait neuf ans. Si mes souvenirs sont exacts, il lui manquait plusieurs dents de lait et elle avait des difficultés en maths.

— Vous n'allez pas recommencer, protesta Meghann en agrippant les accoudoirs du fauteuil.

Harriet la dévisagea. Sous la ligne noire et broussailleuse de ses sourcils, son regard, grossi par de petites lunettes rondes, ne vacillait pas.

— Ne vous dérobez pas, Meghann. Nous progressons.

— Si on progresse encore, j'aurai besoin d'un véhicule d'assistance. Parlons plutôt de mon cabinet. C'est pour ça que je viens vous voir, figurez-vous. Le tribunal des affaires familiales est une vraie Cocotte-Minute, ces jours-ci. Hier, un de ces parasites de pères est arrivé au volant d'une Ferrari, tout ça pour jurer qu'il était ratissé. L'imbécile ! Il ne voulait pas payer les frais de scolarité de sa fille. Dommage pour lui, j'avais filmé son arrivée.

— Pourquoi continuez-vous à me payer, si vous refusez de parler de l'origine de vos problèmes ?

— Je n'ai pas de problèmes, je me pose des questions. Et c'est inutile de fouiller dans le passé. J'avais seize ans quand c'est arrivé. Et maintenant, j'en ai quarante-deux bien tassés. Il est temps de tourner la page. J'ai fait le bon choix. Tout ça n'a plus d'importance.

— Alors pourquoi faites-vous toujours le même cauchemar ?

Meghann joua machinalement avec son bracelet en argent.

— Je fais aussi des cauchemars où des araignées portent des lunettes de soleil Oakley. Mais vous ne m'interrogez jamais là-dessus. Oh, et puis la semaine dernière, j'ai rêvé que j'étais enfermée dans une pièce vitrée dont le sol était en bacon. J'entendais des gens pleurer, mais je ne trouvais pas la clé. Vous voulez qu'on parle de ça ?

— Un sentiment d'isolement. Une prise de conscience du fait que certaines personnes sont perturbées

13

par vos actes ou que vous leur manquez. Qui pleurait ?

— Merde.

Meghann aurait dû arriver elle-même à cette conclusion. Après tout, elle avait une licence de psychologie. Sans compter qu'on la considérait autrefois comme une enfant prodige.

Elle consulta sa montre en or et platine.

— Désolée, Harriet. C'est l'heure. Je crois bien que la résolution de mes névroses devra attendre la semaine prochaine.

Debout, elle lissa son pantalon Armani bleu marine, qui n'avait aucun faux pli.

Harriet enleva lentement ses lunettes.

Meghann croisa les bras sur sa poitrine.

— Ça devrait suffire.

— Aimez-vous votre vie, Meghann ?

La question la prit par surprise.

— Pourquoi je ne l'aimerais pas ? Je suis la meilleure avocate de l'État en matière de divorce. J'habite...

— Seule...

— Dans un appartement à tomber par terre au-dessus du marché couvert et je conduis une Porsche flambant neuve.

— Des amis ?

— J'appelle Élisabeth le jeudi soir.

— De la famille ?

Il était sans doute temps de changer de psy. Harriet venait de mettre en évidence les points faibles de Meghann.

— Ma mère a passé une semaine chez moi l'an dernier. Avec un peu de chance, elle reviendra me rendre visite à temps pour regarder l'atterrissage des premiers colons sur Mars à la télévision.

— Et Claire ?

— Ma sœur et moi avons des problèmes, je l'avoue. Mais rien de catastrophique. Nous sommes toutes les deux trop occupées pour nous voir.

Harriet restant muette, Meghann s'empressa de combler le silence.

— D'accord, ça me rend folle qu'elle gâche sa vie à ce point. Elle est largement assez intelligente pour faire ce qu'elle veut et malgré ça elle reste enchaînée à ce camping miteux, pompeusement baptisé village-club.

— Avec son père.

— Je ne veux pas parler de ma sœur. Et encore moins de son père.

Harriet tapota la table avec son stylo.

— Très bien, essayons autre chose. Vous souvenez-vous d'avoir couché avec le même homme deux fois de suite, ces derniers temps ?

— Vous êtes bien la seule à trouver que ce n'est pas une bonne chose. J'aime la variété.

— Et vous aimez aussi les hommes plus jeunes, non ? Ceux qui n'ont pas la moindre intention de se caser. Vous vous débarrassez d'eux avant qu'ils puissent vous quitter.

— Au risque de me répéter, coucher avec des hommes plus jeunes et attachés à leur liberté n'est pas une si mauvaise idée. Je n'ai pas envie d'une maison avec jardinet en banlieue. Ce qui m'intéresse, c'est le sexe, pas la vie de famille.

— Et la solitude, vous l'aimez aussi ?

15

— Je ne me sens pas seule, s'obstina Meghann. Je suis indépendante et les hommes n'aiment pas les femmes fortes.

— Les forts, si.

— Alors il faut que je me mette à fréquenter les salles de gym plutôt que les bars.

— Les hommes forts affrontent leurs peurs, eux. Ils parlent des choix douloureux qu'ils ont dû faire au cours de leur vie.

Meghann encaissa le coup.

— Désolée, Harriet, mais il faut vraiment que je file. À la semaine prochaine.

Elle sortit du bureau.

Dehors, une splendide journée de juin l'attendait. Le début du prétendu été. Partout ailleurs dans le pays, les gens nageaient, organisaient des barbecues et des pique-niques au bord de la piscine. Mais ici, à Seattle, chaque habitant vérifiait méthodiquement son calendrier en s'indignant qu'on était « pourtant en juin, bon sang ! ».

Ce matin-là, il n'y avait que quelques touristes dans les parages, reconnaissables à leur parapluie sous le bras.

Traversant la rue animée pour gagner la pelouse du parc qui faisait face au bras de mer, Meghann souffla enfin. Un imposant totem semblait lui faire un signe de bienvenue. À l'arrière-plan, une dizaine de mouettes plongeaient à la recherche de restes de nourriture.

Elle passa devant un banc où dormait un homme recroquevillé sous une couverture de journaux jaunis. Devant elle, le détroit bleu profond s'étirait contre l'horizon pâle. Meghann aurait aimé être réconfortée par ce spectacle, comme c'était souvent le cas. Mais aujourd'hui ses pensées étaient ailleurs, prisonnières d'une autre époque et d'un autre lieu.

Si elle fermait les yeux – et elle n'allait certainement pas s'y risquer –, elle se souviendrait de tout : sa main composant le numéro de téléphone, la conversation empruntée et désespérée avec l'inconnu, le long trajet silencieux en voiture vers le nord, jusqu'à la petite ville paumée. Et le pire : les larmes qu'elle avait essuyées sur les joues écarlates de sa petite sœur quand elle lui avait dit : « Je te quitte, Claire. »

Ses doigts resserrèrent leur pression sur le parapet. Le Dr Bloom avait tort. Parler du pénible choix que Meghann avait fait et des années de solitude qui avaient suivi n'arrangerait rien. Son passé n'était pas une collection de souvenirs sur lesquels on pouvait travailler. Elle se le représentait plutôt comme une valise géante aux roues déglinguées, qu'elle devait traîner derrière elle.

Chaque année, au mois de novembre, la puissante Skykomish enflait entre ses rives boueuses. La menace d'une inondation resurgissait. Reproduisant un scénario vieux comme le monde, les résidents des petites villes voisines attendaient, sur le qui-vive, des sacs de sable à portée de main. Leur mémoire collective remontait à des générations. Chacun avait une histoire à raconter sur la fois où l'eau était montée jusqu'au deuxième étage de la maison d'Untel ou Untel, ou jusqu'en haut de la porte de la salle des fêtes. Le soir, les habitants des contrées moins exposées regardaient le journal

17

télévisé, incrédules, ricanant de ces fermiers ridicules installés dans la plaine inondable.

Quand le niveau de la rivière commençait enfin à baisser, un soupir de soulagement général parcourait Hayden. C'était Emmett Mulvaney, le pharmacien, qui regardait la chaîne Météo sur la seule télévision à grand écran des environs, qui donnait le signal. Son attention était d'abord attirée par une information minuscule, que même les pontes de la météorologie de Seattle n'avaient pas notée. Il communiquait ensuite ses estimations au shérif Dick Parks, qui les transmettait à sa secrétaire, Martha. En moins de temps qu'il n'en fallait pour parcourir la ville d'un bout à l'autre en voiture, la nouvelle se répandait : « C'est bon pour cette fois. Le danger est passé. » Et comme par hasard, vingt-quatre heures après les prédictions d'Emmett, les météorologistes abondaient dans son sens.

Cette année n'avait pas fait exception à la règle et pourtant, par cette belle journée de début d'été, on oubliait sans mal les mois dangereux pendant lesquels la pluie avait fait souffler un vent de folie sur Hayden.

Claire Cavenaugh se tenait sur les berges de la Skykomish, ses grosses bottes enfoncées presque jusqu'aux chevilles dans la boue gluante et brune. Derrière elle, un taille-haie en panne sèche gisait, renversé sur le côté.

Elle sourit et essuya son front en sueur d'une main protégée par un gant de jardinage. Remettre le village-club en état demandait tous les ans une dose incroyable de travail manuel.

Village-club.

C'était le nom que le père de Claire avait donné à ces six hectares. Sam Cavenaugh avait repéré ces terres presque quarante ans auparavant, à l'époque où Hayden n'était guère plus qu'une station-service sur la côte menant à Stevens Pass. Il avait acheté la parcelle pour une bouchée de pain et s'était installé dans la ferme décatie vendue avec le lot. Ensuite, il avait baptisé l'endroit « village-club du bord de la rivière » et commencé à rêver d'une vie où les casques, les protège-tympans et le travail de nuit à la fabrique de papier n'auraient pas leur place.

Au début, il y avait passé ses soirées et ses week-ends. Armé d'une tronçonneuse, d'un pick-up et d'un plan griffonné sur une serviette en papier, il avait grossièrement dégagé l'emplacement du camping, débroussaillant les sous-bois vieux d'un siècle, avant de construire de ses mains les bungalows en pin avec vue sur le cours d'eau. À présent, le village-club était une entreprise familiale florissante : huit bungalows, comprenant chacun deux jolies chambres, une salle de bains et une terrasse surplombant la Skykomish.

Ces dernières années, on avait ajouté une piscine et une salle de jeu. Un minigolf et une laverie automatique étaient en projet. C'était dans ce genre d'endroit que les familles revenaient d'un an sur l'autre passer leurs précieuses vacances.

Claire se souvenait encore de la première fois où elle avait vu le terrain. Les arbres imposants et la bouillonnante rivière argentée avaient alors semblé paradisiaques à la petite fille élevée dans une caravane qui ne faisait halte que dans les quartiers les plus pauvres. Ses souvenirs d'enfance avant le village-club étaient gris : des villes affreuses qui se succédaient ; des appartements encore plus laids dans des immeubles insalubres. Et maman. Qui fuyait toujours quelque chose. Elle s'était mariée plusieurs fois, mais dans la mémoire de Claire aucun homme n'avait duré plus longtemps qu'une bouteille de lait. C'était Meghann que Claire se rappelait. La grande sœur qui s'occupait de tout, mais qui était pourtant partie un beau matin en l'abandonnant.

Aujourd'hui, bien des années plus tard, leurs vies n'étaient plus reliées que par le plus ténu des fils. Tous les deux ou trois mois, Claire et Meghann se téléphonaient. Les mauvais jours, elles en arrivaient même à parler du temps. Meghann prétextait invariablement un « second appel » pour raccrocher. Elle adorait faire remarquer sa réussite professionnelle à Claire et pouvait aussi facilement critiquer pendant dix minutes d'affilée la voie dévalorisante choisie par cette dernière : vivre dans ce stupide petit camping, à nettoyer les saletés d'autrui. Tous les ans, à Noël, elle lui proposait de lui payer des études à l'université.

Comme si étudier la littérature médiévale pouvait améliorer l'existence de Claire.

Pendant des années, Claire avait espéré qu'elles seraient amies autant que sœurs, mais Meghann ne l'entendait pas de cette oreille, et elle obtenait toujours ce qu'elle voulait. Elles restaient donc deux étrangères polies l'une envers l'autre, avec comme seuls points communs leur groupe sanguin et une enfance plutôt moche.

Claire se pencha pour ramasser le taille-haie.

Avançant sur le sol spongieux, elle recensa une dizaine de choses à faire avant l'ouverture. Il fallait tailler les rosiers, gratter la mousse incrustée sur les toits, javelliser les moisissures sur la balustrade de la véranda. Et aussi tondre. Le long hiver humide avait cédé la place à un printemps très doux et l'herbe avait tant poussé qu'elle arrivait aux genoux de Claire. Elle nota qu'elle devait aussi demander à George, l'homme à tout faire, de nettoyer les canoës et les kayaks dans l'après-midi.

Claire déposa sans ménagement le taille-haie à l'arrière du pick-up. L'engin tomba avec un bruit métallique, secouant le plateau rouillé du véhicule.

— Hé, ma chérie ! Tu vas en ville ?

Claire se retourna et aperçut son père, debout à l'entrée de la réception. Il portait une salopette fatiguée maculée de taches brunes sur le devant, vestiges d'une lointaine vidange, et une chemise en flanelle.

Sortant un bandana rouge de sa poche revolver, il s'épongea le visage en avançant vers Claire.

— Pendant que j'y pense, je suis en train de réparer le congélateur. Pas la peine de regarder le prix d'un nouveau.

Il était capable de bricoler n'importe quel appareil ménager, mais cela n'empêcherait pas Claire de se renseigner.

— Tu as besoin que je te rapporte quelque chose ?

— Smitty doit avoir une pièce détachée pour moi. Tu pourrais passer la récupérer ?

— Sans problème. Assure-toi bien que George commence à nettoyer les canoës en arrivant, d'accord ?

— Je mettrai ça sur la liste.

— Demande aussi à Rita de passer le plafond du bungalow six à l'eau de Javel. Il a moisi cet hiver.

Claire ferma le plateau du pick-up.

— Tu seras là pour dîner ?

— Pas ce soir. Ali joue au base-ball avec les juniors à Riverfront Park, tu t'en souviens ? À dix-sept heures.

— Oui, j'y serai.

Claire acquiesça, certaine que son père serait au rendez-vous. Il n'avait jamais manqué un événement de la vie de sa petite-fille.

— Au revoir, papa.

Elle saisit la poignée de la camionnette et tira de toutes ses forces. La portière s'ouvrit en grinçant. Empoignant le volant, Claire se hissa sur le siège.

Son père frappa un grand coup sur la portière.

— Sois prudente. Fais bien attention au tournant du kilomètre sept.

Claire eut un sourire entendu. Cela faisait presque vingt ans qu'il lui donnait ce conseil.

— Je t'aime, papa.

— Moi aussi. Maintenant, file chercher ma petite-fille. Si tu te dépêches, on aura le temps de regarder un épisode de « Bob l'Éponge » avant la partie.

2

La façade ouest de l'immeuble de bureaux donnait sur le bras de mer de Puget Sound. De larges baies vitrées encadraient du sol au plafond la splendide vue envahie de bleu. Au loin se dessinait le relief boisé de Bainbridge Island. Le soir venu, on apercevait quelques lumières au milieu de ce fouillis sombre teinté de verdure, mais pendant la journée l'île paraissait inhabitée. Seules les traversées du ferry blanc accostant cahin-caha toutes les heures sur les docks trahissaient l'existence des autochtones.

Meghann était assise devant la longue table en forme de haricot de la salle de conférences. Sa surface polie, mélange de merisier et d'ébène, suggérait à la fois l'élégance et l'opulence. Peut-être surtout l'opulence. Ce genre de pièce était unique. Même chose pour les fauteuils en cuir. Quand on s'installait là, face au panorama spectaculaire, on devait se rendre à l'évidence : la propriétaire des lieux avait réussi...

Et c'était vrai. Meghann avait atteint tous les objectifs qu'elle s'était fixés. Adolescente inquiète et solitaire en première année d'université, elle avait osé rêver d'une vie meilleure. Aujourd'hui, elle l'avait obtenue. Son cabinet était l'un des plus respectés et des plus prospères de la ville. Meghann possédait un appartement cossu dans le centre de Seattle – à mille lieues de la caravane décrépite où elle avait passé son enfance – et ne devait subvenir aux besoins de personne.

Elle consulta sa montre. Seize heures trente. Sa cliente était en retard. À croire que trois cents dollars de l'heure n'était pas un tarif assez prohibitif pour encourager la ponctualité.

— Maître Dontess ? interrogea une voix à travers l'interphone.

— Oui, Rhona ?

— Votre sœur, Claire, est sur la une.

— Passez-la-moi. Et appelez-moi à la minute où May Monroe franchit la porte d'entrée.

— Très bien.

Meghann enclencha le bouton des écouteurs, se forçant à prendre un ton avenant.

— Claire, je suis contente de t'entendre.

— Le téléphone, ce n'est pas à sens unique, tu sais. Alors, ça roule au pays des dollars ?

— Oui. Et à Hayden ? Tout le monde se tourne encore les pouces en attendant que la rivière déborde ?

— Il n'y a plus de risque pour cette année.

— Oh.

Meghann regarda par la fenêtre. Un peu plus bas, à sa droite, d'énormes grues orange chargeaient des conteneurs multicolores sur un navire. Meghann ne savait pas quoi dire à sa sœur.

— Comment va ma jolie nièce ? Le skate-board lui a plu ?

— Elle l'a adoré.

Claire eut un petit rire.

— Mais vraiment, Meg, à l'avenir, demande conseil à une vendeuse. En général, les petites filles de cinq ans n'ont pas la coordination nécessaire à la pratique du skate-board.

— Tu l'avais, toi. On habitait Needles. C'était l'été où je t'ai appris à faire du vélo sans stabilisateurs.

Meghann regretta immédiatement ses paroles. Penser à leur passé lui faisait mal. Pendant de longues années, Claire avait été plus une fille qu'une sœur pour elle. Et Meghann avait à coup sûr été plus une mère pour Claire que leur maman elle-même.

— La prochaine fois, achète-lui une cassette Disney. Tu n'as pas besoin de dépenser tant d'argent pour elle. Un Polly Pocket suffit à l'amuser.

Quoi qu'un Polly Pocket puisse bien être... Un silence embarrassé s'installa. Meghann regarda sa montre et les deux sœurs reprirent en même temps.

— Qu'est-ce que tu... ?

— Est-ce qu'Alison est contente de rentrer au cours préparatoire ?

Meghann se mordit les lèvres. Se taire lui demandait un grand effort de volonté, mais elle savait que Claire avait horreur d'être interrompue et détestait que son aînée monopolise la conversation.

— Oui, répondit Claire. Alison est impatiente d'aller à l'école toute la journée. Sa dernière année de maternelle n'est même pas finie qu'elle a déjà hâte que ce soit la rentrée. Elle en parle sans arrêt. Avec elle, j'ai quelquefois l'impression de courir après la queue d'une comète. Elle bouge sans cesse, jusque dans son sommeil.

Sur le point de dire « tu étais pareille », Meghann s'interrompit. Se souvenir de cette époque lui était si douloureux qu'elle aurait aimé pouvoir l'oublier.

— Et ton travail, alors ?

— Ça va bien. Le camping ?

— Le village-club. On ouvre dans un peu moins de quinze jours. Les Jefferson ont prévu d'y organiser une réunion de famille avec une vingtaine de personnes.

— Une semaine sans téléphone et sans télévision. Pourquoi ai-je tout de suite la musique de *Délivrance* en tête ?

— Certaines personnes apprécient de passer du temps ensemble, riposta Claire.

Son ton, bref, signifiait : « Tu viens de me faire de la peine. »

— Je suis désolée. Tu as raison. Je sais que tu aimes beaucoup cet endroit. Eh, ajouta-t-elle, comme si l'idée venait de lui traverser l'esprit, pourquoi ne m'empruntes-tu pas de l'argent pour construire un bel institut thermal à l'européenne sur le terrain ? Ou, mieux, un petit hôtel ? La perspective d'un bon bain de boue va faire affluer les gens. Dieu sait si vous avez ce qu'il faut.

Claire poussa un gros soupir.

— Il faut absolument que tu me rappelles que tu as réussi et moi pas. Bon sang, Meg.

— Ce n'est pas ce que je voulais dire. Juste que... Une entreprise ne peut pas se développer sans capitaux.

— Je ne veux pas de ton argent, Meg. *Nous* n'en voulons pas.

Et voilà ! Ce petit pronom ramenait Meghann à la réalité : elle était un *je* et Claire, un *nous*.

— Désolée d'avoir eu une phrase malheureuse. J'essayais de t'aider.

— Je ne suis plus une petite fille qui a besoin que sa grande sœur la protège, Meg.

— Sam a toujours excellé à ça.

Meghann entendit la pointe d'amertume qui perçait dans ses paroles.

— Oui.

Claire marqua une pause et inspira. Meghann savait ce que sa sœur était en train de faire. Elle reprenait ses esprits, se préparant à détourner la conversation sur un terrain moins épineux.

— Je vais sur le lac de Chelan, finit-elle par annoncer.

— Ton expédition annuelle avec tes amies, commenta Meghann, heureuse de cette diversion. Vous vous êtes surnommées comment, déjà ? Les Bleues ?

— Oui.

— Vous retournez au même endroit ?

— Chaque été depuis le lycée.

Meghann se demanda ce que faire partie d'un cercle d'amies aussi proches pouvait bien apporter. Si elle avait été un autre genre de femme, elle aurait probablement envié Claire. Mais dans l'état actuel des choses elle n'avait pas de temps à perdre à baguenauder avec une bande de filles. D'ailleurs, elle n'imaginait pas comment on pouvait rester lié avec des camarades de lycée.

— Amuse-toi bien, alors.

— Fais-nous confiance ! Charlotte...

La sonnerie de l'interphone retentit.

— Meghann, Mme Monroe est arrivée.

Enfin une excuse pour raccrocher ! Claire était capable de discuter de ses amies pendant des heures.

— Zut ! Désolée, Claire, il faut que je te laisse.

— Bien sûr. Je sais que tu aimes m'entendre parler de mes copines illettrées.

— Mais non. Un de mes rendez-vous vient d'arriver.

— C'est ça. Au revoir.

— Au revoir.

Meghann raccrocha à l'instant où sa secrétaire faisait entrer May Monroe dans la salle de conférences.

Enlevant ses écouteurs, elle les jeta négligemment sur la table, qu'ils heurtèrent avec fracas.

— Bonjour, May, dit-elle en s'avançant d'un pas leste vers sa cliente. Merci, Rhona, poursuivit-elle. Ne me passez plus aucun appel, s'il vous plaît.

May Monroe se tenait devant une huile multicolore du peintre Alexandra Nechita intitulée *Le Grand Amour*. Meghann avait toujours apprécié le paradoxe impliqué par la présence du tableau : ici, dans cette pièce, le grand amour mourait tous les jours.

May portait une robe confortable en maille noire assortie à des chaussures démodées, de cinq ans au moins. Ses cheveux d'un blond terne, coiffés en un carré pratique, lui arrivaient aux épaules. Son alliance était un simple anneau d'or.

À la voir, il était difficile d'imaginer que son mari conduisait une grosse Mercedes noire et s'entraînait chaque mardi au golf de Broadmoor. Il devait y avoir des années que May n'avait pas dépensé d'argent pour elle-même. Pas depuis qu'elle s'était tuée à la tâche à travailler comme serveuse pour payer les études de dentiste de son époux. May, qui n'était l'aînée de Meghann que de quelques années, était marquée par la tristesse. Ses yeux étaient bordés de cernes sombres.

— Asseyez-vous, May, je vous en prie.

May se pencha en avant, telle une marionnette actionnée de l'extérieur. Elle s'installa dans un des confortables fauteuils en cuir.

Comme d'habitude, Meghann prit place à l'extrémité de la table. Devant elle s'étalaient plusieurs chemises cartonnées au bord constellé de post-it rose vif. Meghann tapota du bout des doigts sur la pile de dossiers, se demandant laquelle de ses nombreuses stratégies adopter. Au fil des ans, elle avait appris qu'il y avait autant de réactions aux mauvaises nouvelles qu'il existait d'incartades masculines. Son instinct lui soufflait que May Monroe était fragile et que, bien qu'elle soit en train de faire voler son mariage en éclats, elle n'avait pas encore complètement accepté l'inévitable. Les papiers du divorce avaient été remplis des mois plus tôt, mais elle ne croyait pas vraiment que son mari allait les signer.

Après ce rendez-vous, elle en serait convaincue.

Meghann la regarda en face.

— Comme je vous l'ai dit lors de notre précédent entretien, May, j'ai engagé un détective privé pour vérifier l'état des finances de votre mari.

— C'était une perte de temps, non ?

Cette scène avait beau se jouer et se rejouer souvent dans ce bureau, les choses n'en étaient pas plus faciles pour autant.

29

— Pas exactement.

Après avoir fixé son avocate un long moment, May se leva pour se diriger vers le service à café en argent disposé sur une crédence en merisier.

— Je vois, répondit-elle en tournant le dos à son interlocutrice. Qu'avez-vous trouvé ?

— Votre mari possède plus de six cent mille dollars sur un compte à son nom aux Caïmans. Il y a six mois, il a réalisé une grande partie de l'hypothèque sur votre maison. Peut-être pensiez-vous signer des documents de refinancement.

May se retourna. Elle tenait une tasse et une soucoupe, dont la porcelaine tressautait dans ses mains tremblantes tandis qu'elle se rapprochait de la table de conférence.

— Les taux avaient baissé.

— Ce qui a baissé, ce sont vos liquidités. Elles sont allées droit dans ses poches.

— Ça alors ! dit May d'une petite voix.

Meghann vit l'univers de sa cliente s'effondrer. Un éclair traversa ses yeux verts, qui sembla ensuite s'éteindre de l'intérieur.

Tant de femmes devaient affronter ce moment où elles réalisaient que leur époux était un étranger et que leurs rêves allaient partir en fumée.

— Il y a plus grave, poursuivit Meghann, qui s'efforçait de trouver une formule adaptée, tout en sachant que la blessure qu'elle laisserait serait profonde. Votre mari a vendu son cabinet à son associé, Theodore Blevin, pour un dollar symbolique.

— Pourquoi aurait-il fait une chose pareille ? Ça vaut...

— Pour que vous ne puissiez pas toucher la moitié qui vous revient.

À ces mots, May, qui ne tenait plus sur ses jambes, s'effondra dans le fauteuil. La tasse et la soucoupe heurtèrent la table à grand bruit. En débordant, le café forma une flaque sur le bois. May entreprit d'éponger les dégâts.

— Je suis confuse.

Meghann lui effleura le poignet.

— Il n'y a pas de quoi.

Elle se leva pour attraper des serviettes en papier et nettoyer la tache.

— C'est moi qui suis désolée, May. Je suis souvent confrontée à ce type de comportement, mais ça me rend encore malade.

Elle posa la main sur l'épaule de May, lui laissant un peu de temps pour se ressaisir.

— Un de ces documents montre-t-il pourquoi il m'a fait ça ?

Meghann aurait bien aimé ne pas avoir à l'apprendre à May. Une question méritait parfois de rester sans réponse. Fouillant dans le dossier, elle en tira un cliché en noir et blanc. Très lentement, comme si celui-ci avait été imprimé sur du plastique et non du papier photo, elle le poussa en direction de May.

— Elle s'appelle Ashleigh.

— Ashleigh Stoker. Je comprends pourquoi il proposait tout le temps d'aller chercher Sarah à ses leçons de piano.

Meghann approuva d'un signe du menton. C'était toujours plus dur quand l'épouse connaissait la maîtresse, même de loin.

— Dans l'État de Washington, il n'est pas nécessaire que l'une des parties ait commis une faute pour que le divorce soit accordé. Du coup, cette aventure n'a pas d'importance.

May releva la tête. Avec son expression hébétée et son regard vitreux, elle ressemblait à une victime d'accident de la route.

— Ça n'a pas d'importance ?

Elle ferma les yeux.

— Je suis une imbécile.

Prononcées dans un souffle, ses paroles étaient presque inaudibles.

— Non. Vous êtes une femme honnête qui a financé les dix ans d'études d'un sale type égoïste pour qu'*il* ait la belle vie.

— Ce devait être *notre* belle vie.

— Bien sûr.

Meghann prit la main de May.

— Vous avez fait confiance à un homme qui disait vous aimer. Maintenant, il compte sur vous pour être cette bonne poire de May, celle qui fait passer sa famille avant tout et qui simplifie la vie du Dr Dale Monroe.

La déclaration sembla déboussoler May, voire l'affoler. Meghann comprenait : les femmes comme May avaient oublié depuis longtemps comment faire des vagues.

Qu'importe. De toute façon, c'était son travail d'avocate.

— Qu'est-ce qu'on va faire ? Je ne veux pas que les enfants souffrent.

— C'est votre mari qui leur a fait du mal. Il les a volés. Et vous aussi.

— Mais c'est un bon père.

— Si c'est le cas, il veillera à ce que ses enfants ne manquent de rien. Et s'il lui reste un soupçon de décence, il vous donnera la moitié de ses biens sans discuter. Après, ce sera du gâteau.

May savait cependant ce que Meghann soupçonnait : un homme comme Dale n'aimait pas partager.

— Et s'il refuse ?

— Eh bien, je l'y obligerai.

— Il va être furieux.

Meghann se pencha vers May.

— C'est vous qui devriez être furieuse, May. Votre mari vous a menti, il vous a trompée et dépouillée.

— C'est aussi le père de mes enfants, répondit May avec un calme que Meghann trouva exaspérant. Je ne veux pas que tout ça devienne sordide. Je veux... que Dale sache qu'il peut revenir à la maison.

— May !

Meghann choisit soigneusement ses mots.

— Nous allons être justes, May. Je ne veux causer de mal à personne, mais une chose est sûre, vous n'allez pas vous faire rouler dans la farine et vous retrouver sans un sou. Point final. Votre mari est un orthodontiste plein aux as. Vous devriez pouvoir vous habiller en Armani et conduire une Porsche.

— Je n'en ai pas envie.

— Et ça restera sans doute le cas, mais c'est mon travail de m'assurer que vous ayez toutes les cartes en main. Je sais que ça vous semble froid et calculateur pour l'instant, May, mais quand vous serez épuisée d'élever vos enfants seule pendant que le

Dr Sourire parade en ville avec sa Porsche neuve et danse toute la nuit en compagnie d'un professeur de piano de vingt-six ans, vous serez heureuse d'avoir les moyens de faire ce que vous voulez. Fiez-vous à moi là-dessus.

May se retourna vers Meghann. Une grimace pathétique lui tordait le coin de la bouche.

— Très bien.

— Je ne le laisserai plus vous blesser.

— Vous pensez que quelques allers-retours de paperasse et un tas d'argent sur mon compte en banque vont l'en empêcher ?

May soupira.

— Allez-y, maître Dontess, faites ce que vous avez à faire pour protéger l'avenir de mes enfants. Mais on ne va pas prétendre que vous y arriverez sans douleur, d'accord ? J'ai déjà si mal que je peux à peine respirer, et ça vient à peine de commencer.

Au-delà de l'herbe ondulante de la prairie, des moulins à vent disposés en rang d'oignons ponctuaient l'horizon sans nuage. Leurs imposantes pales métalliques tournaient avec lenteur et régularité. Parfois, quand la météo était propice, on distinguait même le flap-flap-flap grinçant de chaque rotation. Mais ce jour-là il faisait si chaud qu'on n'entendait rien d'autre que les battements de son propre cœur.

Joe Wyatt se tenait sur la dalle de béton devant l'entrée du hangar, une canette de Coca tiède, qui lui restait de son déjeuner, à la main.

Il scruta les champs au loin, désireux de se promener le long des larges sillons bordant les arbres et de respirer les arômes enivrants de la terre féconde et des fruits mûrissants.

Là-bas, il y avait peut-être de la brise : un souffle d'air aurait suffi à atténuer la chaleur étouffante. Joe avait le front couvert d'une pellicule luisante de transpiration et, sous son tee-shirt, il ruisselait de sueur.

On n'était que la deuxième semaine de juin et la température commençait déjà à le gêner. Il n'arriverait jamais à supporter un été dans Yakima Valley ; il était temps qu'il se remette en route.

Cette conclusion l'épuisa. Ce n'était pas la première fois qu'il se demandait combien de temps il parviendrait ainsi à vivre en vagabondant de ville en ville. La solitude le minait, le réduisant peu à peu à l'état d'ombre squelettique. Malheureusement, tout autre choix était pire.

À une époque – qui semblait loin, maintenant –, Joc avait espéré arriver dans une bourgade, s'y sentir bien, se dire « c'est ici » et oser y louer un appartement au lieu d'une chambre miteuse dans un motel.

Il ne nourrissait plus ce genre d'espoirs : ses illusions s'étaient envolées. Au bout d'une semaine au même endroit, il commençait à ressentir des choses, à se souvenir. Les cauchemars revenaient. La nouveauté demeurait la seule protection qu'il avait trouvée. Sur un matelas qui n'était jamais le « sien », dans une chambre qui restait pour lui un territoire inconnu, il arrivait à s'assoupir plus de deux heures d'affilée. Mais s'il s'installait, se laissait aller au confort et à dormir plus longtemps, il rêvait inévitablement de Diana.

Ce n'était pas si mal. Douloureux, bien sûr, car le spectacle du visage de la jeune femme, même en rêve, emplissait Joe d'une souffrance qui l'atteignait au plus profond, mais agréable aussi, comme le souvenir plaisant de sa vie telle qu'elle était alors, de l'amour qu'il avait, un jour, été capable d'éprouver. Si seulement ses rêves pouvaient s'arrêter là, aux images de Diana assise sur la pelouse verdoyante du campus de l'université ou d'eux deux enlacés dans le grand lit de la maison de Bainbridge Island !

Joe n'avait pas cette chance. Les songes les plus doux tournaient toujours au vinaigre. Plus souvent qu'à son tour, il se réveillait en murmurant : « Je suis désolé. »

Pour survivre, il devait rester en mouvement et éviter de croiser le regard de quelqu'un.

Au cours de ses années de vagabondage, il avait appris à se rendre invisible. Un homme qui se faisait couper les cheveux, s'habillait correctement et avait un travail stable, les gens le voyaient. Ils se mettaient derrière lui dans la queue pour attendre le bus et, dans les petites villes, allaient jusqu'à engager la conversation. Mais un être négligé qui oubliait d'aller chez le coiffeur, portait un tee-shirt Harley Davidson délavé, un jean déchiré et un sac à dos fatigué, personne ne le remarquait – et, surtout, ne le reconnaissait.

Près de Joe, la cloche sonna. Avec un soupir, il rentra dans l'entrepôt, où le froid glacial l'enveloppa aussitôt. On y stockait des fruits pour les réfrigérer. Jetant la canette vide à la poubelle, Joe ressortit.

Pendant une fraction de seconde, la chaleur lui fit du bien, mais il se remit à transpirer avant d'avoir atteint l'aire de chargement.

— Wyatt, hurla le contremaître, où est-ce que tu te crois, à un pique-nique ?

Joe observa la rangée sans fin de camions à claire-voie remplis à ras bord de cageots de cerises fraîchement cueillies. Il étudia ensuite les autres ouvriers qui déchargeaient les caisses, des Mexicains, pour la plupart, vivant dans des caravanes pourries stationnées sur des terrains secs et poussiéreux, sans toilettes ni eau courante.

— Non, monsieur, répondit-il à l'homme au teint fleuri qui prenait visiblement un plaisir fou à crier après les travailleurs. Pas du tout.

— Bien. Alors au boulot. Je retiens une demi-heure de ta paie.

Dans sa vie d'avant, Joe aurait attrapé le chef par son col sale maculé de sueur et lui aurait montré comment on se comportait entre hommes. Cette ère était révolue.

Il se dirigea d'un pas traînant vers le camion le plus proche en tirant de sa poche arrière une paire de gants en toile.

Le temps de reprendre la route était venu.

Debout devant l'évier, Claire réfléchissait à la conversation téléphonique qu'elle avait eue la veille avec Meghann.

— M'man, je peux avoir une autre gaufre ?

— Qu'est-ce qu'on dit ? corrigea Claire d'un ton distrait.

— M'man, je peux en avoir une autre, s'il te plaît ?

Elle se détourna de la fenêtre pour s'essuyer les mains au torchon accroché à la porte du four.

— Bien sûr.

Elle inséra une gaufre surgelée dans le grille-pain.

Pendant que la friandise chauffait, Claire parcourut la cuisine du regard, à la recherche de plats sales. Et soudain, elle vit la pièce à travers les yeux de sa sœur.

La maison n'était pas mal, surtout pour une ville comme Hayden. Petite, certes : trois chambres exiguës tassées sous le toit pointu du second étage, un salon et une cuisine agrémentée d'un coin-repas faisant aussi comptoir. Durant les six ans pendant lesquels Claire y avait vécu, elle avait repeint d'un beau crème les murs jadis d'un vert pisseux et remplacé la moquette orange par du parquet. Quoique d'occasion pour la plupart, les meubles étaient tous en bois. Claire les avait poncés et vernis. Elle était très fière d'une causeuse hawaiienne. Avec ses coussins rouges fanés, celle-ci ne ressemblait pas à grand-chose dans le salon, mais une fois que Claire habiterait Kauai, le fauteuil produirait sa petite impression.

Sa sœur verrait la maison d'un autre œil.

Meghann, qui était sortie très jeune du lycée pour enchaîner brillamment sept ans d'études universitaires, qui ne manquait pas de rappeler à chacun qu'elle roulait sur l'or et qui avait le culot d'envoyer à sa nièce des cadeaux de Noël si somptueux que le reste des paquets sous le sapin paraissait minable en comparaison.

— Ça a sauté.

— Mais oui.

Claire sortit la gaufre du grille-pain, la beurra et la coupa avant de la placer dans une assiette devant sa fille.

— Et voilà.

Alison s'empressa d'en embrocher un morceau et de le porter à sa bouche, mâchant comme un personnage de dessin animé.

Claire ne put s'empêcher de sourire. Depuis sa naissance, Alison lui faisait cet effet-là. Elle contempla cette version modèle réduit de sa personne. Même fine chevelure blonde, même teint pâle, même visage en forme de cœur. Bien que Claire n'ait pas de photos d'elle à cinq ans, elle subodorait qu'Alison et elle étaient de véritables copies conformes. Quant au père de la petite, il n'avait laissé aucune empreinte génétique sur elle.

Comme par hasard, à la minute où il avait appris que Claire était enceinte, il avait pris ses jambes à son cou.

— Tu es encore en pyjama, m'man. On va être en retard, si tu ne te dépêches pas.

— Oui.

Claire récapitula les tâches prévues pour la journée : tondre le champ du fond, poser du mastic sur les jointures des fenêtres des douches et des salles de bains, javelliser le mur moisi du bungalow trois, déboucher les toilettes du cinq et réparer l'abri à canoës. Il était encore tôt, pas même huit heures du matin, en ce dernier jour de classe. Le lendemain, Alison et Claire partiraient se reposer et s'amuser pendant une semaine au bord du lac de Chelan.

39

Claire espérait réussir à tout boucler à temps. Elle inspecta la pièce.

— Tu as vu ma liste, Alison ?

— Sur la table basse.

Claire, qui ne se rappelait pas avoir laissé le papier là, le ramassa en maudissant son étourderie. Elle se demandait quelquefois comment elle se débrouillerait sans Alison.

— Je voudrais faire de la danse. C'est d'accord, m'man ?

Claire sourit. Elle se rappela tout à coup – une de ces pensées passagères qui font un peu mal – qu'elle aussi avait voulu être petit rat, un jour. Meghann l'avait encouragée à s'accrocher à ce rêve, même s'il n'y avait pas d'argent pour les leçons. Enfin... il y en avait pour les cours de danse de *maman*, pas pour ceux de Claire.

Une fois, pourtant, alors que Claire avait six ou sept ans, Meghann avait organisé une série de leçons le samedi matin avec une de ses amies de lycée. Claire n'avait jamais oublié ces quelques matinées parfaites.

Son sourire s'effaça.

Alison la regardait d'un air inquisiteur, une joue encore gonflée par ce qu'elle venait d'enfourner.

— M'man, la danse ?

— Je voulais être danseuse étoile, avant. Tu le savais ?

— Euh, non.

— Malheureusement, j'avais des chaloupes en guise de pieds.

Alison pouffa.

— Les chaloupes, c'est immense, m'man. Tu as juste de très grands pieds.

— Merci bien.

Claire riait aussi à présent.

— Comment ça se fait que tu sois devenue une petite abeille ici alors que tu voulais être danseuse ?

— « Petite abeille » est le surnom que grand-père m'a donné. En fait, je suis plutôt gérante adjointe.

Il y avait longtemps que Claire avait choisi cette vie. Elle avait pris la décision comme beaucoup d'autres, presque par accident, sans y prêter attention. D'abord, elle avait raté ses examens à l'université de Washington, victime, comme tant de ses camarades, de son penchant pour les soirées. À ce moment-là, elle ne savait pas que Meghann avait raison : posséder un diplôme d'études supérieures permettait d'avoir le choix. Sans illusions, Claire s'était retrouvée à Hayden. Au début, elle avait pensé rester un mois ou deux, avant de déménager à Kauai pour apprendre le surf, mais Sam avait attrapé une bronchite et s'était senti vraiment à plat pendant un bout de temps. Claire avait commencé par lui donner un coup de main. Le temps qu'il soit rétabli et prêt à reprendre son poste, elle s'était rendu compte qu'elle aimait le lieu. Sur ce point comme sur beaucoup d'autres, elle était bien la fille de son père.

Comme lui, elle appréciait d'être dehors toute la journée, qu'il pleuve ou qu'il vente, à régler un problème ou un autre. Chaque fois qu'elle finissait une tâche, elle avait sous les yeux la preuve tangible de ses efforts. Il y avait quelque chose, dans ces

41

adorables six hectares au bord de la rivière, qui la rapprochait de la plénitude.

Que Meghann ne le comprenne pas n'avait rien de surprenant. Pour elle, qui respectait les études et l'argent par-dessus tout, on ne pouvait que perdre son temps au village-club.

Claire essaya d'oublier ce jugement de valeur. Elle savait que son travail ne représentait pas grand-chose. Cependant, même s'il s'agissait de gérer quelques emplacements de camping et une poignée de bungalows, elle n'avait pas le sentiment d'être une ratée et n'était pas déçue par son existence.

Sauf quand elle en parlait avec Meghann.

3

Vingt-quatre heures plus tard, Claire était fin prête pour partir en vacances. Elle passa une dernière fois la petite maison en revue, à la recherche d'objets oubliés ou d'une tâche laissée en suspens, mais tout était en ordre. Les fenêtres étaient fermées, le lave-vaisselle vidé et elle avait enlevé les denrées périssables du réfrigérateur. Elle remettait le rideau de douche en place quand elle entendit un bruit de pas.

— Qu'est-ce que tu fais encore ici, nom d'un asticot ?

Tout sourire, elle sortit à reculons de la minuscule salle de bains.

Son père était planté au milieu du salon. Comme toujours, sa présence imposante rendait l'espace encore plus réduit. Sa stature et ses larges épaules avaient le don de faire paraître les pièces où il se trouvait minuscules, mais il était surtout doté d'une personnalité marquée.

Claire avait neuf ans quand elle l'avait rencontré pour la première fois. À cette époque, elle était petite pour son âge, et si timide qu'elle ne parlait qu'à Meghann. Quand Sam Cavenaugh était entré dans la caravane, il lui avait paru plus grand que nature. « Alors, avait-il dit en se penchant pour la regarder, c'est donc toi ma fille, Claire. Tu es la plus belle gamine que j'aie jamais vue. Rentrons à la maison. »

Maison.

C'était le mot que Claire avait attendu, dont elle avait rêvé. Il lui avait fallu des années – pas mal, même – pour se rendre compte que son père n'avait pas réservé le même accueil à Meghann. Bien sûr, une fois qu'elle l'avait compris, le moment de remettre les choses en ordre était passé depuis longtemps.

— Salut, papa. Je m'assurais que tout était prêt pour ton installation.

Le sourire de Sam dévoila de fausses dents à la blancheur immaculée.

— Tu sais très bien que je n'emménagerai pas ici. J'aime trop mon mobile home. J'ai mon frigo, ma télé par satellite. Je n'ai besoin que de ça.

Claire et Sam avaient régulièrement cette discussion depuis qu'elle était revenue habiter Hayden et qu'il lui avait proposé d'occuper la maison. Il jurait ses grands dieux qu'il y avait assez de place dans le mobile home perdu au milieu des arbres pour un célibataire de cinquante-six ans.

— Mais, papa...

— Ne me parle pas de mon derrière. Il est de plus en plus gros, je sais. Maintenant, sautille donc jusqu'ici et embrasse ton vieux père.

Claire s'exécuta.

Sam l'enveloppa dans une étreinte musclée, qui procura à sa fille la sensation d'être à la fois chérie et en sécurité. Il sentait vaguement le désinfectant. L'odeur rappela à Claire qu'il fallait réparer une des salles de bains.

— Je pars dans une heure, annonça-t-elle. Les toilettes du bungalow...

Sam fit volte-face, la poussant vers la porte avec douceur.

— Vas-y, maintenant. Le village-club ne va pas tomber en ruine sans toi. Je vais réparer ces fichues toilettes. Et je n'oublierai pas de passer prendre le tuyau en PVC que tu as commandé ni de mettre le bois à l'abri. Si tu me le rappelles encore, je vais être obligé de te taper dessus. Je suis désolé, mais c'est comme ça.

Claire réprima un sourire. Elle avait parlé du tuyau à son père au moins six fois.

— D'accord.

Sam la prit par les épaules, la forçant à s'immobiliser juste assez longtemps pour rencontrer son regard.

— Reste autant que tu veux. Sérieusement, prends trois semaines. Je peux m'occuper seul du camping. Tu as mérité de te reposer.

— Mais tu ne te détends jamais, toi.

— Je suis sur la pente descendante et je n'ai pas envie de sortir beaucoup. Tu n'as que trente-cinq ans. Vous devriez faire la fête, Alison et toi. Tu es trop raisonnable.

— Je suis une mère célibataire de trente-cinq ans qui ne s'est jamais mariée. Ce n'est pas vraiment ce que j'estime être « trop raisonnable » et je compte

45

faire la fête à Chelan. Mais je serai à la maison dans une semaine. À temps pour superviser l'arrivée des Jefferson.

Il lui donna une bourrade dans l'épaule.

— Tu as toujours fait ce que tu voulais, mais au moins, j'aurai essayé. Amuse-toi bien.

— Toi aussi, papa. Emmène donc Thelma dîner pendant mon absence. Arrête un peu de te cacher.

Il eut l'air déconcerté.

— Qu'est-ce que...

Claire s'esclaffa.

— Allez, papa, toute la ville sait que vous sortez ensemble.

— On ne sort pas ensemble.

— Très bien. Que vous couchez ensemble.

Devant le silence qui suivit la remarque, Claire sortit de la maison sous le jour gris acier. La bruine tombait tel un rideau perlé devant les arbres. Perchés sur les barrières et les fils téléphoniques, des corbeaux croassaient en chœur.

— Tu viens, m'man ?

Alison passa sa frimousse par la fenêtre ouverte de la portière.

Précédant Claire, Sam se dépêcha de gagner la voiture pour embrasser sa petite-fille sur la joue.

Après avoir vérifié le contenu du coffre une fois de plus, Claire se mit au volant et démarra.

— Tu es prête, Ali Kat ? Tu as tout ?

Alison fit un petit bond sur le siège, agrippant son panier-repas Hello Kitty.

— Je suis prête.

L'orque en peluche, Myosotis, était attachée avec elle sur le siège auto.

— En route pour le pays magique, lança Claire.

Et elle mit les gaz en criant un dernier au revoir à son père.

Alison entreprit immédiatement de chanter la ritournelle de Barney le dinosaure : « Je t'aime, tu m'aimes. » Elle avait la voix haut perchée, si forte, que les chiens de la vallée devaient se rouler par terre en gémissant.

— Allez, m'man, tu chantes !

Le temps d'atteindre le haut de Stevens Pass, elles avaient entonné quarante-deux fois d'affilée la chanson de Barney et dix-sept « Froggy went a-courting[1] ». Au moment où Alison ouvrit son panier, Claire enfonça sans ménagement une cassette Disney dans le lecteur. La musique du générique de *La Petite Sirène* emplit l'habitacle.

— Je voudrais être comme Ariel et avoir des nageoires, déclara Alison.

— Et comment ferais-tu pour devenir ballerine ?

Alison regarda sa mère, dégoûtée.

— Elle a des pieds quand elle est sur la terre, m'man.

Sur ce, elle se rencogna dans son siège et ferma les yeux, absorbée par l'histoire de la princesse sirène.

Les kilomètres passaient. Peu de temps après, elles traversaient déjà les terres plates et arides de l'est de l'État à toute allure.

— Est-ce qu'on est presque arrivées, m'man ?

Alison mâchonnait un filament à la réglisse en se trémoussant sur son rehausseur. Le pourtour de ses lèvres était maculé de noir.

---

1. Chanson populaire pour enfants. (*N.d.T.*)

— Si seulement on pouvait être arrivées...

Claire partageait l'avis de sa fille. Elle adorait le camping de l'Horizon. Ses amies et elles y avaient séjourné pour la première fois quelques années après le bac. Au début, elles étaient cinq, mais le temps et certains événements tragiques avaient réduit leur groupe à quatre. Chacune avait bien manqué à l'appel une fois ou deux, mais au fil des ans, elles avaient été plutôt fidèles au rendez-vous. Au départ, elles étaient jeunes et effrontées, promptes à draguer les garçons du coin. Mais au fur et à mesure qu'elles s'étaient mises à transporter des lits auto et des sièges bébé, leurs vacances s'étaient assagies. Maintenant que leurs enfants avaient atteint l'âge requis pour nager et s'amuser seuls sur l'aire de jeux, ces filles – plutôt, ces femmes – avaient retrouvé un peu de leur liberté d'antan.

— M'man. Tu rêves ou quoi ?

— Désolée, ma puce.

— J'ai dit, c'est nous qui avons le bungalow spécial lune de miel, cette année, tu t'en souviens ?

Elle gigota de plus belle sur son siège.

— Youpi ! On aura la grande baignoire. Et n'oublie pas que cette fois, je vais sauter du ponton. Tu as promis. Bonnie a eu le droit, quand elle avait cinq ans.

Croisant les bras, Alison partit d'un soupir théâtral.

— Alors, je pourrai sauter, oui ou non ?

Claire tentait de maîtriser ses instincts de mère poule, mais quand on a grandi dans une maison où votre maman vous laisse faire tout et n'importe quoi, on apprend vite qu'il est facile de se blesser. Et on devient anxieuse.

— Voyons d'abord à quoi ressemble le ponton, d'accord ? Et aussi comment tu nages. Ensuite, on avisera.

— « On avisera », ça veut toujours dire non. Tu avais promis !

— Je n'ai rien promis. Je m'en souviens très bien, Alison Katherine. Nous étions dans le lac et tu étais sur mon dos, les jambes autour de ma taille. Tu regardais Willie et Bonnie sauter dans l'eau. Tu as dit : « L'an prochain, j'aurai cinq ans. » J'ai répondu : « Oui, c'est vrai. » Et tu m'as fait remarquer que Bonnie avait cinq ans. Et moi, qu'elle en avait presque six.

— J'ai presque six ans.

Alison croisa à nouveau les bras.

— Je vais sauter.

— On verra.

— Tu n'es pas ma chef.

Cette réplique ne manquait jamais de faire rire Claire. C'était devenu la repartie préférée d'Alison, ces derniers temps.

— Oh ! mais si.

Alison détourna la tête vers la fenêtre. Elle resta silencieuse un long moment : presque deux minutes. Finalement, elle reprit la parole :

— Marybeth a jeté le moulage en argile de la main d'Amy dans les toilettes, la semaine dernière.

— Vraiment ? Ce n'était pas gentil.

— Je sais. Mme Schmidt l'a envoyée au coin. Tu as emporté mon skate-board ?

— Non, tu es trop petite pour t'en servir.

— Stevie Wain en fait tout le temps.

49

— Tu parles du garçon qui s'est cassé le nez et deux dents de devant en tombant ?

— C'était des dents de lait, m'man. Il m'a dit qu'elles bougeaient. Pourquoi tante Meg ne vient pas nous voir ?

— Je te l'ai déjà expliqué, tu t'en souviens ? Tante Meg est si débordée qu'elle trouve à peine le temps de respirer.

— Eliot Zane est devenu bleu quand il a arrêté de respirer. L'ambulance est venue le chercher.

— Ce n'est pas ce que je voulais dire. Simplement que Meg est très occupée à aider les gens.

— Oh.

Claire se prépara à la prochaine question de sa fille. Alison enchaînait en effet les interrogations, sans qu'on puisse prédire leur contenu.

— On est déjà dans le désert ?

Claire acquiesça. Alison qualifiait ainsi l'est de l'État de Washington. C'était compréhensible : après la verdure luxuriante de Hayden, le paysage jaune et brun paraissait désolé et roussi. Le ruban noir de l'asphalte s'étirait à l'infini à travers la prairie.

— Je vois le toboggan qui va dans l'eau ! s'écria Alison au bout d'un moment.

Elle se pencha en avant en comptant tout haut. À quarante-neuf, elle hurla :

— Et le lac !

Sur la gauche apparut soudain l'immense étendue d'eau d'un bleu cristallin nichée au creux d'un val mordoré. La voiture franchit le pont qui menait en ville.

Vingt ans auparavant, Chelan comptait moins de trois pâtés de maisons et n'abritait pas un magasin franchisé. Mais avec le temps, le bouche à oreille avait fonctionné, vantant le climat auprès des habitants des villes boueuses de l'Ouest, si fiers de leurs parterres démesurés de rhododendrons et de leurs fougères gigantesques. Petit à petit, ceux de Seattle avaient eux aussi fini par regarder vers l'est. L'expédition à travers les montagnes vers les plaines était devenue de mise en été. Plus les touristes affluaient, plus Chelan se développait. Les complexes immobiliers poussaient comme des champignons au bord de l'eau. Dès que l'un se remplissait de nouveaux résidents, on en construisait un autre à côté, et ainsi de suite, si bien qu'à l'aube du troisième millénaire, Chelan était une bourgade florissante, dotée des équipements nécessaires aux familles : piscines, centres aquatiques et autres locations de jet-skis.

La route fit une boucle le long de la rive. La voiture dépassa des dizaines d'immeubles. Puis les environs redevinrent moins peuplés. À cinq cents mètres en remontant, Claire et Alison aperçurent un panneau qui indiquait : « Camping de l'Horizon, prochaine à gauche. »

— Regarde, m'man, regarde !

La pancarte représentait deux arbres stylisés encadrant une tente, avec un canoë devant.

— On y est, Ali Kat.

Claire tourna à gauche sur un chemin gravillonné. Les roues plongèrent dans d'énormes nids-de-poule, ballottant les passagères de droite et de gauche.

Un kilomètre et demi plus loin, la route décrivit un tournant en épingle à cheveux aboutissant dans un champ herbeux parsemé de caravanes et de

51

mobile homes. Ensuite, Claire engagea le véhicule sous les arbres, où étaient rassemblés les quelques bungalows très convoités en bordure du lac, et le gara dans le parking en gravier.

Elle aida Alison à s'extirper de son siège, ferma la portière et se tourna vers le lac.

L'espace d'un instant, elle redevint la petite fille de huit ans en vacances sur le lac Winobee, debout sur la plage dans son joli bikini rose. Elle se remémora qu'elle faisait des éclaboussures et poussait des cris perçants en s'enfonçant dans l'eau froide.

« Je ne veux pas que tu en aies plus qu'aux genoux, avait braillé Meghann, assise sur le ponton.

— Pour l'amour du ciel, Meg, arrête de jouer les vieux chnoques, avait répliqué leur mère. Vas-y, minette ! avait-elle hurlé à Claire avec un rire sonore en l'encourageant d'un mouvement de son paquet de Virginia Slims mentholées. Ça n'ira pas, si tu fais ta poule mouillée. »

Meghann s'était alors approchée de Claire et lui avait expliqué en lui prenant la main qu'il était normal d'avoir peur. « Ça montre juste que tu as du bon sens, Clarinette. »

Claire se rappela avoir jeté un regard en arrière pour apercevoir sa mère, un verre en plastique plein de vodka à la main, debout dans un minuscule maillot commémorant le bicentenaire de l'Indépendance.

« Allez, minette. Saute dans l'eau froide et nage. Ça ne te fera aucun bien d'avoir peur, bonté divine. Tu as intérêt à t'en payer une tranche pendant que tu peux.

52

— Qu'est-ce que c'est, s'en payer une tranche ? avait demandé Claire à Meghann.

— C'est ce que les soi-disant actrices cherchent quand elles ont bu trop de verres de vodka collins. Ne t'inquiète pas pour ça. »

Pauvre Meghann. Toujours en train de faire de son mieux pour prétendre qu'elles avaient une vie normale.

Mais comment aurait-elle pu l'être ? Quelquefois, Dieu vous donne une mère qui rend la normalité impossible. Le bon côté, c'est qu'il y a des moments où l'on s'amuse et où l'on fait des fêtes, si bruyantes et si dingues qu'on ne les oubliera jamais... Le mauvais, c'est que quand personne ne commande, il se passe des choses peu sympathiques.

— M'man ?

La voix d'Alison ramena Claire dans le présent.

— Dépêche-toi !

Claire se dirigea vers l'ancien corps de ferme qui abritait la réception du camping. L'auvent avait été repeint de frais, d'un vert forêt qui se mariait bien avec le ton du bois parsemé de taches noisette des enseignes. De grandes baies à meneaux s'ouvraient tout le long du rez-de-chaussée. Les propriétaires habitaient l'étage, où ils avaient conservé les fenêtres d'origine.

Une bande d'herbe large comme un terrain de football séparait le bâtiment du lac. À la grande fierté de la direction, on y avait aménagé une aire de jeux et des balançoires en rondins, un terrain de croquet, un court de badminton, une piscine, ainsi qu'un abri pour les bateaux de location. Un peu plus loin, sur la gauche, se trouvaient les quatre bungalows, dotés chacun d'une véranda et de baies vitrées.

Alison courait devant. Ses petits pieds ne firent aucun bruit tandis qu'elle gravissait les marches. Elle ouvrit la porte grillagée, qui se referma avec fracas derrière elle.

Le sourire aux lèvres, Claire accéléra le pas. Elle poussa à son tour le battant, juste à temps pour entendre Happy Parks déclarer :

— Tu ne peux pas être la petite Ali Kat Cavenaugh. Tu es bien trop grande.

Alison rit nerveusement.

— Je rentre au cours préparatoire. Je sais compter jusqu'à mille. Tu veux que je te montre ?

Elle commença sur-le-champ.

— Un, deux, trois...

Happy, une belle femme aux cheveux argentés, tenait le camping depuis plus de trente ans. Elle sourit à Claire par-dessus la tête d'Alison.

— Cent un, cent deux...

Happy applaudit.

— C'est fantastique, Ali. Contente de te revoir, Claire. Comment ça se passe au village-club ?

— On a construit le nouveau bungalow. Ça en fait huit, maintenant. J'espère juste que nous ne serons pas frappés par la crise. J'ai entendu parler d'une flambée du prix des carburants.

— Deux cents, deux cent un...

— On n'a pas remarqué de baisse, c'est sûr, nota Happy. Mais on est comme vous : nos clients sont fidèles. Année après année. Tiens, ça me fait penser que Gina est arrivée. Et Charlotte. Karen est la

54

seule qui manque à l'appel. C'est votre tour d'occuper le bungalow spécial lune de miel.

— Oui. La dernière fois qu'Alison y a dormi, elle était dans un couffin.

— On va avoir la télé, intervint Alison en sautant sur place.

Elle en oublia de compter pendant un instant.

— J'ai apporté des tonnes de films.

— Pas plus d'une heure par jour, rappela Claire à sa fille, sachant qu'elle devrait répéter l'interdiction quotidiennement.

Alison était capable de regarder *La Petite Sirène* en boucle.

Derrière elles, la porte grillagée s'ouvrit à grand bruit. Telle une tornade, un groupe d'enfants déboula en riant, six adultes sur les talons.

Happy fit glisser une clé sur le bureau.

— Tu rempliras la paperasse plus tard. Je sens que ces gens-là prospectent pour leurs futures vacances et qu'ils vont vouloir que je leur montre une photo de chaque emplacement avant de se décider.

Claire comprenait. Le village-club possédait un nombre limité d'emplacements de camping – dix-neuf – et elle attribuait les meilleurs après mûre réflexion. Si elle appréciait un client, elle le plaçait à proximité des douches et du cours d'eau. Sinon... Disons qu'un soir de pluie, le vacancier avait une trotte à couvrir pour aller jusqu'aux toilettes.

Claire tapa sur le comptoir en pin usé.

— Viens prendre un verre un soir, Happy.

— Avec des fofolles comme vous ? Je ne manquerais pas ça pour un empire.

Claire tendit la clé à Alison.

— Allez, Alison, à toi de jouer. Montre-nous le chemin.

Alison partit en flèche avec un hurlement de Sioux. Elle traversa le hall d'entrée désormais bondé en zigzaguant. Cette fois, ses pieds retentirent bruyamment sur les marches.

Claire se dépêcha de la suivre. Dès qu'elles eurent récupéré leurs bagages dans la voiture, elles traversèrent la vaste pelouse au pas de course, passant devant l'abri à bateaux avant de s'enfoncer dans le sous-bois. Le sol y était couvert de terre dure comme du caillou et tapissé d'une profusion d'épines de pin qui semblaient s'y être déposées depuis au moins une centaine d'années.

Elles atteignirent enfin la clairière. Sur l'eau bleue parcourue de vaguelettes flottait un ponton en bois argenté qui se balançait de droite à gauche. Au loin, de l'autre côté du lac, se dessinait un complexe immobilier blanc perdu au milieu des courbes des contreforts des montagnes.

— *Clara, bella !*

Les mains en visière au-dessus des yeux, Claire balaya les environs du regard.

Debout sur la rive, Gina lui faisait de grands signes.

Même de là où elle était, Claire voyait que son amie avait un verre bien rempli à la main.

Cette semaine allait être le moment d'intervenir dans la vie de Gina. D'habitude, c'était la plus conservatrice du groupe, la bouée à laquelle ses amies se raccrochaient, mais sa procédure de divorce s'était achevée quelques mois plus tôt, la laissant à la dérive. Une femme seule dans un monde où tous vont par deux. La semaine précédente, son ex-mari s'était installé avec une jeunette.

— Dépêche-toi, Ali.

C'était Bonnie, six ans, la fille de Gina.

Alison laissa tomber son sac à dos Winnie l'Ourson et se déshabilla.

— Alison...

Elle exhiba avec fierté son maillot de bain jaune.

— Je suis prête, m'man.

— Viens par ici, ma chérie, demanda Gina.

Elle sortit un tube de crème solaire taille famille nombreuse et badigeonna Alison de la tête aux pieds en un temps record avant de la laisser filer.

— Tu ne dois pas en avoir plus haut que le nombril, précisa Claire, lâchant sans plus attendre les valises sur la grève.

Alison fit la grimace.

— M'man..., pleurnicha-t-elle, avant de se jeter à l'eau à grand renfort d'éclaboussures pour rejoindre Bonnie.

Claire s'assit à côté de Gina sur le sable doré.

— À quelle heure es-tu arrivée ?

Gina eut un rire ironique.

— À l'heure, évidemment. C'est une des choses que j'ai apprises cette année. Ta fichue vie peut s'écrouler, exploser, ça ne change pas qui tu es. Au contraire. Je suis du genre ponctuel.

— Il n'y a pas de mal à ça.

— Rex ne serait pas d'accord avec toi. Il se plaisait à raconter que je n'étais pas assez spontanée. Je pensais que ça signifiait qu'il avait envie de siestes coquines, alors qu'en réalité, il voulait faire du saut en chute libre.

Haussant les épaules, Gina adressa un sourire désabusé à Claire.

— Aujourd'hui, je le balancerais de bon cœur hors de l'avion.

— À ta place, je me chargerais d'attacher son parachute.

Ce n'était pas spécialement drôle, pourtant, elles pouffèrent.

— Comment va Bonnie ?

— C'est ça le plus triste. On dirait qu'elle ne se rend compte de rien. De toute façon, Rex n'était jamais à la maison. Mais je n'ai pas dit à Bonnie qu'il a emménagé avec une autre. Comment fait-on pour annoncer une chose pareille à son enfant ?

Gina s'appuya sur Claire, qui passa un bras autour du corps généreux de son amie.

— Seigneur, j'avais vraiment besoin de cette semaine de vacances.

Elles restèrent silencieuses un long moment. On n'entendait que le clapotis de l'eau sur le ponton et les rires stridents des fillettes.

Gina se tourna vers Claire.

— Comment as-tu fait pour t'en sortir pendant toutes ces années ? Je veux dire, en restant célibataire ?

Claire n'avait guère songé à la solitude depuis la naissance d'Alison. Oui, elle avait été seule – au sens où elle ne s'était pas mariée et où elle n'avait pas vécu avec un homme –, mais elle en souffrait rarement. Elle en était consciente, bien sûr, et parfois, le manque d'un compagnon avec qui partager sa vie se faisait sentir. Pourtant, il y avait longtemps qu'elle avait fait ce choix ; elle ne deviendrait pas comme sa mère.

— L'avantage, c'est que tu trouves la télécommande sans problème et que personne ne te casse les pieds pour t'obliger à laver la voiture ou à trouver la place de parking idéale.

— Sérieusement, Claire, j'ai besoin de conseils.

Claire regarda en direction d'Alison, qui, de l'eau jusqu'au nombril, bondissait en rythme en braillant la comptine des lettres de l'alphabet. À la vue de ce tableau, Claire sentit son cœur se serrer. Il lui semblait qu'hier encore sa fille n'était qu'un nourrisson tenant dans le creux de ses bras. Cependant, elle ne tarderait sûrement pas à exiger un piercing au sourcil. Claire savait qu'elle aimait trop Alison : avoir si désespérément besoin d'un autre être humain était dangereux, mais elle ne concevait pas une manière d'aimer différente. C'était pour cette raison qu'elle ne s'était pas mariée. Les hommes nourrissant pour leur femme un amour inconditionnel étaient des oiseaux rares. Claire se demandait, d'ailleurs, si le grand amour existait. Comme beaucoup d'autres, ce doute faisait partie d'un héritage transmis de mère en fille telle une maladie infectieuse. Pour sa mère, la réponse avait été le divorce. Pour Claire, de ne pas prononcer les mots « oui, je le veux », en premier lieu.

— On finit par dépasser le stade de la solitude. Et puis, on vit pour ses enfants, dit-elle plus bas, surprise de la pointe de regret contenue dans sa déclaration.

Il y avait tant de choses qu'elle n'avait pas osé désirer.

— Ton univers ne devrait pas se limiter à Ali, Claire.

— Ce n'est pas faute d'avoir essayé de tomber amoureuse. Je suis sortie avec tous les célibataires de Hayden.

— Mais jamais deux fois de suite avec le même, commenta Gina avec un sourire railleur. Sans compter que Bert Shubert en pince encore pour toi. Selon Mlle Hauser, tu es folle de l'avoir laissé filer.

— C'est triste qu'un plombier de cinquante-trois ans, à verres à triple foyer et barbiche rousse, soit considéré comme un beau parti sous prétexte qu'il possède une quincaillerie.

Gina éclata de rire.

— Oui. Si jamais je t'annonce que je sors avec Bert, tire-moi une balle, s'il te plaît.

Son hilarité fit peu à peu place aux larmes.

— Nom de Dieu, gémit-elle, avant de s'abandonner dans les bras de Claire.

— Tu vas t'en sortir, Gina, chuchota celle-ci en caressant le dos de son amie. Je te le promets.

— Je n'en sais rien, murmura Gina.

Quelque chose dans la manière dont elle l'avait dit, peut-être la douceur de sa voix, d'habitude si dure, donna à Claire un sentiment de vide intérieur.

Bizarrement, elle pensa au jour où son existence avait basculé, où elle avait appris que l'amour avait une durée de vie limitée, une date de péremption susceptible d'être dépassée d'un coup, après quoi tout prenait un goût amer. « Je te quitte », lui avait asséné sa sœur. Jusqu'à cet instant, Meghann avait représenté le monde entier aux yeux de Claire. Elle était sa meilleure amie. Sa mère.

Claire pleurait aussi, maintenant.

Gina renifla.

— Pas étonnant que personne ne veuille plus passer de temps avec moi. Je suis la princesse des ténèbres. Dix secondes en ma compagnie, et n'importe quelle femme heureuse se met à sangloter.

Claire s'essuya les yeux. S'apitoyer sur le passé ne servait à rien. À vrai dire, elle était étonnée qu'il lui reste encore des larmes. Elle pensait avoir trouvé la paix à propos de l'époque lointaine où Meghann l'avait laissée.

— Tu te souviens de l'année où Char est tombée du ponton parce qu'elle avait la vue brouillée par les pleurs ?

— Bob et la crise de la quarantaine. Char était persuadée qu'il avait une aventure avec leur femme de ménage.

— Alors qu'il se faisait poser des implants capillaires en secret.

Gina resserra son étreinte.

— Mon Dieu, merci pour les Bleues. La dernière fois que j'ai eu autant besoin de vous toutes, c'était à mon dernier accouchement.

4

La sonnerie de l'interphone bourdonna.

— Jill Sommerville est arrivée.

— Faites-la entrer.

Meghann sortit un bloc neuf et un stylo d'un meuble de rangement. Le temps que Rhona conduise Jill à la salle de conférences, l'avocate s'était rassise, un sourire poli aux lèvres.

— Bonjour, Jill. Je suis Meghann Dontess.

Jill resta debout près de la porte, mal à l'aise. C'était une jolie femme mince d'une cinquantaine d'années. Elle portait un coûteux tailleur gris et un petit haut en soie.

— Venez vous asseoir, proposa Meghann en lui indiquant la chaise vide à sa gauche.

— Je ne suis pas certaine de vouloir divorcer.

C'était une phrase que Meghann entendait souvent.

— Nous pourrions parler un peu d'abord, si vous voulez. Vous m'expliqueriez ce qui se passe dans votre couple.

Raide comme un piquet, Jill prit place sur le siège vide. Elle posa les mains sur la table, les doigts écartés, comme si elle redoutait que le bois ne se mette à léviter.

— Ça ne marche plus, répondit-elle doucement. Je suis mariée depuis vingt-six ans. Mais je n'y arrive pas. Je n'y arrive plus. Nous ne parlons pas. Nous sommes devenus un de ces couples qui sortent dîner au restaurant et restent assis sans dire un mot. J'ai vu mes parents le faire. Je m'étais juré que ça ne m'arriverait pas. J'aurai cinquante ans l'an prochain. Il est temps que j'aie ma vie.

« Je veux une seconde chance. » Ce motif-là de divorce arrivait en deuxième position après le grand gagnant : « Il me trompe. »

— Chacun a droit au bonheur, dit Meghann, qui se sentait en retrait.

Comme un automate, elle déroula une série de questions-réponses et de déclarations destinées à donner des informations concrètes à sa cliente tout en lui inspirant confiance. Meghann sentait qu'elle se débrouillait bien sur les deux fronts. Jill commençait à se détendre. Elle se hasardait même à sourire de temps en temps.

— Si nous parlions de vos biens ? Avez-vous une idée du montant de votre fortune ?

— Béatrice De Mille m'avait prévenue que vous aborderiez ce point.

Jill ouvrit son attaché-case Fendi, en tira une liasse de papiers agrafés et la fit glisser sur la table en direction de Meghann.

— Mon mari et moi avons monté la start-up Internet Emblazon. Nous l'avons vendue à AOL au plus haut du marché. Ce qui porte notre patrimoine, en comptant quelques autres petites entreprises et biens immobiliers, à environ soixante-douze millions de dollars.

Soixante-douze millions de dollars !

Craignant de rester bouche bée, Meghann se força à continuer à sourire normalement. C'était la plus grosse affaire qui soit jamais tombée dans son escarcelle. Elle en attendait une semblable depuis le début de sa carrière : celle qui rachèterait en théorie les innombrables nuits blanches qu'elle avait passées à se faire des cheveux au sujet de ses clientes insolvables. Son professeur de droit préféré avait coutume de dire que la loi était la même quel que soit le nombre de zéros. Mais Meghann n'était pas dupe : le système judiciaire favorisait les femmes comme Jill.

Elles devraient probablement engager un attaché de presse. Une affaire de ce style pourrait déchaîner l'attention des médias.

Meghann aurait dû se sentir excitée par cette perspective, pleine d'énergie. Pourtant, elle restait détachée. Un peu triste, même. Elle savait que malgré ses millions, Jill n'en était pas moins virtuellement une femme brisée.

Elle saisit le combiné et appuya sur le bouton de l'interphone.

— Rhona, apportez-moi les listes d'avocats. Seattle. L.A. San Francisco. New York. Chicago.

Jill se rembrunit.

— Mais...

Elle s'interrompit au moment où la secrétaire pénétra dans le bureau, porteuse d'une feuille de papier.

— Merci.

64

Meghann tendit le document à Jill.

— Ces vingt conseils sont les meilleurs du pays.

— Je ne comprends pas.

— Une fois que vous les aurez contactés, ils ne pourront plus représenter votre mari. Conflit d'intérêts.

Jill parcourut la liste, puis leva tranquillement les yeux.

— Je vois. C'est de la stratégie.

— Simple anticipation. Au cas où.

— Est-ce conforme à l'éthique ?

— Bien sûr. Comme tout consommateur, vous avez le droit de demander un second avis. J'aurai besoin d'une avance sur honoraires – disons, vingt-cinq mille dollars – et j'en prélèverai dix mille pour engager des experts de Seattle comme consultants.

Jill regarda Meghann un long moment en silence. Finalement, elle se leva avec un bref signe de tête affirmatif.

— J'irai voir vos confrères. Mais je présume que si je vous choisis, vous me représenterez.

— Bien sûr.

Au dernier moment, Meghann se souvint de ce qu'elle devait ajouter.

— Mais avec un peu de chance, vous n'aurez pas besoin de moi.

— Oui, ironisa Jill. Je vois que vous êtes pleine d'espoir.

Meghann soupira.

— La plupart des habitants de ce pays sont heureux en ménage. Ils ne viennent pas me consulter, et j'espère, honnêtement, que je ne vous reverrai pas.

Jill lui adressa un regard attristé qui en disait long et Meghann sut alors que la décision de sa cliente, quoique encore un peu floue et empreinte de regret, avait déjà été prise.

— Libre à vous d'espérer, conclut Jill tout bas. Pour nous deux.

— Vous n'avez pas bonne mine.

Affalée dans le fauteuil en cuir noir, Meghann ne bougeait pas.

— Et alors, c'est pour ça que je vous paie deux cents dollars de l'heure ? Pour m'insulter ? Dites-moi que je sens mauvais, aussi. Comme ça, j'en aurai vraiment pour mon argent.

— Pourquoi me payez-vous ?

— Pour moi, c'est comme un don aux œuvres.

Le Dr Bloom se garda de sourire. Elle demeura immobile, comme toujours, tel un caméléon, à fixer Meghann. Sans la compassion qu'on lisait dans ses yeux bruns, on aurait facilement pu la prendre pour une statue. C'était souvent cette compassion, un sentiment frisant la pitié, qui faisait craquer Meghann. Durant les vingt dernières années, elle avait consulté un flot ininterrompu de psys. Toujours des psychiatres, jamais de psychothérapeutes ni de psychologues. D'une part, elle faisait d'autant plus confiance à quelqu'un qu'il avait suivi un cursus universitaire long. D'autre part, et c'était de loin le plus important, elle voulait un praticien qui soit à même de prescrire des médicaments.

Durant sa trentaine, Meghann avait usé un psy tous les deux ans. Elle ne leur disait rien de capital et ils lui rendaient la pareille.

Et puis elle était tombée par hasard sur Harriet Bloom, la reine des statues, capable de rester assise une heure sans mot dire, avant de prendre le chèque de Meghann en lui expliquant que c'était son argent et qu'elle pouvait choisir de le dépenser intelligemment ou de le jeter par les fenêtres.

Harriet lui avait fait mettre un certain nombre d'éléments importants de son passé au jour et avait échafaudé quelques petites hypothèses quant au reste. À plus de dix reprises, l'année précédente, Meghann avait décidé de mettre un terme à leur relation, mais chaque fois qu'elle s'y essayait, elle paniquait et changeait d'avis.

Le silence devenait pesant.

— D'accord, j'ai une tête à faire peur. Je l'avoue. Je ne dors pas bien. D'ailleurs, je vais avoir besoin de plus de pilules.

— L'ordonnance que je vous ai faite devait vous suffire quinze jours encore.

Meghann évita le regard d'Harriet.

— Une ou deux fois, cette semaine, j'ai pris deux cachets. L'insomnie... Ça me met vraiment par terre. Certaines nuits, je n'arrive pas à la supporter.

— Pourquoi, à votre avis, ne dormez-vous pas ?

— Et vous, vous en pensez quoi ? C'est votre opinion qui compte, non ?

Le Dr Bloom étudia sa patiente avec calme. Elle était si immobile qu'il semblait impossible que ses poumons fonctionnent.

— Ah bon ?

— J'ai parfois du mal à dormir. C'est tout. Pas la peine d'en faire un fromage.

— Et vous avez recours à des médicaments et à des étrangers pour vous amener au bout de la nuit.

— Je ne drague plus autant qu'avant. Mais quelquefois...

Relevant la tête, Meghann rencontra le regard triste et compréhensif d'Harriet, ce qui la mit en rogne.

— Ne me regardez pas comme ça !

Harriet pencha le buste et posa les coudes sur la table. Elle appuya son menton sur ses doigts entrelacés.

— Vous utilisez le sexe pour tromper la solitude. Mais quoi de plus solitaire que les relations sexuelles anonymes ?

— Au moins, quand ces mecs quittent mon lit, je m'en fiche.

— Encore Éric.

— Éric.

Harriet recula dans son fauteuil.

— Votre mariage a duré moins d'un an.

— Ne minimisez pas cet épisode, Harriet. Il m'a brisé le cœur.

— Bien sûr. Et chaque jour, à votre cabinet, vous soufflez sur vos blessures en écoutant ces femmes vous raconter leur histoire qui ressemble à la vôtre. Seulement, il y a des années que ça ne vous fait plus grand-chose. Ce qui vous inquiète, ce n'est pas que quelqu'un vous brise à nouveau le cœur. Plutôt qu'il n'y ait plus rien à briser. Conclusion : vous avez peur et c'est un sentiment qui ne fait pas bon ménage avec votre besoin de tout contrôler.

C'était vrai. Meghann était fatiguée d'être seule et terrifiée à l'idée que sa vie entière serait à l'image d'un tronçon de route déserte. Une partie d'elle-même voulait se rendre et supplier qu'on trouve un moyen de la débarrasser de sa peur. Mais il s'agissait d'une petite voix nasillarde noyée sous les décibels hurlants de l'instinct de conservation. Meghann avait reçu une leçon de base de l'existence : l'amour ne dure pas. Mieux valait être seule et forte que faible et inconsolable.

Quand Meghann retrouva l'usage de la parole, elle riposta d'un ton coupant où affleurait la tension :

— J'ai passé une semaine difficile au bureau. Je suis de plus en plus impatiente avec mes clientes. Je n'arrive pas à ressentir d'empathie pour elles comme avant.

Harriet était trop professionnelle pour manifester sa déception par un signe aussi évident qu'un soupir ou une modification de son expression. Sa seule réaction fut de décroiser les doigts. Cependant, Meghann aperçut à nouveau dans ses yeux cette compassion dégoulinante qui la mettait si mal à l'aise. Ce regard qui disait : « Pauvre Meghann, qui redoute tant l'intimité. »

— Les émotions que vous ressentez vous semblent distantes et inaccessibles ? Pourquoi donc ?

— En tant qu'avocate, j'ai été formée à envisager les choses sans passion.

— Pourtant, nous savons toutes les deux que les meilleurs avocats savent se montrer compatissants. Et vous êtes performante dans votre métier.

Elles étaient à nouveau sur un terrain plus sûr, même s'il pouvait en un clin d'œil redevenir glissant.

— C'est ce que j'essaie de vous dire. Je ne suis plus aussi bonne qu'avant. Avant, j'aidais les gens. Je m'intéressais même à eux.

— Et maintenant ?

— Je suis comme un robot obsédé par les bilans qui passe sa journée à compiler des chiffres et à cracher des accords de divorce. Je me surprends à servir et à resservir des discours tout faits à des clientes dont la vie s'écroule. Autrefois, j'étais furieuse contre leur mari. Maintenant, je suis juste lasse. Ce n'est pas un jeu – je prends encore ça trop au sérieux –, mais pas... la vraie vie non plus. Pas pour moi.

— Vous pourriez envisager des vacances.

— Des quoi ? demanda Meghann en souriant.

Harriet savait qu'elle ne se relaxait pas facilement.

— Des vacances. Les gens ordinaires partent parfois une semaine à Hawaii ou à Aspen.

— On ne peut pas fuir son insatisfaction. Ce n'est pas ce qu'on apprend en première année de psycho ?

— Je ne vous suggère pas de fuir, mais de vous accorder une pause. Bronzer un peu, qui sait. Allez quelques jours chez votre sœur, dans les montagnes.

— Il y a peu de chances que Claire et moi passions des vacances ensemble.

— Vous avez peur de lui parler.

— Non. Claire gère un camping au milieu de nulle part. Nous n'avons rien en commun.

— Vous avez un passé.

— Mieux vaut l'oublier. Croyez-moi, si la vie de Claire se visitait, le guide appuierait un grand coup sur le champignon et passerait sans s'arrêter devant notre enfance.

— Mais vous aimez Claire. Ça doit bien compter pour quelque chose.

— Oui, reconnut Meghann, comme à contrecœur. Je l'aime. C'est pour ça que je garde mes distances.

Elle consulta sa montre.

— Zut ! L'heure est passée. À la semaine prochaine.

5

Du carrefour central, Joe observait la grand-rue d'une ville dont il avait oublié le nom. Il fit glisser son sac à dos d'une épaule sur l'autre : sous la bretelle, sa chemise était trempée de sueur, sa peau moite. Il sentait sa propre odeur dans cette atmosphère que l'absence de vent rendait étouffante. Ce n'était pas bon signe. Ce matin-là, il avait marché au moins dix kilomètres. Personne ne l'avait pris en stop. Rien de très surprenant. Plus ses cheveux étaient longs – et plus ils grisonnaient –, moins les gens s'arrêtaient. Joe ne pouvait plus compter que sur les chauffeurs de poids lourds, mais il n'en était pas passé trente-six par cette chaude matinée de dimanche.

Un peu plus loin, il repéra la pancarte peinte à la main du café Le Réveil. Fouillant dans sa poche, il en sortit son portefeuille, un modèle souple et doux en agneau, vestige de sa vie d'avant. Après l'avoir ouvert d'un coup sec, il regarda à peine la photo solitaire dans le carré de plastique tandis qu'il entrouvrait le soufflet latéral.

Douze dollars et soixante-douze cents. Il allait devoir trouver du travail le jour même. Il ne restait presque rien de ce qu'il avait gagné à Yakima.

Il bifurqua pour entrer au Réveil. Au-dessus de lui, une cloche tinta sur son passage. Les clients se tournèrent dans sa direction pour le dévisager.

Le vacarme fracassant des conversations mourut d'un seul coup. Seuls des raclements d'assiettes et des bruits de vaisselle entrechoquée s'échappaient de la cuisine.

Joe savait ce dont il avait l'air : d'un vagabond négligé à la chevelure argentée qui lui battait les épaules et dont les vêtements avaient grand besoin d'un lavage en machine, programme très sale. Son Levi's délavé était d'un bleu particulièrement pâle, des taches de transpiration marbraient son tee-shirt. Bien que son quarante-troisième anniversaire ne soit que la semaine suivante, Joe faisait soixante ans. Et puis il y avait l'odeur…

Il arracha presque un menu plastifié d'un casier près de la caisse et traversa la salle, tête baissée, jusqu'au dernier tabouret de bar sur la gauche. L'expérience lui avait enseigné de ne pas s'installer trop près des honnêtes citoyens des villes où il s'arrêtait. Quelquefois, la présence d'un type qui semblait dans la panade était déplaisante. Dans ces patelins, il était très facile de se retrouver en prison, le derrière sur le lit de camp d'une cellule. Joe avait passé assez de temps à l'ombre comme cela.

Vêtue d'un uniforme en polyester rose maculé, la serveuse attendait près du gril. Comme tout le monde dans l'établissement, elle dévisageait Joe.

Il s'assit sans bruit, le corps tendu comme un arc.

73

Alors, comme si on avait appuyé sur un interrupteur, le brouhaha reprit.

Attrapant un stylo derrière son oreille, la fille se dirigea vers Joe. Alors qu'elle approchait, il nota qu'elle était plus jeune qu'il ne le pensait. Probablement lycéenne. Ses longs cheveux bruns noués en une queue-de-cheval approximative étaient parsemés de mèches violettes et un petit anneau d'or s'accrochait à un de ses sourcils trop épilés. Elle était encore plus maquillée que Boy George.

— Qu'est-ce que je peux vous proposer ?

Elle plissa le nez en reculant.

— On dirait que j'ai besoin d'une douche, hein ?

— Ça ne vous ferait pas de mal.

Elle s'approcha d'un demi-centimètre en souriant.

— Pour vous, le mieux, c'est le camping KOA. Il y a une salle de bains d'enfer. Sûr, ce n'est que pour les clients, mais personne ne surveille.

Faisant claquer son chewing-gum, la serveuse murmura :

— Le code, c'est vingt et un, zéro, zéro. Les gens du coin le connaissent.

— Merci, Brandy, dit Joe après avoir consulté le badge de son interlocutrice.

Elle pointa son stylo vers son bloc-notes.

— Alors, qu'est-ce que vous voulez ?

Joe ne se donna pas la peine de consulter le menu.

— Je vais prendre un muffin complet, un fruit frais – ce que vous avez – et un bol de flocons d'avoine. Oh, et un verre de jus d'orange.

— Ni œufs ni bacon ?

— Eh non.

74

Avec un haussement d'épaules, Brandy se détournait déjà. Joe l'arrêta d'un mot.

— Brandy !

— Oui ?

— Où est-ce qu'un type comme moi pourrait trouver du travail ?

Brandy le toisa.

— Un type comme vous ?

Son ton surpris trahissait sa pensée. Pour elle, Joe n'était pas capable de travailler, juste de mendier et traîner.

— Si j'étais vous, j'essaierais les vergers Aux pommes extra. Ils cherchent toujours du monde. Et les Gars du jardin : ils tondent les pelouses des locations de vacances.

— Merci.

Joe resta assis sur le tabouret de bar bien plus longtemps qu'il n'aurait dû. Il fit son possible pour ingurgiter son petit déjeuner très lentement, mâchant chaque bouchée à l'infini, mais le bol et l'assiette finirent par se vider.

Joe savait qu'il était temps qu'il parte ; pourtant, il n'arrivait pas à se forcer à se lever. La nuit précédente, il avait dormi blotti le long d'une souche tombée dans le pâturage d'un fermier. Perturbé par un vent hurlant et un orage soudain, son sommeil avait été pour le moins inconfortable. Aujourd'hui, il avait mal partout. Mais, pour une fois, il était dans un endroit chaud, l'estomac plein, bien installé. Un véritable instant au paradis.

— Faut que vous y alliez, murmura Brandy en passant en coup de vent à côté de lui. Mon patron dit qu'il va appeler les flics, si vous continuez à traîner ici.

Joe aurait pu discuter, argumenter qu'avoir payé son repas lui donnait le droit de rester assis. Quelqu'un de normal l'aurait eu. Mais il se contenta d'articuler « d'accord » et de poser six dollars sur le comptoir en formica rose.

Il se remit debout sans se presser. L'espace d'une seconde, il fut pris d'un vertige, et dut attendre un peu avant de saisir son sac à dos et de le balancer sur son épaule.

Dehors, la chaleur le frappa de plein fouet, le repoussant presque en arrière. Se remettre à marcher lui demanda un suprême effort de volonté.

Bien qu'il ait levé le pouce tout le temps, personne ne le prit en stop. Il avançait dans la direction que lui avait indiquée Brandy, à bout de forces à cause des quarante degrés ambiants. Quand il arriva au camping KOA, il avait une migraine carabinée et mal à la gorge.

Son désir le plus cher était de s'engager sur le chemin gravillonné, de se glisser dans la salle de bains commune pour y prendre une longue douche chaude, puis de louer un bungalow pour s'y reposer tout son saoul.

— Impossible ! s'exclama-t-il, pensant aux six dollars dans sa poche.

Parler tout seul était une manie qu'il avait prise récemment. Sinon, il passait quelquefois des journées entières sans entendre qui que ce soit.

Il allait devoir entrer en douce dans les douches, chose difficile avec les gens autour.

Il se faufila dans un bosquet de pins derrière l'édifice. L'ombre lui fit du bien. S'enfonçant dans le bois, à l'abri des regards, il s'assit, adossé au tronc d'un pin. Même le plus léger mouvement résonnait douloureusement dans son crâne, ce qui l'obligea à fermer les yeux.

Quelques heures plus tard, des rires le sortirent de sa torpeur. Des enfants couraient au milieu des emplacements de camping en criant. L'air était lourd d'une odeur de fumée : des feux de camp.

L'heure du dîner.

Surpris d'avoir dormi si longtemps, Joe battit des paupières pour s'aider à se réveiller. Il attendit que le soleil se couche et que le calme envahisse l'endroit avant de se lever. Tenant son sac à dos plaqué contre lui, il avança à pas de loup vers le bâtiment en rondins abritant les douches et la laverie.

Il s'apprêtait à composer le code quand une femme surgit derrière lui... Pétrifié, il se tourna vers elle au ralenti.

La jeune femme, vêtue d'un simple haut de maillot de bain bleu vif et d'un short en jean, une pile de serviettes roses à la main, s'immobilisa. Sa masse bouclée de cheveux blond roux était à peine sèche. Elle riait en approchant de la baraque, mais à la vue de Joe, son sourire s'évanouit.

Il était si près du but – sa première douche chaude depuis des semaines ! Et maintenant, cette superbe créature allait d'une minute à l'autre appeler le directeur en hurlant.

Mais elle dit tout bas :

— Le code, c'est vingt et un, zéro, zéro. Tenez.

Elle tendit une serviette à Joe avant d'entrer dans la partie réservée aux femmes, dont elle referma la porte.

Sa gentillesse émut tant Joe qu'il lui fallut un moment pour réagir. Finalement, serrant la serviette dans ses bras, il tapa le code et se hâta à l'intérieur, du côté des hommes. La pièce était vide.

Il prit une longue douche chaude, mit les vêtements les plus propres qu'il possédait et lava ses affaires sales dans le lavabo. Au moment de se brosser les dents, il détailla son reflet dans le miroir. Ses cheveux trop longs et hirsutes avaient viré au gris. Il n'avait pas pu se raser, ce matin-là, si bien que ses joues hâves s'ombraient d'une barbe de deux jours plutôt drue. Les valises qu'il avait sous les yeux avaient atteint la taille XXL. Sa décrépitude intérieure commençait à percer à l'extérieur, comme la pourriture dans un fruit.

Se coiffant avec les doigts, il tira ses cheveux en arrière puis se détourna du miroir. Mieux valait qu'il ne se regarde pas. Cela ne faisait que lui rappeler le bon vieux temps, quand il était jeune et vaniteux, et prenait encore le soin de préserver les apparences. À l'époque, il jugeait importantes un tas de choses qui ne l'étaient pas.

Il se dirigea vers la porte et l'entrouvrit pour inspecter les alentours. Il n'y avait personne en vue, ce qui lui permit de disparaître dans les ténèbres.

La nuit était tombée. La pleine lune s'était levée sur le lac, éclairant les vagues d'une lueur ondulante et illuminant les bungalows le long de la rive. Une vive lumière était allumée à l'intérieur de trois d'entre eux. Joe voyait les occupants d'un des chalets bouger : on aurait dit qu'ils dansaient. Soudain, il eut très envie d'être parmi eux, de faire partie de ce cercle de gens qui tenaient les uns aux autres.

— Tu délires, Joe, remarqua-t-il, souhaitant être capable de s'en moquer comme autrefois.

Mais il avait une boule dans la gorge qui rendait impossible le moindre sourire.

Il se glissa sous l'abri offert par les arbres, avançant régulièrement. Au moment où il dépassait l'un des bungalows, il entendit de la musique – « Stayin' Alive », des Bee Gees –, puis un rire d'enfant.

— Danse avec moi, papa, demanda une fillette d'une voix stridente.

Joe se força à garder le rythme. À chaque pas, le son des rires diminuait, tant et si bien qu'à l'orée du bois, il était devenu presque imperceptible. Repérant un lit moelleux d'aiguilles de pin, Joe se laissa tomber dessus. Autour de lui, la lune brillait, transformant le monde en traînées noires ou blanc bleuté.

Ouvrant son sac à dos, il trifouilla parmi les vêtements mouillés roulés en boule à la recherche des deux seuls objets qui comptaient.

Trois ans plus tôt, quand il s'était enfui, il avait emporté une belle valise. Il s'en souvenait : debout dans la chambre, il avait préparé ses bagages en vue d'un voyage sans destination ni durée précises, se demandant de quoi avait besoin un homme en exil. Il avait pris des pantalons de toile et des pulls en mérinos, et même un costume noir.

Dès la fin de son premier hiver en solitaire, il avait compris que ces tenues représentaient les

79

vestiges d'une vie oubliée. Inutiles. Tout ce dont il avait besoin dans sa nouvelle existence, c'était deux jeans, quelques tee-shirts, un sweat-shirt et un coupe-vent. Le reste, il l'avait donné aux œuvres.

L'unique vêtement coûteux qu'il avait conservé était un gilet en cachemire rose aux boutons de nacre. Les bons soirs, il arrivait encore à sentir le parfum de Diana dans la laine si douce.

Il extirpa un album de photos relié de cuir de son sac. Les doigts tremblants, il en souleva la couverture.

Le premier cliché était l'un de ses préférés. Diana y figurait assise sur l'herbe, en short blanc et tee-shirt de Yale. À côté d'elle trônait une pile de livres ouverts, dont les pages étaient couvertes d'un amas de fleurs de cerisier. Diana avait l'air si joyeuse que Joe dut ravaler ses larmes.

— Salut, chérie, dit-il tout bas, j'ai pris une douche chaude, ce soir.

Il ferma les yeux. Dans l'obscurité, Diana vint à lui. Ces temps-ci, il lui arrivait de plus en plus souvent d'avoir la sensation qu'elle ne l'avait pas quitté. Il savait que c'était le fruit d'une faiblesse de son esprit ou d'un problème cérébral, mais il s'en fichait.

— Je suis fatigué, avoua-t-il.

Il inspira profondément, afin de savourer le parfum de Diana : Red, de chez Giorgio, à Beverly Hills.

Il se demanda s'il s'en vendait encore.

« Ça ne sert à rien, ce que tu fais. »

— Je ne sais pas quoi faire d'autre.

« Rentre à la maison. »

— Je ne peux pas.

« Tu me fends le cœur, Joey. »

Puis Diana s'évanouit.

Avec un soupir, Joe s'affaissa, le dos contre une grosse souche.

« Rentre à la maison », lui avait conseillé Diana. C'est ce qu'elle lui disait toujours. Ce qu'il pensait lui-même. Peut-être demain, songea-t-il, tentant de trouver la dose de courage nécessaire. Et Dieu sait si au bout de trois ans sur la route, il en avait assez d'être seul à ce point.

Peut-être finirait-il par s'autoriser à prendre la direction de l'ouest.

Diana serait contente.

6

Tout comme les rayons du soleil, la nuit révélait Seattle sous un de ses meilleurs angles. L'autoroute – un cauchemar pour les automobilistes, qui restaient pare-chocs contre pare-chocs aux heures de pointe – devenait, le soir, un scintillant dragon chinois rouge et or serpentant le long des rives sombres du lac Union. L'essaim de gratte-ciel de Midtown, au cœur de la ville, qui paraissait si ordinaire dans la grisaille d'un jour brumeux de juin, ressemblait, à la tombée de la nuit, à un kaléidoscope coloré de formes ciselées.

Meghann se tenait devant la fenêtre de son bureau. La vue ne manquait jamais de l'hypnotiser. L'eau était pareille à une tache noire prête à engloutir Bainbridge Island. Même si elle ne voyait pas les rues en contrebas, elle savait qu'elles étaient saturées. Le trafic routier représentait une véritable malédiction, que Seattle subirait encore au troisième millénaire. Des millions de gens étaient venus s'installer dans la cité jadis endormie, attirés par la qualité de vie et la diversité des activités de plein air. Malheureusement, après avoir construit des maisons cossues au fond d'impasses de banlieue, ils avaient trouvé du travail en ville. Et les routes, conçues pour une agglomération portuaire un peu à l'écart, s'étaient révélées sous-dimensionnées.

Le progrès.

Meghann consulta sa montre, qui indiquait vingt heures. Il était temps qu'elle rentre chez elle. Elle emporterait le dossier Wanamaker, histoire de prendre de l'avance pour le lendemain.

Derrière elle, la porte s'ouvrit. La femme de ménage, Ana, poussa son chariot à l'intérieur de la pièce en traînant dans son sillage un aspirateur.

— Bonsoir, maître Dontess.

Meghann lui sourit. Qu'importe le nombre de fois où elle avait dit à Ana de l'appeler Meghann, celle-ci ne s'y était pas résolue.

— Bonsoir, Ana. Comment va Raul ?

— Demain, on sait s'il sera muté à McChord. On croise les doigts.

— Ce serait formidable pour vous d'avoir votre fils si près d'ici, remarqua Meghann en rassemblant ses dossiers.

Ana marmonna quelque chose qui ressemblait à :

— Vous aussi, vous devriez avoir un fils pas loin. Au lieu de travailler, travailler, travailler.

— Vous ne seriez pas encore en train de me faire la morale, Ana ?

— Je ne sais pas faire la morale. Mais vous travaillez trop dur. Tous les soirs, vous êtes ici. Quand vous allez rencontrer l'homme de votre vie, si vous êtes toujours au bureau ?

C'était un vieux débat, qui avait commencé dix ans auparavant, quand Meghann s'était chargée bénévolement de l'audience d'Ana auprès des services de l'immigration. Depuis qu'elle avait tendu sa carte verte à Ana et qu'elle l'avait engagée, elle n'avait plus connu de répit. À partir de ce moment, Ana avait fait son possible pour « payer sa dette » à sa patronne. Ce remboursement avait pris la forme d'un cortège ininterrompu de plats cuisinés et de sermons constants quant aux méfaits de l'abus de travail.

— Vous avez raison, Ana. Je crois que je vais aller me détendre et prendre un verre.

— Je ne pensais pas à un verre, grommela Ana entre ses dents, alors qu'elle se penchait pour brancher l'aspirateur.

— Bonne nuit, Ana.

Meghann avait presque atteint l'ascenseur quand son portable sonna. Elle fourragea dans son sac noir dernier cri pour mettre la main sur l'appareil.

— Meghann Dontess, commença-t-elle.

— Meghann, implora une voix haut perchée empreinte de panique. C'est May Monroe.

Instantanément, Meghann fut sur le qui-vive. Un divorce pouvait mal tourner en moins de temps qu'il ne fallait à une coupure pour s'infecter sous les tropiques.

— Que se passe-t-il ?

— C'est Dale. Ce soir, il est venu me voir.

Meghann nota dans un coin de sa tête de demander une ordonnance restrictive temporaire interdisant à Dale d'approcher sa cliente dès qu'elle arriverait au bureau le lendemain.

— Hmm. Et alors ?

— Il a mentionné les papiers qu'il a reçus aujourd'hui. Il était fou de rage. Qu'est-ce que vous lui avez envoyé ?

— On en avait parlé, May. Au téléphone, la semaine dernière, vous vous en souvenez ? J'ai notifié à Dale, à son avocat et au tribunal que nous contestions le transfert frauduleux de son entreprise et que nous exigions un relevé des comptes aux Caïmans. J'ai aussi annoncé à mon confrère que nous étions au courant de la liaison de son client avec le professeur de piano d'un de vos enfants et qu'un tel comportement pourrait mettre en question son droit parental.

— On n'en a jamais discuté. Vous avez menacé de lui enlever les enfants ?

— Croyez-moi, May, c'est l'argent qui a provoqué cette crise de colère. C'est toujours comme ça. Les hommes comme votre mari se servent de leur progéniture pour faire monter les enchères. Ils font semblant de vouloir la garde pour obtenir plus d'argent. C'est une tactique très courante.

— Vous pensez connaître mon mari mieux que moi.

Meghann ne comptait plus les fois où elle avait entendu cette phrase, pourtant, elle était encore surprise. Ces femmes qui étaient restées dans l'ignorance des relations extraconjugales de leur époux, de ses mensonges et de ses acrobaties financières persistaient à prétendre qu'elles le « connaissaient ». Une raison supplémentaire de ne pas se marier. L'amour rendait aveugle.

— Je n'ai pas besoin de le connaître, répliqua-t-elle, utilisant le discours bien rodé qu'elle avait perfectionné au fil des ans. C'est mon travail de vous protéger. Si, ce faisant, j'ai indisposé votre – « bon à rien de menteur de... » – mari, c'est malheureusement une nécessité. Il va se calmer.

— Vous ne connaissez pas Dale, répéta May.

Par intuition, Meghann détecta une nuance nouvelle dans les paroles de sa cliente.

— Avez-vous peur de lui, May ?

Voilà qui changeait la donne.

— Peur ?

May essayait d'avoir l'air étonnée par la question, mais Meghann ne s'y trompa pas. Eh bien ! Elle était toujours sidérée d'apprendre qu'un mari était violent avec sa femme : cela n'arrivait pas dans les familles où l'on s'y attendait.

— Est-ce qu'il vous frappe, May ?

— Quelquefois, quand il a bu. J'ai le don de dire le mot qu'il ne faut pas.

« Oui, c'est ça. C'est la faute de May. » Il était terrifiant de constater à quel point les femmes battues se croyaient coupables.

— Est-ce que vous allez bien ?

— Il ne m'a pas touchée. Et il ne touche jamais les enfants.

Meghann se garda de formuler ce qui lui venait à l'esprit.

— C'est bien, se limita-t-elle à dire.

Si elle avait été au côté de May, elle aurait pu la regarder dans les yeux et mesurer son degré de fragilité. Et si elle avait senti que c'était possible, elle lui aurait débité quelques statistiques : des histoires horribles ayant pour but de lui faire accepter la triste réalité. Souvent, quand un homme battait sa femme, il finissait par s'en prendre à sa progéniture. Les brutes restaient des brutes, leur caractéristique principale étant leur besoin d'exercer leur pouvoir sur ceux qui n'en ont pas. Or, quel être était plus impuissant qu'un enfant ?

Meghann ne pouvait rien faire au téléphone. Parfois, une cliente qui semblait forte et maîtresse de la situation était tout bonnement en train de s'effondrer. Meghann avait rendu visite à un trop grand nombre d'entre elles dans une clinique psychiatrique ou à l'hôpital. Avec les années, elle avait appris à faire plus attention.

— Il faut que nous nous assurions que Dale comprend que je ne veux pas lui retirer les enfants. Autrement, il va devenir enragé, insista May dans un murmure.

— Laissez-moi envisager le cas de figure suivant, May. Mettons que nous soyons dans trois mois. Vous avez divorcé et Dale a perdu la moitié de ce qu'il possède. Il habite avec Barbie, ils vont en boîte et, un soir, ils rentrent chez eux ivres. C'est Barbie qui conduit, parce qu'elle n'a bu que trois margaritas. À leur retour, ils découvrent que la baby-sitter n'a pas pu empêcher le saccage de la maison et que le petit Billy a démoli la fenêtre du bureau. Billy est-il en sécurité ?

— Ça fait beaucoup de choses qui tournent mal.

— C'est plus courant qu'on ne le croit, May. Vous le savez. À mon avis, vous avez déjà servi de tampon entre votre mari et les enfants. Un peu comme un amortisseur de chocs humain. Vous avez dû apprendre comment calmer Dale et détourner son attention. Mais est-ce que Barbie saura faire de même ?

— Je suis vraiment si banale ?

— C'est la situation qui l'est. La bonne nouvelle, c'est que vous allez vous donner les moyens de prendre un nouveau départ. Ne faiblissez pas, May. Ne laissez pas Dale vous intimider.

— Alors, qu'est-ce que je dois faire ?

— Verrouillez les portes et débranchez le téléphone. Refusez de lui parler. Si vous ne vous sentez pas en sécurité, allez chez des parents ou des amis. Ou passez la nuit dans un motel. Demain, on va se voir pour mettre sur pied un nouveau plan de bataille. Je vais déposer l'ordonnance restrictive.

— Vous ferez en sorte qu'il ne m'arrive rien ?

— Tout ira bien pour vous, May. Faites-moi confiance. Les brutes sont lâches. Une fois que Dale aura constaté à quel point vous êtes forte, il fera machine arrière.

— D'accord. Quand peut-on se voir ?

Meghann plongea la main dans son sac, cherchant son agenda électronique pour y vérifier son emploi du temps.

— Que dites-vous d'un déjeuner tardif – disons, quatorze heures – à l'Annexe judiciaire, près du tribunal ? Je vais organiser un rendez-vous avec l'avocat de Dale dans l'après-midi.

— Très bien.

— May, je sais que c'est un sujet douloureux, mais auriez-vous par hasard une photo de vous... vous savez... quand il vous frappait ?

Il y eut un blanc au bout du fil, après quoi May répondit :

— Je vais vérifier dans mes albums.

— C'est juste pour avoir une preuve, ajouta Meghann.

— Pour vous, peut-être.

— Je suis navrée, May, j'aimerais ne pas avoir à poser une telle question.

— C'est moi qui suis désolée, riposta May.

Meghann parut surprise.

— De quoi ?

— Qu'aucun homme ne vous ait montré le bon côté des choses. Mon père aurait tué Dale pour ses agissements.

Avant qu'elle ait pu se maîtriser, Meghann fut terrassée par une nostalgie intense. C'était son talon d'Achille. Elle se savait certaine de ne pas croire à l'amour, pourtant, elle en rêvait encore. May avait sans doute raison. Peut-être que si elle avait eu un père pour l'aimer, tout serait différent. L'amour, elle en était convaincue, ressemblait à un pont de lianes fait de branches très fragiles, juste assez solide pour soutenir un moment le poids de quelqu'un, mais voué à craquer tôt ou tard.

Certes, il existait des mariages heureux. La meilleure amie de Meghann, Élisabeth, l'avait prouvé. Il y avait aussi des gens qui gagnaient quarante-huit millions de dollars au loto, des trèfles à quatre feuilles, des frères siamois, des éclipses totales de soleil.

— On se voit donc demain à quatorze heures ?

— À demain.

— Parfait.

Meghann referma son portable d'un coup sec et le fourra dans son sac avant d'appuyer sur le bouton d'appel de l'ascenseur. Dès que les portes s'ouvrirent, elle s'engouffra dans la cabine. Comme toujours, les parois recouvertes de miroirs lui donnèrent l'impression de se cogner à elle-même. Elle s'inclina vers l'avant, incapable de résister à la tentation : quand il y avait une glace à proximité, il fallait qu'elle s'y regarde. Ces dernières années, elle s'était mise à traquer de manière obsessionnelle les signes de vieillissement : les ridules, les rides, les traits qui s'affaissent.

Elle avait quarante-deux ans, mais comme hier encore elle en avait trente dans sa tête, les années qui la séparaient de la cinquantaine passeraient en un éclair.

C'était déprimant. Elle s'imaginait à soixante ans. Seule, travaillant de l'aube au crépuscule, parlant aux chats de ses voisins et passant ses vacances dans des croisières pour célibataires.

Elle sortit de l'ascenseur, traversa le hall d'entrée et salua le vigile au passage.

Dehors, la nuit était splendide : le ciel couleur améthyste donnait aux alentours un éclat rose et nacré. Quelques fenêtres éclairées en haut des gratte-ciel attestaient que Meghann n'était pas l'unique obsédée du travail en ville.

Remontant la rue à vive allure, elle croisa les passants sans rencontrer leur regard. Arrivée devant chez elle, elle marqua une pause et leva les yeux.

Elle apercevait sa terrasse, la seule du bâtiment à ne pas être agrémentée d'arbres en pot et de meubles de jardin. Derrière, les fenêtres sombres de l'appartement contrastaient avec les ouvertures brillamment illuminées du reste de l'immeuble.

Des familles et des amis se trouvaient dans ces espaces éclairés, en train de dîner, de regarder la télévision, de discuter ou de faire l'amour. Bref, de communiquer.

« Je suis désolée qu'aucun homme ne vous ait montré le bon côté des choses », avait dit May.

« Je suis désolée. »

Meghann dépassa son immeuble sans s'arrêter. Elle n'avait aucune envie de monter enfiler son vieux sweat-shirt d'étudiante et de manger du muesli pour dîner en regardant une rediffusion de « New York 911 ».

Elle pénétra dans le marché couvert. Presque tous les stands étaient fermés. Les marchands de poisson avaient rangé leur marchandise, les appétissants légumes frais avaient été remballés dans les caisses jusqu'au lendemain. Quant aux étals, normalement garnis de fleurs séchées, d'objets artisanaux et de gourmandises faites maison, ils étaient vides.

Meghann bifurqua vers l'Athenian, un bistro typique, rendu célèbre par le film *Nuits blanches à Seattle*. C'était accoudé au bar en bois verni que Rob Reiner avait expliqué la quintessence des rapports amoureux dans les années quatre-vingt-dix à Tom Hanks.

La fumée qui emplissait l'établissement était si épaisse qu'on aurait pu y jouer au morpion avec les doigts. Le manque de correction de l'Athenian avait quelque chose de réconfortant : on pouvait y commander un cocktail à la mode, mais la spécialité restait la bière bien glacée.

Meghann était passée maître dans l'art d'observer les clients sans se faire remarquer. Elle mit ses talents en pratique.

Quatre ou cinq hommes d'âge mûr avaient pris place au comptoir. Des pêcheurs, devina Meghann, qui se préparaient à partir pour l'Alaska pour la saison. Il y avait aussi deux hommes plus jeunes, style requins de la finance, qui buvaient des martinis et parlaient sûrement boutique. Meghann en voyait assez dans leur genre au tribunal.

— Bonsoir, Meghann ! beugla le barman, Freddie. Comme d'habitude ?

— Évidemment.

Souriant, elle passa devant le bar et bifurqua sur la gauche, où plusieurs tables en bois poli étaient serrées contre les deux murs. Des couples ou des groupes de quatre occupaient la plupart d'entre elles, mais quelques-unes restaient libres.

Meghann trouva une place. Se glissant sur le banc, elle s'assit. À sa gauche, une grande fenêtre donnait sur Elliott Bay et la jetée.

— Et voilà le travail, claironna Freddie.

Il posa un verre à martini devant Meghann, secoua le shaker en acier et lui versa un cosmopolitan.

— Tu veux une assiette d'huîtres avec des frites ?

— Tu lis dans mes pensées.

Freddie sourit.

— Pas trop dur. Les Eagles viennent ce soir, ajouta-t-il en se penchant vers Meghann. Ils devraient arriver d'une minute à l'autre.

— Les Eagles ?

— Une équipe de base-ball de deuxième division, là-bas, à Everett. Bonne chance ! conclut Freddie avec un clin d'œil.

Meghann gémit. C'était mauvais signe quand les barmen se mettaient à recommander des équipes entières de base-ball.

« Je suis désolée. »

Meghann commença à boire. Le premier cosmopolitan terminé, elle en commanda un nouveau. Quand le fond du verre fut visible, elle avait oublié sa journée.

— Je peux me joindre à vous ?

Elle leva la tête avec un sursaut et plongea le regard dans deux yeux sombres.

Debout devant elle, son interlocuteur avait posé un pied sur le siège d'en face. Du premier coup d'œil – il était jeune, blond, et sexy en diable –, Meghann vit qu'il avait l'habitude d'obtenir cc qu'il voulait. Et ce qu'il voulait, ce soir, c'était elle.

Une pensée revigorante.

— Bien sûr.

Pourtant, Meghann ne lui accorda pas un demi-sourire, pas un battement de cils. Elle n'était pas adepte des faux-semblants. Ni des jeux.

— Je m'appelle Meghann Dontess. Meg, pour mes amis.

Il se faufila sur la banquette, effleurant les genoux de Meghann avec les siens, et ce contact sembla l'amuser.

— Moi, c'est Donny McMillan. Vous aimez le base-ball ?

— J'aime un tas de choses.

Meghann fit signe à Freddie, qui acquiesça en silence. Un instant plus tard, il apportait un cosmopolitan.

— Je prendrai une Coors light, annonça Donny en s'adossant à la banquette, les bras négligemment passés de chaque côté du dossier.

Meghann et lui s'observèrent en silence. Le brouhaha du bar sembla d'abord s'amplifier pour s'estomper ensuite, jusqu'à ce que Meghann n'entende plus que l'effort régulier de sa respiration et les battements de son cœur.

La bière servie, Freddie repartit pour de bon.

— J'imagine que vous êtes joueur de base-ball.

Donny eut un large sourire. Que c'était sexy ! Meghann ressentit un premier pincement de désir. Avec Donny, le sexe serait génial, elle le savait. Et puis il lui ferait oublier sa sale journée – « Je suis désolée ».

— Vous ne le saviez pas ? J'irai loin. Vous verrez. Un de ces jours, je serai célèbre.

C'était pour cette raison que Meghann était attirée par les hommes jeunes. Ils avaient foi en eux-mêmes et en le monde, mais n'avaient pas encore compris comment l'existence fonctionnait réellement. Les rêves qu'on étouffe peu à peu, le bien et le mal qui cessent de représenter des repères tangibles pour devenir des idées abstraites : ces vérités profondes qui se révèlent quand, vers trente-cinq ans, on réalise qu'on n'a pas la vie qu'on voulait.

Qui plus est, ces hommes-là n'exigeaient jamais davantage que ce qu'elle était préparée à donner. Ceux de son âge avaient tendance à s'imaginer que le sexe impliquait une relation. Pas les plus jeunes.

Durant l'heure qui suivit, Meghann approuva de la tête en souriant tandis que Donny parlait de lui. Au bout de quatre verres, elle savait qu'il était le benjamin de trois frères, diplômé de l'université de Washington, et que ses parents vivaient dans la ferme de l'Iowa achetée par son grand-père. Ce qui rentrait par une oreille ressortait par l'autre. Meghann se concentrait sur la manière dont les genoux de Donny et les siens se touchaient fortuitement et sur la façon dont Donny caressait du pouce le verre de bière humide.

Il était en train de lui raconter la fête de sa fraternité à la faculté quand elle proposa :

— Tu veux venir chez moi ?

— Pour prendre un café ?

Elle lui décocha un sourire complice.

— Ça aussi, je suppose.

— Tu ne perds pas de temps, toi !

— C'est assez clair, je crois. Je préfère être directe sur le sujet. J'ai... trente-quatre ans. Autant dire que je serai bientôt hors jeu.

Donny lui rendit son sourire et l'enveloppa d'un regard à la sensualité complice, qui la fit démarrer au quart de tour. Ça promet, songea-t-elle.

— C'est loin, chez toi ?

— Par chance, c'est tout près.

Donny se leva et tendit la main à Meghann pour l'aider à faire de même. Elle se dit qu'il essayait d'être galant, pas qu'il prêtait assistance à une vieille femme. Elle mit sa main dans la sienne, un contact qui la fit frissonner d'excitation.

Ils restèrent silencieux pendant la traversée du marché, désormais sombre et désert. Il n'y avait rien à dire. Les banalités avaient été échangées, les préliminaires engagés. Désormais, la rencontre des peaux nues était plus importante que les questions qui mettent à nu.

Le portier de nuit de l'immeuble de Meghann fit son travail sans piper mot. S'il avait remarqué que c'était le deuxième partenaire qu'elle ramenait chez elle ce mois-ci, il n'en laissa rien paraître.

— Bonsoir, mademoiselle Dontess, dit-il avec un mouvement du menton.

— Hans, le salua-t-elle, montrant le chemin à…

Comment s'appelait-il, déjà ? Donny ! Comme Donny Osmond, le chanteur.

Meghann regretta d'avoir fait le rapprochement.

Ils pénétrèrent dans l'ascenseur. Dès que la porte se fut refermée, Donny se retourna. Meghann s'entendit reprendre sa respiration quand il se pencha sur elle. Ses lèvres étaient aussi douces et sucrées qu'elle l'avait espéré.

La cabine atteignit l'étage du penthouse avec un petit dring. Donny fit mine de se détacher de Meghann, mais elle l'en dissuada.

— C'est le seul appartement du palier, souffla-t-elle.

Sans cesser de l'embrasser, elle fouilla dans son sac à la recherche de ses clés.

Accrochés l'un à l'autre, ils avancèrent tel un mille-pattes vers la porte, qu'ils franchirent en trébuchant.

— Par ici.

La voix de Meghann se fit dure et brusque tandis qu'elle le guidait vers la chambre. Là, elle se mit à déboutonner son chemisier. Donny fit un geste vers elle, mais elle repoussa sa main. Une fois nue, elle le regarda enfin. La pièce était plongée dans la pénombre, juste comme elle l'aimait.

Le visage de Donny se réduisait à une tache floue. Ouvrant le tiroir de la table de nuit, Meghann en tira un préservatif.

— Viens ici, demanda le jeune homme, tendant les bras vers elle.

— J'en ai bien l'intention.

Elle s'approcha, rentrant le ventre du mieux qu'elle pouvait.

Il lui effleura le sein gauche. Le téton réagit immédiatement. En proie à un désir plus sourd, plus intense, Meghann empoigna Donny et se mit à le caresser.

Ensuite, tout alla très vite. Ils se jetèrent l'un sur l'autre comme des animaux, griffant, poussant, grognant. Derrière eux, la tête de lit cognait le mur à grand bruit. Enfin, Meghann atteignit le paroxysme. Ce fut aigu et rapide, et il ne lui resta qu'un vague sentiment d'insatisfaction. C'était de plus en plus fréquent.

Elle se laissa aller sur les oreillers. Donny était allongé à côté d'elle et elle percevait la chaleur de sa peau le long de sa cuisse. Bien qu'il soit si proche, elle se sentait seule. Ils étaient là, ensemble dans un lit, l'odeur du sexe flottant dans l'air, et pourtant elle n'avait rien à lui dire.

Elle roula sur le côté pour se rapprocher. Sans vraiment s'en rendre compte, elle se lova contre lui. C'était la première fois qu'elle faisait un geste aussi intime depuis des années.

— Dis-moi quelque chose sur toi que personne d'autre ne sait, susurra-t-elle en glissant sa jambe nue par-dessus la sienne.

Il eut un rire étouffé.

— On dirait que tu vis dans un pays où l'on fait tout à l'envers, hein ? D'abord, tu t'envoies en l'air avec moi comme une bête et ce n'est qu'après que tu as envie de me connaître. Dans le bar, tu bâillais presque quand je te parlais de ma famille.

Meghann s'écarta, rentrant aussitôt dans sa coquille.

— Je n'aime pas être ordinaire.

Elle fut surprise de constater à quel point elle semblait peu affectée par la rebuffade.

— Crois-moi, ce n'est pas le cas.

Donny repoussa sa jambe sur le côté et lui embrassa l'épaule. Une façon de se débarrasser d'elle gentiment. Elle aurait préféré qu'il se passe du baiser.

— Faut que j'y aille.

— Ne te gêne pas.

Il se renfrogna.

— Pas besoin d'avoir l'air si furax. Ce n'est pas comme si on était tombés amoureux.

Ramassant sa chemise de nuit marquée du logo de l'équipe de football des Seahawks, Meghann l'enfila. Habillée, elle se sentait moins vulnérable.

— Tu ne me connais pas, comment peux-tu savoir si je suis furax ? Et puis je n'imagine pas tomber amoureuse de quelqu'un qui utilise aussi souvent l'expression « maniement de la balle ».

— Nom de Dieu !

Donny se leva, entreprit de se rhabiller. Assise sur le lit, raide comme la justice, Meghann le fusillait du regard. Elle aurait bien voulu avoir un bouquin à portée de main sur la table de nuit, pour se mettre à lire là, tout de suite.

— Si tu tournes à gauche et encore à gauche, tu devrais retrouver la porte d'entrée.

L'expression de Donny s'assombrit.

— Tu prends des médicaments ?

Meghann rit, narquoise.

— Tu devrais, reprit Donny.

Il se mit en marche – elle nota que c'était tout juste s'il ne courait pas. Marquant une pause près de la porte, il fit volte-face.

— Tu me plaisais bien, tu sais.

Sur ce, il décampa.

Meghann entendit la porte s'ouvrir et se refermer avec un clic. Elle respira enfin.

Généralement, ses partenaires mettaient un certain temps avant de lui demander si elle était sous traitement. Et aujourd'hui, elle avait réussi à dégoûter Donny en une soirée. Elle perdait les pédales. C'était comme si sa vie se désagrégeait. Bonté divine, elle n'arrivait pas à se rappeler la dernière fois où elle avait embrassé un homme et ressenti autre chose que du désir.

« Et la solitude, avait demandé le Dr Bloom. Vous l'aimez aussi ? »

Meghann se contorsionna pour allumer la lampe de chevet. Le faisceau lumineux éclaira un cadre contenant une photo de Claire et elle, prise des années plus tôt. Elle se demanda ce que sa sœur faisait à cet instant précis. Si elle était réveillée à cette heure tardive, se sentant seule et fragile. Mais Meghann connaissait la réponse. Claire avait Alison. Et Sam.

Sam.

Meghann aurait aimé oublier le peu de souvenirs qu'elle gardait du père de sa sœur. Mais il ne lui arrivait jamais de souffrir de ce genre d'amnésie. Pire, elle se rappelait tout en détail, en particulier à quel point elle avait désiré que Sam soit aussi son père. Alors jeune et pleine d'espoir, elle s'était dit : « Peut-être que nous pourrions former une famille, tous les trois. » Les châteaux en Espagne d'une enfant... Leur évocation restait douloureuse au bout de tant d'années. Sam était le père de *Claire*. Il était arrivé dans sa vie et tout avait basculé.

Meghann et Claire n'avaient plus rien en commun. Claire habitait une maison remplie de rires et d'amour. Elle ne sortait probablement qu'avec les célibataires les plus convoités de Hayden. Pas de relations sexuelles anonymes et frustrantes, pour elle.

Meghann ferma les yeux, se disant qu'elle menait l'existence qu'elle avait choisie. Elle avait essayé le mariage, qui s'était terminé selon ses prévisions : son époux l'avait trahie et elle avait eu le cœur brisé. Elle ne voulait plus subir la même chose. Si de temps à autre elle passait une heure ou deux, au milieu de la nuit, en proie à un pénible sentiment de regret qu'elle n'arrivait pas à chasser, eh bien, c'était le prix à payer pour son indépendance.

Elle s'allongea en travers du lit afin d'attraper le téléphone. Cinq numéros étaient programmés : le bureau, trois restaurants qui livraient à domicile et sa meilleure amie, Élisabeth Shore.

Elle appuya sur la touche trois.

— Qu'est-ce qui se passe ? demanda une voix d'homme embrumée de sommeil. Jamie ?

Meghann consulta rapidement le réveil sur la table de nuit. Zut ! Il était presque minuit et donc près de trois heures du matin à New York.

— Désolée, Jack, je ne m'étais pas rendu compte de l'heure.

— Tu fais cette erreur trop souvent, pour une fille intelligente. Une seconde.

Si Meghann avait pu, elle aurait raccroché. Sa bévue l'avait mise sur la sellette, soulignant l'inconsistance de sa vie privée.

— Tu vas bien ? interrogea Élisabeth, inquiète.

— Très bien. Je me suis plantée de fuseau. Excuse-moi auprès de Jack. On discutera demain. Je t'appellerai avant de partir pour le cabinet.

— Attends un peu.

Meghann entendit Élisabeth chuchoter quelque chose à son mari. Peu de temps après, elle revint en ligne :

— Laisse-moi deviner. Tu viens juste de rentrer de l'Athenian.

Meghann se sentit encore plus mal.

— Non, pas ce soir.

— Ça va, Meg ?

— Mais oui. Je n'avais pas fait attention à l'heure, tout simplement. Je... travaillais sur une déposition compliquée. On se parlera demain.

— Demain, on s'envole pour Paris, Jack et moi, tu t'en souviens ?

— Oui. Amusez-vous bien.

— Je pourrais repousser...

— Et manquer la fête monstre au Ritz ? Pas question. Passez un excellent séjour, tous les deux.

101

Il y eut une pause au bout du fil, puis Élisabeth dit avec douceur :

— Je t'aime, Meg.

Meghann sentit les larmes lui monter aux yeux. C'était les mots qu'elle avait besoin d'entendre, même s'ils venaient de très loin : grâce à eux, elle se sentait moins seule, moins vulnérable.

— Moi aussi, je t'aime, Birdie. Bonne nuit.

— Bonne nuit, Meg, dors bien.

Elle reposa le combiné. La pièce semblait très calme à présent, trop sombre, aussi. Meghann remonta les couvertures et ferma les yeux, consciente qu'elle mettrait des heures à s'endormir.

7

La première fois qu'elles s'étaient retrouvées au bord du lac de Chelan, c'était pour fêter quelque chose. Mille neuf cent quatre-vingt-neuf. L'année où Madonna exhortait ses auditeurs à s'exprimer, où Jack Nicholson incarnait le Joker à l'écran dans *Batman* et où les premières pierres du mur de Berlin étaient tombées. Mais surtout, c'était l'année de leurs vingt et un ans. À ce moment-là, elles étaient cinq. Meilleures amies depuis l'école primaire.

Le rassemblement avait eu lieu par accident. Les filles s'étaient cotisées pour offrir à Claire le bungalow spécial lune de miel pour son anniversaire. En mars, elle était folle amoureuse de Carl Eldridge, la première amourette passionnée d'une longue série qui avait tourné à la catastrophe pure et simple. Mais le week-end en question, à la mi-juillet, Claire – déjà lassée – s'était retrouvée seule et déprimée. Comme ce n'était pas son genre de gaspiller, elle était partie quand même, avec l'intention de passer son temps à lire, assise dehors.

Le jour de son arrivée, juste avant l'heure du dîner, une Ford Punto déglinguée s'était garée dans la cour. Les copines de Claire étaient sorties en masse de la voiture en riant, deux grandes carafes de margarita à la main. Leur visite, baptisée « SOS amoureuse en détresse », avait été un succès. Dès le lundi, Claire savait à nouveau qui elle était et ce qu'elle attendait de la vie. Carl Eldridge n'était décidément pas le « bon ».

Depuis lors, le groupe s'était débrouillé pour se réunir une semaine par an. Maintenant, bien sûr, il n'y avait plus la même ambiance. Gina et Claire avaient eu une fille chacune, Karen, quatre enfants, aujourd'hui âgés de onze à quatorze ans, et Charlotte essayait d'être enceinte.

Ces dernières années, leurs fêtes s'étaient assagies : elles emportaient moins d'alcool et de cigarettes. Au lieu de se mettre sur leur trente et un pour aller à la taverne western de Cow-Boy Bob boire de la tequila et danser en ligne, elles couchaient les enfants tôt et buvaient du vin blanc en jouant à la dame de pique sur la table ronde, sous la véranda. Au fil des parties, elles marquaient les scores. La gagnante héritait des clés du bungalow réservé aux jeunes mariés l'année d'après.

Leurs vacances évoluaient au rythme lent d'un manège un peu paresseux. Elles restaient toute la journée au bord du lac, allongées sur des serviettes de plage rayées rouge et blanc ou assises sur des transats fatigués, la radio posée sur la table de pique-nique. Elles écoutaient une station qui passait de vieux tubes et quand elles entendaient une chanson des années quatre-vingt, elles se levaient d'un bond pour danser et chanter. Quand il faisait chaud – comme ce jour-là –, elles passaient le plus clair de leur temps immergées jusqu'au cou dans l'eau fraîche, le visage protégé par un chapeau à large bord et des lunettes de soleil. À parler, parler.

Le temps était idéal, le ciel d'un bleu sans tache et la surface du lac semblable à du verre. À l'intérieur, les aînés disputaient de folles parties de crapette en écoutant la musique assourdissante de Willie et en discutant sans doute d'un film interdit aux moins de douze ans particulièrement grossier, que leurs copains, mais pas eux, avaient le droit de voir. Alison et Bonnie s'amusaient sur un pédalo dans un périmètre délimité par une corde. Leurs fous rires étaient les plus sonores de tous.

Avachie dans un fauteuil, Karen s'éventait avec un prospectus du parc aquatique voisin. Protégée des rayons par un grand chapeau en tissu blanc et une tunique diaphane à manches trois quarts, Charlotte lisait le dernier ouvrage sélectionné par son club de lecture en sirotant une limonade.

Gina se contorsionna pour ouvrir la glacière et y farfouilla à la recherche d'un Coca light. Ayant trouvé son bonheur, elle sortit la canette, l'ouvrit d'un coup sec et but une longue gorgée avant de refermer le compartiment.

— C'est la fin de mon mariage, et on boit du Coca light et de la limonade. Quand le premier mari de Karen est parti, on a pris des tequilas et dansé la macarena chez Cow-Boy Bob.

— C'était mon second mari, Stan, précisa Karen. Quand Aaron m'a quittée, on s'est empiffrées de brownies et on s'est baignées nues.

— Il n'en reste pas moins, argumenta Gina, que ma crise à moi est traitée comme si on était dans

105

« Sesame Street ». Pour toi, c'était le style film d'ados, comme *American College*.

— Cow-Boy Bob, dit Charlotte avec l'ébauche d'un sourire. Ça fait des années qu'on n'y a pas mis les pieds.

— Pas depuis que nous traînons derrière nous ces humains modèles réduits, remarqua Karen. C'est dur de danser le rock avec un enfant sur le dos.

Charlotte tourna la tête vers l'endroit où les petites s'activaient sur le pédalo. Son visage s'assombrit soudain. Une tristesse familière envahit à nouveau ses yeux. Elle pensait sans doute au bébé qu'elle désirait tant.

Claire regarda subrepticement ses amies. Comme cela lui arrivait parfois lors de ces séjours, elle fut effrayée pendant un court instant de voir ce qu'elles étaient devenues à trente-cinq ans. Cette année plus que jamais, elles paraissaient plus calmes. Plus vieilles, même. Le lac étincelant n'arrivait pas à leur faire oublier leurs soucis. Voilà qui n'allait pas du tout. Elles venaient ici pour jouir de leur jeunesse et de leur liberté. Les ennuis devaient rester confinés sous d'autres latitudes.

Elle se leva à moitié, en appui sur les coudes. Le contact du coton rêche de la serviette de plage sur ses avant-bras pleins de coups de soleil lui fit l'effet d'une morsure.

— Willie aura quatorze ans cette année, non ?

Karen eut un signe de tête affirmatif.

— Il entre au lycée en septembre. Tu te rends compte ? Alors qu'il dort encore avec une peluche et qu'il oublie de se brosser les dents. À côté de lui, les filles de troisième ont l'air de danseuses de cabaret.

— Il pourrait peut-être faire du baby-sitting pendant une heure ou deux ?

Gina se redressa d'un coup.

— Génial, Claire ! Pourquoi on n'y a pas pensé avant ? Il a quatorze ans.

— On gardait toutes des enfants, à cet âge-là, renchérit Charlotte. Je faisais quasiment le travail d'une nounou, l'été avant mon entrée au lycée.

— Willie est un garçon responsable, Karen. Il s'en sortira très bien, confirma Claire, rassurante.

— Je ne sais pas. Le mois dernier, son poisson rouge est mort. Par manque de nourriture.

— Les petits ne vont pas mourir de faim en deux heures.

Karen regarda par-dessus son épaule en direction du bungalow.

Claire comprenait ce qui se passait dans l'esprit de son amie. Si Willie jouait les baby-sitters, cela impliquait qu'il était devenu grand.

— Oui, céda Karen. Bien sûr. Pourquoi pas ? On lui laissera un portable...

— Et une liste de numéros...

— Et on lui interdira de sortir du bungalow.

Gina se dérida pour la première fois de la journée.

— Mesdames et messieurs, les Bleues vont s'émanciper !

Il leur fallut deux heures pour se doucher, changer de tenue et préparer le dîner de leur progéniture : macaronis au fromage et saucisses. Ensuite, elles durent expliquer leur plan.

Pour finir, Claire attrapa Karen par les épaules et l'emmena. Tandis qu'elles s'éloignaient, marchant en plein vent le long de la grande allée, Karen s'arrêtait tous les trois pas pour regarder en arrière.

— Vous êtes sûres ? s'enquit-elle.

— Oui. La responsabilité fera du bien à Willie.

Karen fronça les sourcils.

— Je ne peux pas m'empêcher de penser à ce pauvre poisson qui flottait le ventre en l'air dans l'eau sale.

— Avance !

Gina se rapprocha de Claire et commenta entre ses dents :

— Karen est comme une voiture sur la glace. Si elle s'arrête, on ne pourra pas la faire repartir.

Les quatre amies avaient atteint le trottoir en face de chez Cow-Boy Bob quand elles eurent une brutale révélation. Claire rompit la première le silence :

— La nuit n'est même pas tombée.

— Comme fêtardes, on a un peu perdu la main.

— La barbe ! lança Gina.

Claire refusa de se laisser décourager. Même si elles avaient l'air d'étudiantes en goguette au milieu des buveurs invétérés qui peuplaient l'établissement en début de soirée, quelle importance ? Il fallait qu'elles s'amusent et Cow-Boy Bob était le seul bar des environs.

— Allez, mesdames, intima-t-elle aux autres en fonçant droit devant.

Elles la suivirent en file indienne. La tête haute, elles entrèrent d'un pas décidé dans les lieux, comme s'ils leur appartenaient. Une épaisse brume grise flottait près du plafond, dérivant en fines volutes entre les suspensions lumineuses. Plusieurs habitués étaient assis au comptoir, leur corps voûté planté tel un champignon détrempé sur un tabouret noir. Des néons multicolores vantant diverses marques de bière clignotaient dans la pénombre.

Claire conduisit la bande à une table ronde qui avait vu des jours meilleurs, près de la piste de danse. De là, la vue sur l'orchestre, absent pour le moment, était imprenable. Un air plaintif de musique country passait sur le juke-box.

La troupe avait à peine eu le temps de s'installer qu'une serveuse grande et maigre aux joues parcheminées apparut.

— Qu'est-ce que je vous sers, les filles ? s'enquit-elle en passant un chiffon grisâtre sur la table.

Gina commanda pour tout le monde des margaritas et des beignets à l'oignon, qui furent servis avec célérité.

— Quel bien ça fait d'être hors de chez soi ! s'exclama Karen en saisissant son verre. Je ne me souviens pas de la dernière fois où je suis sortie sans avoir à tout planifier comme pour le lancement d'une attaque aérienne.

— Amen…, approuva Gina. Rex n'est jamais arrivé à réserver une baby-sitter. Même pour un dîner-surprise. La surprise, c'était : « On sort, tu t'occupes de faire garder les enfants ? » Comme s'il ne pouvait pas décrocher le téléphone ! Ça me mettait hors de moi. Pourtant, c'est un grief insignifiant. Pourquoi je ne m'en suis pas aperçue plus tôt ?

Claire devinait que Gina pensait aux changements imminents qu'impliquait sa nouvelle vie de célibataire. Au lit destiné à rester à moitié vide, nuit après nuit. Elle avait envie de lui parler, de trouver les mots qui réconfortent, mais elle n'y connaissait rien au mariage. Durant les vingt dernières années, elle avait fréquenté pas mal d'hommes et s'était quelquefois imaginé qu'elle tombait amoureuse. Mais aucune de ces relations n'avait été sérieuse. Claire avait souvent songé qu'il lui manquait quelque chose. Pourtant, à voir Gina, le regard terni par son chagrin d'amour, elle se demandait si elle n'avait pas eu de la chance.

Elle leva son verre.

— À nous, clama-t-elle. Aux Bleues. On a survécu au collège avec M. Kruetzer, au lycée avec Mlle Bass, la reine des crasses, aux accouchements et aux opérations, aux mariages et aux divorces. Deux d'entre nous ont fait une croix sur leur couple, il y en a une qui n'a pas réussi à être enceinte, une qui n'a jamais été amoureuse, une qui est morte. Mais nous sommes là. Nous serons toujours là les unes pour les autres. Ce qui fait de nous des femmes chanceuses.

Elles trinquèrent.

Karen se tourna vers Gina.

— Je sais que tu as l'impression de t'effondrer. Mais ça va s'arranger. La vie continue. C'est tout ce que je peux te dire.

Sans commentaire, Charlotte posa sa main sur celle de Gina. Parfois, les mots ne servaient à rien.

Gina se rasséréna.

— Ça suffit. Je peux broyer du noir à la maison. Parlons d'autre chose.

Claire changea de sujet. Au début, la conversation fut difficile et s'embringua dans un sens unique,

110

malgré les efforts de chacune pour en changer la direction. Mais un rythme finit par s'imposer. Bientôt, les amies évoquèrent le bon vieux temps, s'amusèrent de la moindre anecdote et commandèrent des chips mexicaines au fromage. La serveuse les avait à peine apportées que l'orchestre se mit à jouer. La première chanson était une interprétation aussi discordante qu'assourdissante de « Friends in Low Places », de Garth Brooks.

— On dirait Garth Brooks, mais qui se serait pris dans le fil de fer barbelé, plaisanta Claire.

Quand les musiciens attaquèrent « Here in the Real World », d'Alan Jackson, la salle était comble. Presque toute l'assistance était affublée d'une tenue en faux cuir façon western. Un groupe évoluait déjà en ligne à grand renfort de tapes sur les cuisses.

— Tu entends ça ?

Claire pencha le buste en avant, les deux mains sur la table.

— C'est « Guitars and Cadillacs ». Allons danser.

— Danser ? pouffa Gina. La dernière fois que j'ai dansé avec vous deux, j'ai donné un coup de popotin à un vieux bonhomme et il s'est retrouvé les quatre fers en l'air. Laisse-moi boire encore un verre ou deux d'abord.

Karen fit un signe de dénégation.

— Pas d'accord, Hector. J'ai dansé jusqu'à ce que je fasse du quarante-quatre. Maintenant, je m'arrange pour bouger le moins possible, c'est plus prudent.

Claire se leva.

— Allez, Charlotte. Tu n'es pas aussi décrépite que ces deux-là, bon sang. Tu viens ?

— Avec grand plaisir !

Elle jeta son sac sur sa chaise et emboîta le pas à Claire sur la piste.

Autour d'elles, des couples en denim exécutaient des figures. Une femme qui scandait un, deux, trois en cadence passa en pirouettant. Elle avait un besoin évident de se concentrer pour suivre les mouvements de son partenaire.

Claire se laissa submerger par les notes comme par de l'eau froide une chaude journée d'été, se sentant revigorée et rajeunie. À la minute où elle commença à évoluer en cadence, balancer les hanches, taper des pieds et frapper dans les mains, elle se rappela combien elle aimait cela. Elle avait du mal à croire qu'elle avait laissé s'enchaîner si facilement autant d'années paisibles.

La musique l'emporta, effaçant dans son sillage le fait qu'elle était mère. Comme ses compagnes, elle était redevenue une adolescente qui riait, se déhanchait et chantait les paroles des morceaux à tue-tête.

« Sweet Home Alabama » succéda à « Guitars and Cadillacs », puis ce fut le tour de « Margaritaville ».

Claire était trempée de sueur et essoufflée quand l'orchestre s'arrêta. Une légère migraine progressait derrière son œil gauche. Plongeant la main dans sa poche, elle en retira un cachet d'aspirine.

Charlotte repoussa les cheveux qui lui tombaient devant les yeux.

— C'était génial. Johnny et moi, on n'a pas dansé depuis… Probablement depuis notre mariage. C'est ce qui arrive quand on essaie à tout prix de tomber enceinte. Le romantisme disparaît.

Claire s'esclaffa.

112

— Crois-moi, mon chou, c'est une fois que tu attends un enfant qu'il change de trottoir. Je ne suis pas sortie avec un type digne de ce nom depuis des années. Allez, viens. Je suis déshydratée.

Charlotte désigna l'arrière du bar du menton.

— Il faut d'abord que j'aille aux toilettes. Commande-moi un autre margarita. Et dis à Karen que c'est moi qui paie cette tournée.

— Pas de problème.

Claire s'apprêtait à rejoindre leur table quand elle se souvint du comprimé serré dans son poing. Se ravisant, elle alla au bar demander un verre d'eau.

Après avoir avalé le cachet, elle s'éloigna. Elle retournait s'asseoir quand elle aperçut un homme qui montait sur scène. Il portait une guitare traditionnelle, sans prise ni ampli. L'orchestre avait disparu, laissant ses instruments sur place.

L'homme s'assit avec aisance sur un tabouret branlant. Une de ses bottes de cow-boy était plantée au sol tandis que l'autre reposait sur le barreau inférieur du siège. Il était vêtu d'un jean fatigué et d'un tee-shirt noir. Ses cheveux, dont la blondeur ressortait dans la lumière fluorescente du plafonnier, lui arrivaient presque aux épaules. Il regardait son instrument. Bien que son visage soit obscurci par un stetson noir, Claire en devinait l'ossature pleine de caractère au dessin de ses pommettes hautes.

— Quel canon !

Elle ne se rappelait pas quand elle avait vu un garçon aussi beau pour la dernière fois. Pas à Hayden, en tout cas. On n'en trouvait pas des comme lui dans les trous perdus. Claire l'avait appris depuis belle lurette. Les Tom, les Brad et les

George de ce monde vivaient à Hollywood ou Manhattan, et voyageaient flanqués de gardes du corps au regard vide et au costume mal taillé. Ils *parlaient* de rencontrer les « vraies gens », mais c'était tout. Claire le savait parce qu'un jour, on avait tourné un film d'action à Snohomish. Elle avait supplié son père de l'emmener voir le tournage. Aucune star n'avait adressé la parole aux habitants du coin.

Le musicien s'approcha du micro.

— Je vais prendre le relais pendant que l'orchestre marque une pause. J'espère que ça ne vous dérange pas.

Quelques maigres applaudissements saluèrent sa déclaration.

Claire joua des coudes à travers la foule, heurtant au passage un jeune homme en jean ultramoulant, coiffé d'un stetson de la taille d'un sombrero.

Elle s'immobilisa à la limite de la piste de danse.

Avant de commencer à jouer, l'homme gratta quelques cordes sur sa guitare. Au départ, sa voix, incertaine, était presque trop douce pour porter au-dessus du brouhaha exubérant montant de l'assistance éméchée.

— Silence !

Claire fut surprise d'entendre qu'elle avait lancé si fort ce mot qu'elle avait cru penser.

Elle se sentait ridiculement exposée, à quelques mètres à peine de l'inconnu, pourtant, elle était incapable de bouger ou de détacher son regard de la scène.

Le musicien leva les yeux.

Dans la pénombre enfumée, où des dizaines de spectateurs se pressaient derrière elle, Claire eut l'impression qu'il la regardait.

Il sourit.

Une fois, des années plus tôt, Claire courait derrière sa sœur le long du ponton au lac Crescent. Une minute, elle était encore à la verticale, hilare, mais la suivante, elle s'était retrouvée dans l'eau glacée, cherchant désespérément à reprendre sa respiration et se débattant pour remonter à la surface. C'était à peu près ce qu'elle ressentait à cet instant.

— Je m'appelle Bobby Austin, susurra le chanteur. Cette chanson est pour *elle*. Vous savez tous ce que je veux dire. Celle que je cherche.

Ses longs doigts bronzés coururent sur les cordes, puis il se mit à chanter d'une voix séduisante en diable, basse et voilée par le tabac. Les accents tristes et envoûtants de la chanson rappelèrent à Claire les multiples routes qu'elle avait empruntées au cours de sa vie. Sans s'en rendre compte, elle s'était mise à se balancer au rythme de la musique et à danser.

Sa ballade terminée, Bobby posa son instrument et se leva. La foule applaudit poliment avant de se tourner de l'autre côté, pressée de retrouver les pichets de bière et les ailes de poulet épicées.

Bobby se dirigea vers Claire, qui semblait pétrifiée. Alors qu'il s'arrêtait à son niveau, elle réprima la tentation de regarder par-dessus son épaule pour voir s'il avait repéré quelqu'un d'autre. Comme il restait muet, elle se présenta :

— Je m'appelle Claire Cavenaugh.

Le sourire qui s'insinua au coin de la bouche de Bobby était triste.

— Je ne sais pas comment dire ce que j'ai dans la tête sans passer pour un idiot.

Le cœur de Claire battait tant la chamade qu'elle en avait le tournis.

— Comment ça ?

Bobby se rapprocha, supprimant la distance – pourtant infime – qui les séparait. Il était désormais si proche que Claire voyait les taches dorées mouchetant ses yeux verts, la minuscule cicatrice en forme de demi-lune au-dessus de sa lèvre supérieure. Elle nota aussi qu'il se coupait les cheveux lui-même : leurs pointes en désordre étaient de toutes les longueurs.

— Je suis le bon, murmura-t-il.

— Le bon quoi ?

Elle essaya de plaisanter.

— Le chemin, le jour ? Il n'y a pas d'autre moyen d'atteindre le paradis que toi ?

— Blague à part. Je suis celui que tu cherches.

Claire aurait dû lui rire au nez, lui dire qu'elle n'avait pas entendu d'entrée en matière aussi bateau depuis l'époque où elle avait essayé de se raser les sourcils.

À trente-cinq ans, elle avait dépassé le stade où l'on croit encore au coup de foudre. C'était ce qu'elle s'apprêtait à rétorquer. Elle avait déjà formulé sa réponse, mais quand elle ouvrit la bouche, ce fut son cœur qui parla.

— Comment tu le sais ?

— Parce que moi aussi, je t'ai cherchée.

Claire recula d'un pas. Juste assez loin pour pouvoir respirer son air à elle.

Elle avait envie de se moquer de Bobby. Vraiment envie.

— Allez, Claire Cavenaugh, l'encouragea-t-il. Viens danser avec moi.

8

Certains mariages se terminent par des échanges de mots amers et d'épithètes désobligeantes, d'autres dans un torrent de larmes et d'excuses murmurées. Si chaque cas diffère des autres, la tristesse reste la seule constante. Perdant, gagnant, match nul : le bruit du marteau du juge tapant sur la surface en bois de son bureau faisait toujours froid dans le dos à Meghann. La fin du rêve d'une femme est un événement glaçant et, au tribunal des affaires familiales, on savait qu'aucune divorcée ne verrait plus le monde – ou l'amour – tout à fait de la même façon.

— Est-ce que ça va ? demanda Meghann à May.

Sa cliente était assise, droite comme un I, les mains croisées sur les genoux. Aux yeux d'un observateur extérieur, elle aurait pu paraître sereine, presque étrangère au drame déchirant qui venait de se jouer dans la salle d'audience.

Meghann n'était pas dupe : May était sur le point de craquer. Seule la force de sa volonté l'empêchait de crier.

— Très bien, répondit May, respirant par saccades.

C'était une réaction assez fréquente. Dans ce genre de circonstances, les femmes avaient souvent recours à la technique de respiration pratiquée pour l'accouchement.

Meghann lui tapota le bras.

— Allons manger un morceau à côté, d'accord ?

— Manger, répondit May, qui ne semblait ni rejeter ni accepter l'idée.

Le juge se leva et sourit à Meghann, puis à George Gutterson, l'avocat de la partie adverse, avant de quitter les lieux.

Meghann aida May à se lever. Elle la soutint pour lui permettre de marcher droit tandis qu'elles se dirigeaient vers la porte.

— Salope !

Meghann entendit May inspirer et la sentit se raidir. Celle-ci fit un faux pas et s'arrêta.

Dale Monroe lui fonça dessus. Son visage était d'un rouge violacé et une veine bleue battait au milieu de son front.

— Dale, intercéda George en tentant d'agripper son client. Ne soyez pas stupide.

Mais l'homme se débarrassa de lui d'une secousse avant de continuer sa progression.

Meghann s'interposa avec aisance entre May et lui.

— Reculez, monsieur Monroe.

— « Docteur » Monroe, sale garce cupide !

— Excellent vocabulaire. Vous avez dû étudier dans une bonne université. Maintenant, reculez, s'il vous plaît.

Meghann était consciente que derrière elle, May tremblait et respirait de manière irrégulière.

— Faites sortir votre client de mon espace vital, George.

George ouvrit les bras, les paumes tournées vers le ciel en signe d'impuissance.

— Il ne m'écoute pas.

— Vous m'avez enlevé mes enfants, accusa Dale, regardant Meghann droit dans les yeux.

— Vous suggérez sans doute que c'est moi qui ai transféré frauduleusement mes biens là où ma femme ne pouvait pas y avoir accès... ou que c'est moi qui ai volé de l'argent et des titres à ma famille ?

Meghann fit un pas en avant dans la direction de Dale.

— Attendez, j'ai mieux. Peut-être voulez-vous dire que c'est moi qui sortais avec le professeur de piano de ma fille le mardi après-midi ?

Dale pâlit – ce qui accentua le bleu de la veine – et contourna Meghann en essayant de rencontrer le regard de son épouse.

Ex-épouse.

— Allez, May, implora-t-il. Tu me connais. Je n'ai rien fait de ce qu'elle dit. Je t'aurais donné ce que tu demandais. Mais les enfants... Je ne peux pas ne les voir que le week-end et deux semaines en été.

À vrai dire, il avait l'air sincère. Si Meghann n'avait pas vu l'hideuse vérité noir sur blanc, elle aurait pu croire qu'il avait de la peine.

Elle se hâta de prendre la parole pour éviter à May de le faire.

— La séparation de vos biens a été effectuée de façon équitable et sans préjudice, docteur Monroe.

Les questions relatives à la garde des enfants ont été résolues avec impartialité et quand vous serez calmé, je suis sûre que vous en conviendrez. Nous avons tous lu les dépositions qui montraient la manière dont vous vivez. Le matin, vous partiez dès six heures – avant le réveil des enfants – et rentriez rarement chez vous avant vingt-deux heures – après qu'ils étaient couchés. Les week-ends, vous les passiez avec vos copains, à jouer au golf et au poker. Pour l'amour du ciel, vous verrez sans doute plus votre progéniture maintenant que quand vous habitiez la demeure familiale.

Meghann esquissa un sourire satisfait. Elle avait déroulé une argumentation intelligente et bien pensée. Dale ne pouvait pas prétendre le contraire. Elle observa George – qui était resté debout en silence derrière son client – d'un regard oblique. Il paraissait sur le point de vomir.

— Pour qui vous prenez-vous ? siffla Dale entre ses dents en avançant d'un pas vers Meghann.

Il serra les poings.

— Vous allez me frapper, Dale ? Ne vous gênez pas. Perdez le peu de droit de garde que vous avez.

Il hésita.

Meghann se rapprocha de lui.

— Et si vous tapez à nouveau sur May ou si vous la serrez d'un peu trop près, je vous ferai revenir devant ce tribunal. Sauf que cette fois, l'enjeu ne sera pas votre fortune, mais votre liberté.

— Vous me menacez ?

— À votre avis ? Oui. Est-ce qu'on est d'accord là-dessus ? Débrouillez-vous pour garder vos distances avec ma cliente ou je fais en sorte que votre vie

ressemble à une scène d'ouragan du *Magicien d'Oz*.
Mais pas la partie qui se passe à Munchkinland[1].
Un vendredi sur deux, vous garez votre voiture
devant la maison en attendant que les enfants sortent.
Vous les ramenez à l'heure dite et votre contrat avec
May se résume à ça. Tous est clair à ce sujet, n'est-ce
pas ?

May posa la main sur la manche de Meghann et
se colla presque à elle.

— Allons-y, lui chuchota-t-elle.

Meghann perçut la tension due à la fatigue dans
la voix de May. Cela lui rappela son propre
divorce. Bien qu'elle ait fait son possible pour être
forte, dès qu'elle était sortie de la salle d'audience,
elle s'était effondrée comme un château de cartes.
Un pan entier d'elle-même ne s'était pas relevé.

Elle attrapa son attaché-case sur la large table en
chêne et passa sa main libre autour de la taille de
May. Les deux femmes sortirent ainsi de la pièce.

— Tu vas me le payer, espèce de garce ! hurla
Dale dans leur dos.

On entendit ensuite quelque chose se fracasser
sur le sol.

Meghann devina qu'il s'agissait de l'autre table.

Au lieu de se retourner, elle guida May vers
l'ascenseur. Elles se tinrent côte à côte dans la
cabine exiguë.

La porte s'était à peine refermée que May éclata
en sanglots.

Meghann lui prit la main et la serra doucement.

---

1. Pays imaginaire peuplé d'êtres miniatures où atterrit la
maison de Dorothy après le cyclone. (*N.d.T.*)

— Je sais que ça vous semble impossible, mais votre vie va s'améliorer. Je vous le promets. Pas tout de suite ni même bientôt, mais ça va s'arranger.

Elle lui fit descendre les marches du tribunal et l'emmena dehors. Le ciel était chargé de nuages gris. Un crachin lugubre tombait sur les rues encombrées. Il n'y avait pas de soleil en vue. Il avait dû suivre les oies vers le sud, vers la Floride ou la Californie, et ne reviendrait à plein temps dans l'est de l'État de Washington qu'après le 4 Juillet.

Meghann et May descendirent la 3ᵉ Rue jusqu'à l'Annexe judiciaire, repaire des habitués du tribunal des affaires familiales à l'heure du déjeuner.

Le temps qu'elles atteignent la porte du restaurant, le tailleur de Meghann était trempé. Des rayures grises marbraient le col de sa blouse de soie blanche. Si un accessoire était indispensable aux habitants de Seattle, c'était bien un parapluie.

— Bonjour, Meg, la saluèrent quelques confrères en la voyant traverser la salle jusqu'à une table vide à l'arrière.

Elle tira une chaise pour May avant de s'asseoir face à elle.

Quelques secondes plus tard, une serveuse à l'apparence harassée apparut. Elle sortit un crayon de sa queue-de-cheval.

— C'est un jour champagne ou martini ? demanda-t-elle à Meghann.

— Champagne ! Merci.

May dévisagea Meghann.

— On ne va pas boire de champagne, quand même ?

— May, vous êtes millionnaire. Votre fils peut s'inscrire en doctorat à Harvard s'il le désire. Vous possédez une superbe maison au bord de l'eau, à Medina, sans prêt à rembourser. Dale, lui, habite un appartement de quarante mètres carrés à Kirkland. De plus, vous avez obtenu la garde de vos enfants. On fête ça, pardi !

— Qu'est-ce qui vous est arrivé ?

— Comment ça ?

— Ma vie vient de prendre un missile Scud de plein fouet. L'homme que j'aime est parti. Je me rends compte qu'il n'a existé que dans mon imagination, d'ailleurs. Je dois apprendre à vivre avec le fait que non seulement je suis seule, mais que j'ai, en plus, été stupide. Mes enfants devront passer leur existence entière en sachant que les familles éclatent, que l'amour ne dure pas et, surtout, que les promesses sont faites pour ne pas être tenues. Leur vie va continuer, bien sûr, car il en va ainsi. Mais ils ne se sentiront plus jamais tout à fait entiers. Pour ma part, je vais avoir de l'argent. Et après ? Vous aussi, vous en avez, je suppose. Vous dormez avec, la nuit ? Il vous prend dans ses bras quand vous vous réveillez après un cauchemar ?

— C'est ce que faisait Dale ?

— Il y a longtemps, oui. Malheureusement, c'est de cet homme-là que je m'obstine à me souvenir.

May posa les yeux sur sa main. Sur l'alliance à son doigt.

— J'ai l'impression de me vider de mon sang. Et vous restez assise là. À boire du champagne. Qu'est-ce qui cloche chez vous ?

— Mon travail peut être dur, répondit Meghann. Quelquefois, la seule façon de le supporter, c'est...

Le restaurant s'emplit soudain d'agitation. On entendit un bruit de verre brisé. Une table s'écrasa au sol. Une femme cria.

— Oh non ! dit May dans un souffle.

Son visage devint très pâle.

Le front de Meghann se plissa.

— Qu'est-ce...

Elle pivota sur sa chaise.

Debout dans l'embrasure de la porte, Dale tenait un revolver. Au moment où Meghann le regarda, il enjambait une chaise renversée en souriant, mais sans aucun humour ; en fait, on aurait plutôt dit qu'il pleurait.

Ou peut-être était-ce la pluie.

— Votre temps de parole est épuisé, maître Dontess.

Une femme en tailleur noir à fines rayures traversa la pièce en rampant. Elle se déplaça au ralenti jusqu'à la porte. Une fois relevée, elle prit ses jambes à son cou. Soit Dale n'avait rien remarqué, soit il s'en moquait. Meghann était la seule personne qu'il regardait.

— Vous avez fichu ma vie en l'air.

— Posez cette arme, Dale. Vous n'avez pas envie de faire une bêtise.

— C'est déjà fait.

La voix de Dale se brisa et Meghann constata qu'il pleurait pour de bon.

— J'ai eu une aventure, j'ai été cupide et j'ai oublié combien j'aimais ma femme.

May fit mine de se lever. Meghann l'agrippa et la força à se rasseoir avant de se mettre elle-même debout.

Elle leva les mains. Son cœur battait comme un marteau-piqueur qui aurait essayé de percer sa cage thoracique.

— Allez, Dale. Posez cette arme. On va vous faire aider.

— Elle était où, votre aide, quand j'essayais de dire à May combien j'étais désolé ?

— J'ai fait une erreur. Je suis confuse. Cette fois-ci, on va tous se réunir pour en discuter.

— Vous pensez que je ne sais pas à quel point je me suis fait avoir ? Croyez-moi, ma belle, je le sais.

La voix de Dale chavira à nouveau. Des larmes coulèrent sur ses joues.

— Bon sang, May, comment je me suis débrouillé pour me retrouver ici ?

— Dale.

Meghann avait usé d'un ton calme et égal.

— Je sais quoi...

Dale leva le revolver, visa et appuya sur la détente.

Quand Joe se réveilla, il avait de la fièvre et sa gorge le brûlait. Une toux sèche le força à se redresser avant même qu'il ait ouvert les yeux. La quinte passée, il resta assis, larmoyant, tenaillé par une soif intense.

Son sac de couchage était recouvert d'une pellicule brillante de gelée blanche, attestant qu'il se trouvait en altitude. Dans cette partie de l'État, même si les jours étaient chauds en diable, les nuits restaient froides.

Joe toussa à nouveau, puis s'extirpa de son duvet. Ses doigts tremblaient tandis qu'il le roulait et l'attachait à son paquetage. Il sortit de la forêt encore sombre d'une démarche mal assurée et en émergea telle une taupe, aveuglé par l'éclatante lumière du jour. Le soleil tapait déjà, continuant son ascension dans le ciel sans nuages.

Joe sortit brosse à dents, savon et dentifrice de ses affaires et s'accroupit près des rapides frémissants d'Icicle Creek, afin de se préparer pour la journée.

Ses ablutions le laissèrent haletant, comme si sa toilette lui avait demandé autant d'efforts que de courir le marathon de Boston.

Il se regarda dans la rivière. Bien que son reflet tremblotât avec le courant, l'eau claire capturait son image avec un surprenant luxe de détails. Ses cheveux étaient trop longs, aussi emmêlés que les buissons qui lui avaient servi de lit les deux nuits précédentes. Une épaisse barbe où le gris et le noir se mélangeaient à la manière d'un patchwork recouvrait le bas de son visage. Ses paupières tombantes suggéraient l'échec et la fatigue.

C'était son anniversaire, aujourd'hui. Le quarante-troisième.

À une autre époque – dans une autre vie –, la journée aurait été consacrée à la fête, à la famille. Diana aimait les réceptions : elle en organisait au pied levé. L'année des trente-six ans de Joe, elle avait loué la tour de la Space Needle, à Seattle, et les services d'un sosie de Bruce Springsteen pour qu'il interprète la bande-son de leur jeunesse. L'endroit était rempli à craquer d'amis. Tout le monde voulait, alors, être auprès de Joe.

Il se mit debout en soupirant. L'inspection de son portefeuille et de ses poches lui révéla qu'il était à nouveau quasiment à sec. L'argent qu'il avait gagné la semaine précédente en tondant des pelouses s'était évaporé.

Ajustant son sac à dos d'un coup d'épaule, il se mit à suivre la rivière sinueuse en direction de la sortie de la forêt domaniale. Quand il eut atteint l'autoroute 2, il transpirait tant qu'il devait constamment s'essuyer les yeux. Il avait au moins quarante de fièvre.

Il scruta le ruban d'asphalte noir qui conduisait à la petite ville de Leavensworth. Des deux côtés de la route, des pins verts chétifs montaient la garde.

L'agglomération n'était plus qu'à un kilomètre et demi. Joe apercevait au loin des édifices de style bavarois, des feux rouges et des panneaux publicitaires. Il savait que c'était le genre de ville où l'on vendait des décorations de Noël faites main toute l'année et où l'on trouvait des chambres d'hôtes cosy à chaque coin de rue. Le type d'endroit qui accueillait touristes et visiteurs à bras ouverts.

Mais pas quelqu'un ayant l'allure et l'odeur de Joe.

Trop fatigué pour remonter la colline, il se dirigea vers Leavensworth. Il avait mal aux pieds et à l'estomac, et n'avait pas fait de vrai repas depuis plusieurs jours. La veille, il avait subsisté grâce à des pommes pas mûres et à un reste de bœuf séché.

Lorsqu'il eut atteint Leavensworth, sa migraine était devenue insupportable. Deux heures durant, il fit du porte-à-porte dans l'espoir de trouver un travail temporaire. En vain. Finalement, il dépensa ses derniers dollars dans une station-service et acheta de l'aspirine, qu'il fit descendre avec de l'eau tirée au lavabo rouillé des toilettes. Ensuite, il traîna près de l'allée des confiseries, regardant les produits sans les voir.

Ce serait bon de manger des pralines...

Ou des chips parfumées à la sauce barbecue...

Ou...

— Il faut que vous y alliez, monsieur, conseilla le jeune homme à la caisse, dont le tee-shirt marron usé annonçait : « Nous interrompons ce mariage pour annoncer l'ouverture de la chasse à l'élan. » Sauf si vous voulez acheter autre chose.

Joe leva les yeux vers l'horloge, surpris de constater qu'il était là depuis plus d'une heure. Adressant un signe de tête au garçon, il alla remplir sa gourde aux toilettes – qu'il utilisa, par la même occasion –, avant de se remettre en route. Il s'arrêta devant le jeune caissier. Prenant bien garde à ne pas rencontrer son regard, il lui demanda s'il n'y avait pas un établissement où il pourrait trouver un travail à temps partiel.

— La ferme des Darrington engage quelquefois des itinérants. Souvent pour les récoltes. En ce moment, je ne sais pas trop. Et le gîte de Whiskey Creek a besoin de personnel d'entretien pendant la période de la pêche au saumon.

Cueillir des fruits ou vider du poisson. Joe avait beaucoup pratiqué ces activités au cours des trois dernières années.

— Merci.

— Eh, vous avez l'air malade, observa son interlocuteur. Je vous connais ? ajouta-t-il, perplexe.

— Ça va, merci.

Joe se mit en route, tant il craignait de trébucher et de se casser la figure s'il s'arrêtait plus longtemps. Il se réveillerait alors dans un lit d'hôpital ou sur la couchette d'une cellule. Il ne savait pas laquelle des deux solutions était la pire. Chacune lui rappelait trop de mauvais souvenirs.

Devant le supermarché, il chancelait, s'efforçant de faire agir l'aspirine par la force de sa seule volonté, quand la pluie se mit à tomber. Une grosse goutte ventrue atterrit droit dans l'œil de Joe. Il releva le menton, remarquant la soudaine noirceur du ciel.

— Vacherie !

Il eut à peine le temps de finir son juron que l'orage s'abattit. Une pluie torrentielle qui lui fit l'effet d'être cloué sur place. Fermant les yeux, il baissa le menton. Sa grippe risquait de se transformer en pneumonie s'il passait la nuit dehors dans ses vêtements humides.

Soudain, il sut qu'il ne pouvait plus continuer ainsi. Il en avait assez d'en avoir assez.

Rentrer à la maison.

Cette pensée l'envahit telle une brise apaisante, le transportant loin de ce sale endroit, coincé sous cette pluie battante. Les yeux fermés, il se remémora la bourgade où il avait grandi, joué dans l'équipe de base-ball locale, puis travaillé dans un garage chaque été jusqu'à son départ pour l'université. Si une ville devait l'accepter après ce qu'il avait fait, c'était bien celle-là.

Peut-être.

Avançant à petits pas, en proie à un mélange compliqué de peur et d'anticipation, il alla jusqu'à la cabine téléphonique, qui lui offrit un abri clos et calme. La pluie n'était plus qu'un bruit semblable à celui des battements de cœur accélérés d'une personne hors d'haleine.

Joe soupira longuement avant de décrocher le combiné et de composer le zéro pour passer un appel en PCV.

— Salut, petite sœur, dit-il dès qu'elle décrocha. Comment ça va ?

— Oh, mon Dieu ! Ce n'est pas trop tôt. Je me suis fait un sang d'encre à ton sujet, Joey. Tu ne t'es pas manifesté depuis... quoi ? Huit mois ? Et cette fois-là, tu avais l'air mal en point.

Il se souvenait du coup de fil. C'était à Sedona. La ville semblait drapée de cristaux, dans l'attente d'un signal de l'au-delà. Joe avait pensé que Diana l'avait attiré là-bas ; bien sûr, il n'en était rien. Sedona n'était qu'une agglomération de plus à traverser. Joe avait appelé sa sœur pour son anniversaire. Il pensait rentrer d'un jour à l'autre.

— Je sais, pardonne-moi.

Elle soupira à nouveau. Il l'imaginait, debout devant le plan de travail de la cuisine, en train de dresser une liste de tâches : les courses, son tour de conduite à l'école, les leçons de natation. Il doutait qu'elle ait beaucoup changé durant les trois dernières années, mais il aurait aimé en être sûr. Elle lui manquait tant que ce vide s'était changé en douleur. C'était pour cette raison qu'il ne téléphonait pas. C'était trop pénible.

— Comment se porte mon adorable nièce ?

— En pleine forme.

Quelque chose dans la manière de parler de sa sœur fit comprendre à Joe qu'elle n'était pas dans son assiette.

— Qu'est-ce qu'il y a ?

— Rien, répondit-elle. J'aurais besoin de mon grand frère, en ce moment, poursuivit-elle plus bas. Ça a assez duré, non ?

Et voilà que resurgissait la question sur laquelle tout reposait.

— Je n'en sais rien. Ce que je sais, c'est que je suis fatigué. Les gens ont oublié ?

— On ne me pose guère de questions.

Certains avaient donc oublié, mais pas tous. Si Joe reparaissait, ses souvenirs resurgiraient aussi. Il ignorait s'il avait la force d'affronter son passé. Quand c'était son présent, il n'y était pas arrivé.

— Rentre à la maison, Joey. Il n'est que temps, c'est sûr. Tu ne peux pas te cacher toute ta vie... et j'ai besoin de toi.

Il l'entendit pleurer : un son bas révélant une fêlure, qui lui arracha une réaction indéfinissable.

— S'il te plaît, ne pleure pas.

— Bien sûr que non. J'émince des oignons pour le dîner. Ta nièce passe par une phase spaghettis. Elle ne mange rien d'autre.

Joe apprécia que sa sœur s'évertue à banaliser la situation, même si cela sonnait faux.

— Fais-lui la recette de maman. Ça devrait l'en dégoûter.

Elle rit à cette idée.

— Misère. J'avais oublié. Quelle horreur !

— Le pâté en croûte était pire.

Après cet échange, un bref silence s'installa sur la ligne.

— Il faut que tu te pardonnes, Joey.

— Certaines choses sont impardonnables.

— Reviens au moins chez nous. Les gens tiennent à toi, ici.

— J'en ai envie. Je ne peux plus... continuer comme ça.

— J'espère que c'est ce que cet appel veut dire.

— Moi aussi.

C'était un jour comme on en voyait peu dans le centre de Seattle, chaud et humide. Un voile de brume sale flottait au-dessus de la ville, rappelant aux habitants que trop de voitures filaient sur trop d'autoroutes dans ce coin du pays jadis si préservé. Il n'y avait pas la moindre brise. Puget Sound restait aussi plat qu'un lac en été. Même les montagnes semblaient avoir rétréci, comme si elles étaient abattues par la chaleur inattendue.

À l'intérieur du tribunal, on étouffait. Un antique système d'air conditionné avait été curieusement placé devant une fenêtre ouverte, émettant des bruits sourds et étranglés. Attaché à l'avant de l'appareil, un bout de ruban blanc voletait de temps à autre, vaincu.

Le front baissé, Meghann étudiait le bloc jaune placé devant elle avec soin. Plusieurs stylos noirs étaient alignés bien en ordre sur le côté. Le bureau, abîmé par le passage des centaines d'avocats et de leurs clients, branlait sur ses pieds inégaux.

Meghann n'avait pas écrit un traître mot. Elle s'en étonna. Sa plume marchait en général aussi vite que son cerveau.

— Maître Dontess. Hum. *Maître Dontess.*

Le juge lui parlait.

Meghann battit des paupières.

— Excusez-moi.

Elle se leva, ramenant machinalement ses cheveux en arrière. Sauf que ce matin, elle les avait attachés en chignon.

Le juge, une femme maigre ressemblant à un héron à cause du V noir de sa robe d'où ne dépassait aucun col, prit un air sévère.

— Que pensez-vous de tout ça ?

Meghann sentit l'angoisse – tirant sur la panique – l'envahir. Elle vérifia à nouveau son bloc vierge. Sa main droite se mit à trembler. Ses doigts lâchèrent le coûteux stylo, qui heurta la table.

— Approchez ! lui ordonna le juge.

De peur de croiser le regard de l'avocat de la partie adverse, Meghann ne hasarda pas un coup d'œil sur la gauche. À cet instant, elle était faible. Elle avait peur et tout le monde le savait.

Elle afficha une expression confiante. Ce serait peut-être suffisant. Traversant la pièce, elle entendit ses talons claquer sur le parquet. Le son de ses pas ressemblait à un point d'exclamation ponctuant chacune de ses respirations.

Arrivée devant la haute chaire en bois, elle s'arrêta et leva les yeux. Il lui fallut beaucoup de sang-froid pour garder les mains ouvertes et le long du corps.

— Oui, Votre Honneur ?

Dieu merci, sa voix paraissait normale. Forte.

Le juge se pencha en avant pour l'interroger avec douceur :

— Nous sommes tous au courant des événements de la semaine dernière, maître Dontess. Cette balle ne vous a ratée que de quelques millimètres. Êtes-vous certaine d'être prête à revenir devant cette cour ?

— Oui.

Meghann parlait plus bas. Sa main droite tremblait.

Le front soucieux, le juge s'éclaircit la gorge et donna son assentiment d'un signe du menton.

— Retournez à votre place.

Meghann regagna le bureau des avocats. John Heinried s'assit à côté d'elle. Ils avaient plaidé des dizaines d'affaires l'un contre l'autre. Souvent, ils partageaient une assiette d'huîtres et prenaient un verre au terme d'une longue journée au tribunal.

— Tu es sûre que ça va ? Je suis d'accord pour repousser l'audience de quelques jours, si tu veux.

Meghann évita son regard.

— Merci, John, mais je me sens bien.

De retour à sa table, elle se glissa sur son siège.

Sa cliente, une femme au foyer de Mercer Island pour qui il n'était pas question de vivre avec dix-neuf mille dollars par mois, la fixa avec insistance.

— Qu'est-ce qui se passe ? articula-t-elle en triturant la chaîne dorée de son sac Chanel.

Meghann la rassura d'un geste.

— Ne vous inquiétez pas.

— Je reprends, Votre Honneur, intervint John. Mon client aimerait arrêter la procédure pendant une courte période, le temps que son épouse et lui voient un thérapeute. Dans cette affaire, de jeunes enfants sont concernés. M. Miller souhaite que son mariage ait toutes les chances de survivre.

— Pas question, chuchota Mme Miller.

Meghann posa donc ses paumes avec fermeté sur le bureau et se leva.

Le vide envahit son esprit. Elle n'arrivait pas à trouver un quelconque argument. Fermant les yeux pour se concentrer, elle entendit une autre voix, rauque et désespérée : « Vous avez fichu ma vie en l'air. » Puis elle revit le revolver pointé sur elle, perçut l'écho du coup de feu. Quand elle rouvrit les yeux, tout le monde la regardait. Avait-elle bronché ou parlé tout haut ? Elle l'ignorait.

— Ma cliente est persuadée que son mariage a atteint le point de non-retour, Votre Honneur. L'utilité d'une thérapie lui échappe.

— Après quinze ans de vie commune, ça ne ferait certainement pas de mal à M. et Mme Miller de consacrer quelques heures à un thérapeute, argumenta John. Pour mon client, l'intérêt des enfants doit primer. Il demande qu'on lui laisse une chance de sauver sa famille.

Meghann se retourna vers sa cliente.

— C'est une requête raisonnable, Celene, dit-elle tout bas. Vous n'apparaîtrez pas à votre avantage, si nous nous battons là-dessus devant le juge.

— Oh, sans doute…, concéda Celene, mécontente.

Meghann concentra à nouveau son attention sur le juge.

— Dans ce cas, nous demanderions dès à présent la fixation d'une période limite ainsi que d'une date d'audience pour faire le point.

— Cette proposition nous semble acceptable, Votre Honneur.

Bien qu'elle ne tienne pas bien sur ses jambes, Meghann resta debout pendant qu'on arrangeait les détails. Elle ne maîtrisait pas sa main droite et sa paupière gauche s'était mise à s'agiter spasmodiquement. Elle rangea son attaché-case.

— Attendez. Qu'est-ce qui vient de se passer, là ? chuchota Celene.

— Nous avons donné notre accord pour la thérapie. Quelques mois environ. Pas plus. Peut-être...

— Une thérapie ? On a déjà essayé... Vous avez oublié ? On a aussi tenté l'hypnose, les vacances romantiques et même une semaine entière en séminaire dans un groupe d'entraide. Rien de tout ça n'a marché. Et vous savez pourquoi ?

Ces faits étaient sortis de la tête de Meghann. Les informations qu'elle était censée posséder sur le bout des doigts s'étaient envolées. Elle parvint juste à articuler :

— Oh...

— Ça a échoué parce que mon mari ne m'aime pas.

Celene poursuivit d'une voix cassée :

— Monsieur Logiciels informatiques préfère les prostitués masculins, vous vous en souvenez ? Il part en quête de sensations sous les viaducs et dans les cinémas X.

— Je suis désolée, Celene.

— Désolée ? *Désolée*. Mes enfants et moi avons besoin de prendre un nouveau départ, pas de revivre toujours les mêmes saletés.

— Vous avez raison. Je vais arranger ça. Je vous le garantis.

Ce n'était pas une promesse en l'air. Un simple coup de téléphone à John Heinried menaçant de révéler les préférences sexuelles de M. Miller, et la situation serait réglée. Avec discrétion.

Celene soupira.

— Écoutez, j'ai appris ce qui vous est arrivé la semaine dernière. C'est passé sur les différentes chaînes. Je compatis avec cette femme et avec vous. Je sais que son mari a essayé de vous tuer. Mais je dois d'abord me soucier de mon sort. Vous comprenez ?

L'espace d'un horrible instant, Meghann eut l'impression qu'elle allait perdre les pédales. Comment, au nom du ciel, avait-elle pu classer d'un regard Celene Miller dans la catégorie des femmes au foyer pourries gâtées ?

— Vous devez penser à vous-même. Je vous ai mal représentée, tout à l'heure. J'ai déraillé. Mais je vais rectifier le tir et vous n'aurez rien à payer pour votre divorce. D'accord ? Acceptez-vous de me faire à nouveau confiance ?

L'expression de Celene se radoucit.

— Il m'a toujours été facile de me fier aux gens. C'est en partie pourquoi je me suis retrouvée ici.

— Je vais rattraper John. On parlera demain de ce que j'aurai obtenu.

Celene tenta de sourire.

— D'accord.

S'appuyant sur le bureau pour ne pas perdre l'équilibre, Meghann regarda sa cliente quitter la salle d'audience. Celene partie, elle poussa un gros soupir. Elle ne s'était pas rendu compte qu'elle retenait sa respiration. Attrapant son bloc, elle remarqua ses doigts tremblants et pensa : « Mais qu'est-ce qui m'arrive ? »

Une main se posa sur son épaule, la faisant sursauter.

— Meg ?

C'était son associée, Julie Gorset.

— Bonjour, Jules. Dis-moi que tu n'étais pas dans la salle aujourd'hui.

Julie regarda Meghann tristement.

— J'y étais. Et il faut qu'on parle.

Le marché couvert de Pike Place était toujours plein à craquer, les jours ensoleillés d'été. Ce soir-là, pourtant, c'était plus calme. Des marchands transpirants en tenue légère s'affairaient à remballer leurs objets artisanaux avant de les charger dans leurs camions garés à l'extérieur, dans la rue pavée. L'air nocturne vibrait du bruit que faisaient les véhicules de livraison en reculant.

Meghann se tenait devant la porte ouverte de l'Athenian. L'atmosphère de l'établissement était saturée de fumée de cigarette. La vue grandiose sur Puget Sound scintillait dans les rares espaces libres qui séparaient les clients. Il y avait au moins vingt personnes assises au bar, sans aucun doute en train de manger des huîtres ou, plutôt, de les gober crues à même le verre, selon la tradition de la maison.

Meghann parcourut les tables des yeux. Bon nombre de possibilités s'offraient à elle. Des célibataires en costume hors de prix et des étudiants en jean découpé aux genoux, qui montraient leur torse mince et leur caleçon à carreaux.

Il suffirait à Meghann d'entrer en arborant un sourire qui disait « embrasse-moi » pour trouver quelqu'un qui passerait un peu de temps avec elle. L'espace de quelques heures bénies, elle ferait partie d'un couple, tout fragile et faux qu'il fût. Au moins, elle n'aurait pas besoin de réfléchir. Ni de ressentir quoi que ce soit.

Elle s'apprêta à faire un pas en avant. Son pied se prit dans la barre de seuil et elle trébucha, ricochant sur le côté de la porte.

Elle fut soudain incapable de penser à autre chose qu'à ce qui allait réellement arriver. Elle rencontrerait un homme dont le nom n'avait pas vraiment d'importance, le laisserait toucher son corps, s'insinuer en elle... Ensuite, elle se retrouverait encore plus seule qu'en début de soirée.

Son tic à l'œil gauche la reprit de plus belle.

Elle fouilla dans son sac pour localiser son portable. Elle avait déjà laissé un message aux accents désespérés sur le répondeur d'Élisabeth, lui demandant de l'appeler, quand elle se remémora que son amie se trouvait à Paris.

Il ne lui restait personne à qui téléphoner. Sauf... Ne fais pas ça.

Elle ne voyait pas vers qui d'autre se tourner.

Elle composa le numéro, se mordillant les lèvres en écoutant la sonnerie. Elle allait raccrocher quand une voix répondit :

140

— Allô ? Allô ? Meghann, je reconnais votre numéro.

— Je vais faire un procès à celui qui a inventé la présentation du numéro. Ce truc a mis fin à la tradition consacrée qui consiste à raccrocher au nez de quelqu'un.

— Il est plus de vingt heures. Pourquoi m'appelez-vous ? demanda Harriet.

— Ma paupière gauche bat comme un drapeau un jour de fête nationale. J'ai besoin d'une ordonnance pour un décontractant musculaire.

— On avait évoqué une éventuelle réaction à retardement, vous vous en souvenez ?

— Oui. De stress post-traumatique. Je pensais que vous songiez à la dépression. Pas à des paupières qui essaient de s'envoler. Et puis... mes mains tremblent. Ce ne serait pas la bonne semaine pour commencer le patchwork.

— Où êtes-vous ?

Meghann envisagea un instant de mentir, mais Harriet avait des oreilles de chien de chasse : elle devait entendre les bruits du bar.

— À l'extérieur de l'Athenian.

— Évidemment. Je serai à mon bureau à vingt et une heures.

— Vous n'êtes pas obligée de venir. Si vous pouviez juste appeler la pharmacie pour mon ordonnance...

— Vingt et une heures. À mon cabinet. Si vous n'y êtes pas, j'irai vous chercher. Et rien ne fait plus fuir les étudiants qu'une psy en colère nommée Harriet. Compris ?

En fin de compte, Meghann était soulagée. Harriet avait beau être la reine des casse-pieds, c'était une interlocutrice valable.

— J'y serai.

Elle raccrocha et fourra l'appareil dans son sac. Il lui fallut moins d'un quart d'heure pour atteindre le bureau de Harriet. Le portier la laissa entrer et, après un bref échange, pointa un doigt en direction de l'ascenseur. Meghann monta au quatrième puis attendit, debout devant la porte en verre.

Harriet se montra à vingt et une heures pétantes ; elle avait l'air pressée et n'était pas très présentable. Ses cheveux noirs d'habitude bien lisses étaient ramenés en arrière par un fin bandeau et son teint rosé trahissait le manque de maquillage.

— Si vous faites une blague sur le bandeau, vous payez double tarif.

— Moi, vous juger ? Vous plaisantez !

La réponse de sa patiente arracha un sourire à Harriet. Elles avaient souvent discuté de l'un des nombreux défauts de Meghann : sa tendance exacerbée à porter des jugements.

— J'ai dû choisir entre la ponctualité et l'apparence.

— Vous êtes ponctuelle.

— Entrez.

Harriet déverrouilla la porte avant de la pousser.

L'odeur familière de fleurs fraîches et de vieux cuir qui flottait dans le cabinet mit Meghann à l'aise. Traversant la réception, elle pénétra dans le grand bureau d'angle et alla se poster près de la fenêtre. En dessous d'elle, la ville se résumait à un quadrillage de voitures en mouvement et de feux rouges.

Harriet s'installa dans son fauteuil habituel.

— Alors, vous pensez que ce sont les médicaments qui vont vous aider.

Meghann se retourna avec lenteur. Sa paupière battait comme un métronome.

— Ça ou un chien d'aveugle. Si l'autre œil s'y met, c'est ce qui m'attend.

— Asseyez-vous, Meghann.

— Je suis obligée ?

— Non. Je pourrais rentrer chez moi finir de regarder « Friends ».

— « Friends » ? J'aurais juré que vous étiez plutôt du style chaînes culturelles. Ou alors Discovery Channel.

— Assise !

Meghann obtempéra et s'abandonna au confort du fauteuil.

— Je me souviens d'avoir détesté ce siège. Aujourd'hui, on dirait qu'il a été fait pour moi.

Harriet joignit les mains, examinant Meghann par-dessus ses ongles laqués de vernis transparent.

— Ça fera une semaine aujourd'hui, n'est-ce pas, que le mari de votre cliente a essayé de vous tuer ?

Le pied gauche de Meghann commença à battre nerveusement. L'épaisse moquette grise en absorba le bruit.

— Oui. Le plus drôle, c'est que cette publicité m'amène des clients. Il semblerait que les femmes veuillent une avocate qui pousse les hommes à bout.

Meghann eut un sourire stoïque.

— Je vous avais dit que vous aviez besoin de réfléchir à la question.

— C'est vrai. Rappelez-moi d'accrocher un bon point à côté de votre nom sur la porte.

— Vous dormez bien ?

— Chaque fois que je ferme les yeux, je revois la scène. La balle qui passe en sifflant près de mon oreille... La façon dont Dale a jeté le revolver après coup avant de tomber à genoux... May qui court vers lui, le prend dans ses bras, lui dit que ça ira, qu'elle le soutiendra... La police qui l'emmène, menotté. J'ai revécu l'ensemble, aujourd'hui, en plein tribunal. C'était génial, d'ailleurs.

— Ce n'est pas votre faute. C'est lui qu'il faut blâmer.

— Je sais. Mais je sais aussi que je me suis mal occupée de ce divorce. J'ai perdu ma faculté de ressentir une réelle empathie pour les gens. J'ignore... si je peux continuer à exercer ce métier. Une de mes clientes s'est fait rouler dans la farine à cause de moi. Mon associée m'a demandé – ou, plus exactement, ordonné – de prendre des vacances.

— Ce n'est pas une si mauvaise idée. Ça ne vous ferait pas de mal de vous construire une vraie vie.

— Est-ce que je me sentirai mieux à Londres ou à Rome... seule ?

— Pourquoi n'appelez-vous pas Claire ? Vous pourriez séjourner un moment dans son village-club. Peut-être essayer de vous détendre. Apprendre à mieux la connaître.

— Bizarrement, pour rendre visite à sa famille, on a besoin d'une invitation.

— Seriez-vous en train de suggérer que votre sœur ne voudrait pas vous recevoir ?

— Bien sûr que non. On n'arrive pas à parler plus de cinq minutes sans se disputer.

— Vous pourriez aller voir votre mère.

— Plutôt attraper le virus du Nil occidental.

— Alors Élisabeth ?

— Jack et elle sont en Europe pour fêter leur anniversaire de mariage. Je doute qu'ils apprécieraient d'avoir de la compagnie.

— Donc vous me dites que vous n'avez nulle part où aller ni personne à qui rendre visite.

— Je me suis simplement demandé où je pourrais partir.

Venir ici avait été une erreur. Meghann se sentait encore plus mal en parlant avec Harriet.

— Écoutez, Harriet, je suis en train de m'effondrer. C'est comme si je n'étais plus moi-même. Tout ce que je veux, c'est un médicament qui rende les choses moins difficiles. Vous me connaissez, je serai en pleine forme d'ici un ou deux jours.

— La reine de la politique de l'autruche.

— Quand quelque chose marche bien, je continue.

— Sauf que cette tactique ne fonctionne plus, si ? C'est pour ça que vous avez un spasme à la paupière, les mains qui tremblent et des insomnies. Vous êtes à ramasser à la petite cuiller.

— Mais non. Faites-moi confiance.

— Meghann, vous êtes une des femmes les plus intelligentes que j'aie connues. Probablement même trop intelligente. Vous avez eu à dépasser de nombreux traumatismes au cours de votre vie. Mais vous ne pouvez pas continuer à fuir votre passé. Un jour ou l'autre, il faudra régler vos comptes avec Claire.

— Le mari d'une cliente essaie de me faire sauter la cervelle, et vous arrivez à lier la dépression qui s'ensuit à ma famille. Vous êtes sûre que vous êtes médecin ?

— Dès que je mentionne Claire, c'est comme si un mur apparaissait. Pourquoi donc ?

— Parce que tout ça n'a rien à voir avec Claire, pardi !

— Tôt ou tard, Meg, la famille est en cause. Le passé a une façon irritante de tendre à devenir le présent.

— Une fois, j'ai mangé un biscuit chinois avec un message à l'intérieur qui disait la même chose.

— Vous vous éloignez encore du sujet.

— Non, je le rejette en bloc.

Meghann se mit debout.

— Est-ce que ça signifie que vous refusez de me prescrire un décontractant musculaire ?

— Il n'agirait pas sur votre tic.

— Très bien, je me mettrai un bandeau sur l'œil, alors.

Harriet se leva sans hâte. Meghann et elle étaient face à face, chacune d'un côté du bureau.

— Pourquoi ne me laissez-vous pas vous aider ?

Meghann avala sa salive. Elle s'était posé la question cent fois.

— Qu'est-ce que vous voulez ? s'enquit finalement Harriet.

— Je ne sais pas.

— Mais si.

— Eh bien, si vous connaissez la réponse, pourquoi poser la question ?

— Vous voulez arrêter de vous sentir si seule.

Meghann fut parcourue d'un frisson qui la laissa glacée.

— J'ai toujours été seule. J'ai l'habitude.

— Non, pas toujours.

Les pensées de Meghann firent marche arrière jusqu'à ces années où Claire et elle avaient été les meilleures amies du monde, inséparables. À l'époque, Meghann savait aimer.

Assez ! La discussion ne menait à rien.

Harriet avait tort. Le passé était hors sujet. Bien sûr, Meghann se sentait coupable de la manière dont elle avait abandonné sa sœur et elle avait souffert quand Claire l'avait rejetée pour choisir Sam. Et après ? Beaucoup d'eau avait coulé sous les ponts, depuis vingt-six ans.

— En tout cas, je suis seule. Et j'ai intérêt à me ressaisir. Merci de votre aide.

Meghann ramassa son sac et se dirigea vers la porte.

— Pour ce soir, envoyez la note à ma secrétaire. Facturez ce que vous voulez. Au revoir, Harriet.

Elle avait atteint la porte quand sa thérapeute l'arrêta d'une phrase :

— Faites attention, Meghann. Surtout maintenant. Ne vous laissez pas consumer par la solitude.

Meghann continua à marcher, franchissant rapidement l'entrée du cabinet pour gagner ensuite l'ascenseur et traverser le hall.

Une fois dehors, elle consulta sa montre.

Vingt et une heures trente.

Elle avait encore largement le temps d'aller à l'Athenian.

9

Joe était assis sur le siège passager d'un semi-remorque, affalé contre la portière. L'air conditionné du camion avait lâché soixante kilomètres plus tôt, si bien qu'il faisait une chaleur d'enfer dans la cabine.

Le chauffeur, Erv – un routier spécialisé dans les longs trajets –, appuya sur le frein et rétrograda. Grondant et frémissant, l'engin ralentit.

— Voici la sortie pour Hayden.

Devant la pancarte si familière, Joe ne savait pas trop quoi ressentir. Il n'était pas revenu depuis si longtemps... à la maison.

Non. Il avait grandi ici. La maison, c'était autre chose – ou, plutôt, chez quelqu'un d'autre – et *elle* ne serait pas là en train d'attendre son retour.

La bretelle faisait une boucle au-dessus de la voie rapide avant de rejoindre une route bordée d'arbres. À gauche, il y avait une station-service surmontée d'une enseigne, avec un petit supermarché.

Erv s'arrêta devant la pompe à essence et le camion s'immobilisa en grinçant. Les freins firent un bruit poussif, puis se turent.

— La boutique là-bas fait des sandwiches œuf mayonnaise extra, si t'as faim.

Erv ouvrit sa portière et sortit.

Joe fit glisser la poignée vers le bas avant de donner un grand coup à la porte, qui céda avec un craquement fatigué, lui permettant de fouler le sol de l'ouest de l'État de Washington pour la première fois en trois ans. Il fut soudain pris de sueurs froides. Étaient-elles dues à la fièvre ou à son retour à Hayden ? Il l'ignorait.

Il regarda Erv qui remplissait le réservoir.

— Merci pour le voyage.

Erv inclina la tête.

— Tu ne parles pas beaucoup, mais t'étais plutôt sympa comme compagnon. Sur la route, on peut se sentir seul.

— Oui, répondit Joe. C'est vrai.

— T'es sûr que tu veux pas aller à Seattle ? C'est à une heure et demie. Y a pas grand-chose, par ici.

Joe contempla la longue voie bordée d'arbres. Il devinait l'esquisse d'une ville, cependant ses souvenirs firent le reste.

— Tu serais surpris, murmura-t-il.

Sa sœur vivait au bout de cette ligne droite, elle l'attendait en dépit de tout ce qui s'était passé, espérant qu'il frappe à sa porte. S'il trouvait le courage de le faire, elle le prendrait dans ses bras et le serrerait si fort qu'il se rappellerait ce qu'être aimé signifiait. Cette pensée lui donna des ailes.

— À un de ces quatre, Erv.

Joe jeta son sac à dos sur son épaule et se mit en route. Il ne lui fallut que quelques minutes pour arriver devant un écriteau vert lui souhaitant la bienvenue : « Hayden, huit cent soixante-douze habitants. Ville natale de Lori Adams, lauréate du concours d'orthographe de l'État en 1974. »

La bourgade où Joe était venu au monde, où il avait grandi et d'où il avait pris son envol n'avait pas changé. Elle était comme dans ses souvenirs, un joli ensemble de bâtiments de style western, paisiblement assoupis sous le soleil de juin.

Les édifices avaient une fausse façade et des poteaux d'attache pour les chevaux parsemaient la promenade en bois. La plupart des boutiques avaient subsisté : le café des Eaux vives, le fleuriste Au Panier futé, la taverne Chez Mo, au coin du feu, et l'épicerie Stocks à gogo. Chaque enseigne déclenchait un souvenir chez Joe, chaque seuil l'avait jadis vu entrer au moins une fois. Il avait emballé les provisions des clients pour le vieux Bill Turman à l'épicerie et commandé sa première bière légale chez Mo. Un jour, il avait été le bienvenu partout.

D'ailleurs… Qui était au courant ?

Il laissa échapper un soupir, essayant de décrypter ses sentiments du moment. Trois ans durant, il avait à la fois craint et désiré cet instant, mais maintenant qu'il était arrivé, il se sentait engourdi. Peut-être était-ce la grippe. Ou la faim. Un retour au bercail aurait dû être plus intense : revenir au bout d'une si longue absence, après tout ce qu'il avait fait…

Joe s'efforça d'éprouver quelque chose.

Comme il n'y arrivait pas, il se remit en marche, atteignant le panneau de stop sur la route à quatre voies qui marquait l'entrée de Hayden, puis la quincaillerie Vis à vis et la boulangerie familiale.

Il devinait que les gens le dévisageaient. Ces regards qui se transformaient en moues désapprobatrices à mesure qu'on le reconnaissait le rendaient malade. Les murmures le talonnaient.

— Mon Dieu, ce n'est pas Joe Wyatt ?

— Tu as vu ça, Myrtle, c'était Joe Wyatt.

— Il est gonflé...

— Combien de temps ça fait ?

À chaque commentaire, Joe se voûtait un peu plus. Rentrant le menton dans la poitrine, il fourra ses mains dans ses poches et poursuivit sa route.

Il bifurqua à gauche sur Azalea Street et tourna ensuite à droite dans Cascade Street.

Il arrivait enfin à respirer à nouveau. Ici, à quelques pâtés de maisons de la rue principale, le calme reprenait ses droits. Des bâtiments vieillots à la façade en bois trônant sur des pelouses soignées se succédaient sur quelques centaines de mètres. Ensuite, les habitations se faisaient de plus en plus clairsemées.

À partir de Rhododendron Lane, la rue était presque déserte. Joe passa devant Craven Farms, très tranquille à cette époque de l'année avant la récolte d'automne, et bifurqua dans l'allée. La boîte aux lettres indiquait le nom de Trainor ; pendant des années, on avait pu y lire Wyatt.

La maison était un bâtiment tentaculaire de rondins en forme de A, posé dans un jardin parfaitement dessiné. Une palissade moussue bordait la propriété. Il y avait des fleurs aux couleurs vibrantes et gaies partout et des buis verts avaient été taillés en une haie parallèle à la clôture. Le père de Joe avait édifié la demeure à la main, petit à petit. Une

151

des dernières choses qu'il avait demandées à ses enfants, alors qu'il mourait de chagrin sur son lit d'hôpital, avait été : « Prenez soin de la maison. Votre mère l'aimait tant... »

Joe sentit soudain sa gorge se serrer et fut envahi d'une tristesse d'une douceur presque insupportable. Sa sœur avait comblé le souhait de leur père en préservant les lieux. Leurs parents auraient été enchantés.

Quelque chose attira le regard de Joe. Levant les yeux, il aperçut sur la véranda l'image tremblante et immatérielle d'une jeune femme habillée de vêtements blancs flottants, qui éclata de rire avant de s'enfuir en courant. Ce tableau indistinct et baigné d'ombres lui fendit le cœur.

Diana.

C'était un souvenir, rien qu'un souvenir.

Halloween. Mille neuf cent quatre-vingt-dix-sept. Diana et Joe étaient venus amener pour la première fois leur nièce faire la tournée du voisinage pour ramasser les bonbons. Dans son costume du personnage de Tolkien Galadriel, Diana paraissait à peine vingt-cinq ans. « Un jour prochain, avait-elle murmuré en serrant fort la main de Joe, ce sera notre enfant que nous accompagnerons. » Quelques mois plus tard, ils avaient découvert pourquoi elle ne parvenait pas à être enceinte...

Joe vacilla, s'arrêta net au pied des marches de la véranda et jeta un regard vers la rue en pensant : Mieux vaudrait faire demi-tour.

Le passé allait démolir le peu de quiétude qu'il avait réussi à atteindre...

Non. Il n'avait pas trouvé la paix là-bas.

152

Il gravit les marches, attentif aux craquements familiers des planches sous ses pieds. Après une longue pause durant laquelle il se surprit à écouter le battement forcené de son cœur, il frappa.

Pendant un temps, le silence régna à l'intérieur. Joe entendit ensuite un bruit de chaussures à grosses semelles puis quelqu'un crier : « J'arrive ! »

La porte s'ouvrit d'un grand coup et Joe se retrouva nez à nez avec Gina, hors d'haleine, en survêtement noir ample et sabots de caoutchouc vert. Ses joues étaient rose vif et ses cheveux châtains en désordre faisaient penser à un nid d'oiseau. Elle regarda Joe une seconde, articula un oh ! silencieux et fondit en larmes.

— Joey...

Elle l'attira dans ses bras. Pendant un instant, il resta là, hébété, trop dérouté pour répondre à son étreinte. Il y avait si longtemps qu'on ne l'avait pas touché que, sans trop savoir pourquoi, il se sentait bizarre.

— Joey, répéta Gina en nichant son visage dans le creux de son cou.

Il sentit les larmes chaudes de sa sœur couler sur sa peau et quelque chose en lui céda. Entourant Gina de ses bras, il la tint contre lui. Son enfance lui revint alors en bloc, grâce à l'odeur de pain en train de cuire qui emplissait la maison et au léger parfum de shampooing citronné de Gina. Il se remémora la fois où il lui avait construit un fort avec des bâtons près de l'étang, peu après avoir décidé qu'il était trop grand pour ce jeu, les samedis matin où il l'avait gardée et ramenée de l'école. Malgré leurs sept ans d'écart, ils étaient inséparables, en ce temps-là.

Reniflant, Gina recula et essuya ses yeux rougis.

— Je ne pensais pas que tu reviendrais.

Elle tapota ses cheveux avec une grimace.

— J'ai l'air d'une sorcière. Je plantais des fleurs à l'arrière.

— Tu es belle, lui assura Joe avec sincérité.

— Fais comme si je n'avais pas hérité des fesses de grand-mère Hester.

Elle lui tendit la main, prit la sienne et le tira dans le salon inondé de soleil.

— Je devrais prendre une douche avant de m'asseoir...

— Pas question.

Gina s'installa sur un splendide canapé couleur beurre frais et attira Joe à côté d'elle.

Conscient de l'odeur qu'il dégageait, de la moiteur de sa peau, il se sentit soudain mal à l'aise, déplacé.

— On dirait que tu es malade.

— C'est vrai. J'ai un sacré mal au crâne.

Se relevant d'un bond, Gina se précipita hors de la pièce sans cesser de bavarder, comme si elle redoutait que Joe ne disparaisse à nouveau.

— De l'eau, cria-t-elle, et de l'aspirine.

Joe était sur le point de parler – de quoi, il n'en avait aucune idée – quand il aperçut la photo sur la cheminée.

Il se releva pour aller la regarder.

Elle représentait un groupe de cinq femmes, serrées les unes contre les autres ; quatre d'entre elles portaient des robes roses assorties. Elles avaient un sourire éclatant et levaient leur verre, en général vide, remarqua Joe. Gina était devant, au centre. Derrière elle se tenait Diana, qui riait.

— Salut Diana, dit Joe à mi-voix, je suis rentré.

— C'est un de mes clichés préférés, intervint Gina en réapparaissant derrière lui.

— À la fin, répliqua-t-il, elle parlait de vous. Les Bleues. Elle a dû me raconter au moins cent histoires concernant le lac de Chelan.

Gina serra l'épaule de son frère.

— Elle nous manque à tous.

— Je sais.

— Tu as trouvé, là-bas… ce que tu cherchais ?

Joe réfléchit un moment.

— Non, finit-il par répondre. Mais à présent que je suis ici, j'ai envie de repartir. Partout où je regarderai, je verrai Diana.

— Dis-moi que ce n'était pas le cas là où tu étais.

Joe soupira. Gina avait raison. Le lieu où il se trouvait n'avait pas d'importance. Diana habitait ses pensées, ses rêves. Il se retourna vers Gina et baissa les yeux sur elle.

— Et maintenant ?

— Tu es de retour. Ça compte.

— Je suis perdu, Gigi. C'est comme si j'étais pris dans la glace. Je ne peux pas bouger. Je ne sais pas comment recommencer ma vie.

Elle lui caressa la joue.

— Tu ne vois pas que tu as déjà fait le premier pas ? Tu es revenu.

Posant sa main sur la sienne, il la regarda tendrement, cherchant quelque chose à lui dire. Rien ne lui venait à l'esprit, alors, à défaut, il s'efforça de sourire.

— Où sont ma jolie nièce et mon beau-frère ?

— Bonnie est allée au village-club jouer avec Ali.

Joe fit un pas en arrière, les sourcils froncés.

— Et Rex ? Il ne travaille pas le dimanche.

— Il m'a quittée, Joey. On a divorcé.

Gina n'ajouta pas « pendant ton absence », comme elle aurait pu le faire. Sa petite sœur avait eu besoin de lui et Joe n'avait pas été à son côté. Il la prit dans ses bras.

Elle éclata en sanglots. Joe lui caressa les cheveux, chuchotant qu'il allait rester. Et pour la première fois en trois ans, il le pensait.

C'était une grande première : en dix ans, le bureau de Meghann n'avait jamais été aussi vide. Ses affaires en cours avaient été réparties entre ses associés. Elle commençait déjà à regretter d'avoir promis à Julie de prendre au moins trois semaines de vacances. Que diable ferait-elle pendant ces heures interminables qui constituent une journée ?

La veille et l'avant-veille au soir, elle était sortie prendre un verre avec des confrères. Malheureusement, il était évident qu'ils s'inquiétaient pour elle. Personne n'avait fait allusion à l'épisode dramatique qu'elle avait vécu et la blague qu'elle avait risquée à propos de son expérience de mort imminente était tombée à plat. Les deux soirées n'avaient abouti qu'à exacerber son sentiment de solitude.

Elle songea à appeler Harriet mais en rejeta l'idée. Elle avait évité sa thérapeute ces derniers jours, allant jusqu'à annuler son rendez-vous hebdomadaire. Leur session nocturne l'avait troublée et déprimée, et franchement, elle arrivait au même résultat seule. Elle n'avait pas besoin de payer un spécialiste pour y parvenir.

Après avoir sorti son attaché-case et son sac du tiroir de son bureau, elle se dirigea vers la porte. S'autorisant à poser un dernier regard sur cette pièce où elle se sentait plus chez elle qu'à son domicile, elle ferma le battant sans bruit.

Dans le large couloir de marbre, elle remarqua que ses pairs l'évitaient. Le succès était un virus que tout le monde voulait attraper. L'échec, moins. Pendant les semaines passées, les conciliabules près du distributeur d'eau étaient allés bon train : « Dontess perd la boule... Elle craque... Ça montre ce qui arrive quand on n'a pas de vie privée. »

Bien sûr, ces commentaires étaient proférés discrètement, en vitesse et en sourdine. Après tout, Meghann restait associée principale, le deuxième nom sur la porte dans une firme où la hiérarchie était primordiale. Pourtant, pour la première fois depuis le début de sa carrière, elle subissait une remise en question ; ses collaborateurs se demandaient si la Garce de Belltown, comme on la surnommait jadis, avait perdu son mordant. Elle identifiait la même interrogation dans le regard de ses amis du barreau.

Devant la porte fermée du bureau de Julie, à l'angle de l'étage, elle marqua une pause avant de frapper.

— Entrez.

Meghann pénétra dans la pièce claire et ensoleillée.

— Bonjour, Jules.

Julie leva les yeux de ses papiers.

— Bonjour, Meg. Tu veux sortir boire un verre ? Fêter tes premières vacances en dix ans, peut-être ?

— Si on célébrait plutôt ma décision de rester ?

— Tu parles, Charles. J'ai pris un mois de congés par an, ces dix dernières années. Pour toi, le repos, c'est quand tu es sous novocaïne.

Julie se leva.

— Tu as l'air fatiguée, Meg, mais tu es trop têtue pour l'admettre. Les événements de la semaine dernière perturberaient n'importe qui. Laisse-toi le temps de les digérer. Tu as besoin d'une coupure. Je recommande un mois minimum.

— Tu m'as déjà vue m'arrêter ?

— Non, mais ça abonde plutôt dans mon sens, pas dans le tien. Où pars-tu ?

— Sûrement au Bangladesh. On m'a dit que les hôtels y étaient bon marché.

— Très drôle. Pourquoi ne profiterais-tu pas plutôt de mon appartement à Hawaii ? Une semaine au bord de la piscine, voilà ce qu'il te faut.

— Non, merci. Je n'apprécie pas les cocktails servis dans un verre agrémenté d'une ombrelle en papier. Je crois que je vais plutôt regarder les émissions juridiques sur le câble ou CNN. Ou m'écouter parler quand je serai interviewée par Larry King.

— Je ne changerai pas d'avis, même si tu prends ta mine la plus pathétique. Vas-y. Tes vacances ne peuvent pas commencer tant que tu n'es pas partie.

— L'affaire O'Connor...

— Ajournement.

— Jill Summerville...

— La réunion de fixation du compromis a lieu vendredi. Je m'en occupe et je superviserai la déposition Lange mercredi prochain. Tout est sous contrôle, Meg. Pars tranquille.

— Mais où ? murmura Meghann, tout en détestant le dénuement qu'elle entendait dans sa propre voix.

Julie s'approcha d'elle et lui mit la main sur l'épaule.

— Tu as quarante-deux ans, Meg. Si tu n'as nulle part où aller et personne à qui rendre visite, il est temps que tu réévalues tes priorités. Ici, c'est juste ton travail. Un très bon job, c'est sûr, mais rien que ça. Tu en as fait ta vie – et j'ai fermé les yeux, je l'admets –, mais il est temps que ça change.

Meghann attira Julie dans ses bras et la serra violemment. Puis, mal à l'aise après cette inhabituelle manifestation d'émotion, elle recula en titubant un peu et sortit du bureau comme une flèche.

Dehors, la nuit s'installait, chassant la chaleur surprenante de la journée. Plus Meghann approchait du marché couvert, plus la foule était dense. Les touristes baguenaudaient devant les échoppes des fleuristes et les devantures des boulangeries. Meghann coupa par Post Alley. Ce n'était pas un chemin qu'elle choisissait souvent, mais elle voulait éviter de passer devant l'Athenian alors qu'elle se sentait si vulnérable. C'était le genre de soir où il lui serait facile d'oublier son état de grâce et elle en avait assez de tomber de haut. La chute était trop rude.

Dans le hall de son immeuble, elle salua le portier d'un signe de la main avant de monter chez elle.

159

Elle avait oublié de laisser la radio allumée. L'endroit était si silencieux que c'en était discordant.

Elle jeta ses clés sur la table de l'entrée. Elles firent un bruit métallique en atterrissant dans un bol Lalique orné de fleurs en relief.

Le splendide appartement était très bien rangé et pas même un trombone ne traînait. La femme de ménage était venue ce jour-là, faisant disparaître toute trace du désordre habituel de Meghann. Sans les livres, les dossiers et les papiers empilés un peu partout, le lieu ressemblait à une chambre d'hôtel de luxe. Le type d'endroit que les gens occupent occasionnellement sans y vivre. Deux canapés en brocart bleu marine étaient disposés face à face, séparés par une élégante table basse. Les murs de la façade ouest étaient en briques de verre dépoli. Quant à la vue, elle mêlait les couches de bleu du ciel et du bras de mer.

Ouvrant la porte de l'armoire ancienne laquée noir et or de la salle de télévision, Meghann s'empara de la télécommande. Tandis que le son se mettait à beugler, elle s'affala dans son fauteuil en daim préféré et étendit les pieds sur l'ottomane.

Il lui fallut moins de cinq secondes pour reconnaître le thème musical de l'émission.

— Non, pas ça !

C'était une rediffusion de l'ancien feuilleton dans lequel jouait sa mère : « Starbase IV ». Meghann se souvint de l'épisode, intitulé « Sens dessus dessous », au cours duquel les membres de l'équipage du dôme volant se transformaient accidentellement en insectes. Des hommes-moustiques prenaient alors le contrôle des laboratoires. Meghann avait du mal à détacher son regard de l'écran. Sa mère s'y agitait, vêtue d'une ridicule combinaison stretch vert fluo et de jambières noires. Elle était énergique et pleine de vie. Superbe.

« Capitaine Wad, disait-elle en fronçant ses sourcils ultra-épilés, juste assez pour faire passer une émotion, mais pas trop pour ne pas laisser apparaître de rides. On a reçu un message d'urgence des gars d'la capsule d'déshydratation. Ils ont dit quequ'chose à propos des moustiques. » Comme si la botaniste d'une station spatiale sur Mars venait d'Alabama... Meghann détestait cet accent fabriqué. Sa mère l'avait adopté depuis lors, prétendant que ses fans s'attendaient à ce qu'elle le prenne. Le plus triste était qu'elle avait sans doute raison.

— N'y pense pas, s'enjoignit Meghann tout haut.

Mais c'était impossible. Meghann parvenait à tourner le dos au passé si elle était en forme. Quand elle se sentait faible, les souvenirs reprenaient le dessus. Fermant les yeux, elle remonta dans le temps. Jusqu'à une autre vie. Où sa mère, sa sœur et elle habitaient Bakersfield.

« Hou ! hou ! les filles, maman est rentrée. »

Meghann se pelotonnait contre Claire et la tenait serrée contre elle. Leur mère avait pénétré en titubant dans le petit salon encombré de la caravane, vêtue d'une robe rouge moulante à sequins avec une frange argentée et chaussée de sandales en plastique transparent.

« J'ai ramené M. Mason. J'l'ai rencontré au Castor sauvage. Soyez gentilles avec lui, vous autres », avait-elle ordonné d'une voix traînante de pocharde, qui signifiait qu'elle serait agressive au réveil.

Meghann savait qu'elle devait agir vite. Comme il y avait un homme à la maison, leur mère ne serait pas capable de penser à grand-chose et elle n'avait pas payé le loyer depuis longtemps. Meghann avait ramassé l'exemplaire fatigué de *Variety* qu'elle avait volé à la bibliothèque.

« Maman ? »

Celle-ci avait allumé une cigarette mentholée et en avait tiré une longue bouffée.

« Qu'est-ce qui se passe ? »

Meghann avait propulsé le magazine dans sa direction. Elle avait entouré une annonce à l'encre rouge : « On recherche une actrice d'âge mûr pour un petit rôle dans une série de science-fiction. Casting ouvert à toutes. » L'adresse à Los Angeles venait ensuite.

Leur mère avait lu l'offre d'emploi tout haut. Son sourire s'était figé à la vue des mots « actrice d'âge mûr ». Après un long silence tendu, elle s'était mise à rire et avait poussé M. Mason d'un geste vers la chambre. Une fois qu'il y était entré, elle avait refermé la porte derrière lui, s'était agenouillée et avait ouvert les bras à Meghann et à Claire :

« Venez m'faire un câlin. »

Elles s'étaient précipitées vers elle. Elles attendaient un moment comme celui-ci des jours entiers, quelquefois des semaines. Leur mère pouvait être froide et distraite, mais quand elle libérait son amour, on en était submergé.

« Merci, Miss Meggy. J'sais pas ce que j'ferais sans toi. J'vais tenter ma chance pour ce rôle, c'est sûr. Maintenant, disparaissez, vous autres, et faites pas de bêtises. Il faut que j'distraie ce monsieur. »

Elle avait bien préparé le casting. À sa grande surprise – et à celle de son entourage –, elle avait fait des merveilles à l'audition. Au lieu d'obtenir le petit rôle pour lequel elle s'était présentée, elle avait décroché celui du personnage principal, Tara Zyn, la botaniste de la station spatiale.

C'était le commencement de la fin.

Meghann soupira. Elle préférait ne pas penser à la semaine où leur mère était allée à Los Angeles en les laissant, Claire et elle, seules dans la caravane sale... ni aux changements qui s'étaient ensuivis. Meghann et Claire n'avaient plus vraiment été sœurs, après.

À côté de Meghann, la sonnerie stridente du téléphone résonna dans le silence. Désireuse de parler à quelqu'un, n'importe qui, Meghann se rua dessus.

— Allô ?

— Coucou, Meggy, c'est moi. Ta maman. Comment tu vas, chérie ?

Meghann roula des yeux en entendant l'accent maternel. Elle aurait dû laisser le répondeur s'enclencher.

— Je vais très bien, maman. Et toi ?

— On ne peut mieux. Mes fans ont tenu leur congrès, ce week-end. Il me reste quelques photos. J'ai pensé que t'en voudrais p't-être une signée pour ta collection.

— Non merci, maman.

— J'vais demander à mon domestique de t'en envoyer une. Bon sang, j'en ai signé tant que j'ai mal aux doigts.

Meghann avait assisté à l'une des conférences des fans de « Starbase IV » et c'était largement suffisant.

163

Des centaines de dégénérés aux yeux émerveillés, affublés d'un costume en polyester bon marché, réclamaient à grands cris les photos d'une bande d'obscurs comédiens ratés... La mère de Meghann était la seule des acteurs au générique à avoir continué sa carrière après l'arrêt de « Starbase IV », et encore : quelques mauvaises productions télévisées dans les années quatre-vingt et un film-culte d'horreur à la fin des années quatre-vingt-dix. C'étaient les rediffusions qui l'avaient rendue riche et célèbre. Une nouvelle génération de nuls s'était prise de passion pour la série.

— Tes fans t'aiment, que veux-tu.

— J'remercie le ciel pour ces p'tits bonheurs. J'suis très contente de t'parler, Meggy. Il faudrait qu'on le fasse plus souvent. Vous devriez venir me voir, vous autres.

La remarque revenait systématiquement ; elle figurait dans le scénario. C'était une manière de prétendre que Meghann, Claire et leur mère formaient ce qu'elles n'étaient pas : une famille.

Meghann ne pouvait pas se morfondre trois semaines d'affilée dans son appartement.

— Je prends des vacances, enchaîna-t-elle très vite. Je pourrais peut-être te rendre visite ?

— Oh, ce serait... bien.

Une expiration bruyante parvint aux oreilles de Meghann, qui aurait juré qu'elle sentait la fumée de cigarette à travers le combiné.

— P't-être à Noël...

— Demain.

— Demain ? Chérie, j'ai un photographe de *People Magazine* qui vient à quinze heures, et à mon âge, quand j'me réveille, j'ressemble à un de ces chiens sans poils. Il me faut au moins dix personnes toute la journée pour me faire belle.

L'accent de la mère de Meghann devenait plus prononcé. C'était le cas quand elle avait des émotions fortes. Meghann avait envie de raccrocher, de laisser tomber, mais le spectacle anonyme de son appartement lui donna presque la nausée.

— Que dirais-tu de lundi, alors ? Juste pour quelques jours. On pourrait aller dans un club de remise en forme.

— Tu n'regardes donc jamais les émissions du câble sur les célébrités ? Lundi, j'pars pour Cleveland. J'vais jouer Shakespeare avec Pamela Anderson et Charlie Sheen. *Hamlet.*

— Toi ? Shakespeare ?

Une pause dramatique suivit.

— J'vais m'arranger pour oublier que t'as pris ce ton.

— Arrête un peu l'accent, maman. C'est moi. Je sais que tu es née à Detroit. Et que le nom sur ton acte de naissance, c'est Eliana Sullivan.

— V'là que tu deviens grossière. T'as toujours été une enfant irritable.

Meghann ne savait plus quoi dire. Le domicile de sa mère était le dernier endroit au monde où elle avait envie d'aller, et, pourtant, le fait de se voir refuser une invitation l'ulcérait.

— Eh bien, bonne chance.

— C'est une occasion en or pour moi.

« Pour moi ». Les mots préférés d'Eliana.

— Tu ferais bien de passer une bonne nuit pour la séance de demain.

— Au nom du ciel, t'as raison. P't-être que vous pourriez venir plus tard dans l'année, vous autres. Quand j'serai moins occupée. Claire aussi.

— C'est ça. Au revoir, maman.

Après avoir raccroché, Meghann resta assise dans son appartement trop calme. Elle appela Élisabeth, tomba sur le répondeur, laissa un bref message et reposa le combiné.

— Et maintenant ? s'interrogea-t-elle.

Elle était à court d'idées.

Pendant l'heure suivante, elle fit les cent pas en essayant de mettre sur pied un plan digne de ce nom.

Le téléphone sonna à nouveau. Meghann plongea pour décrocher, dans l'espoir d'entendre Élisabeth.

— Salut, Meg.

— Claire ? Quelle bonne surprise.

Pour une fois, c'était vrai. Meghann s'assit.

— J'ai eu maman, aujourd'hui. Tu ne vas pas me croire. Elle joue...

— Je vais me marier.

— Shakespeare... Te marier ?

— Je n'ai jamais été aussi heureuse, Meg. Je sais que c'est dingue, mais c'est l'amour, j'imagine.

— Qui est-ce ?

— Bobby Jack Austin.

— Je n'ai jamais entendu ce nom ; pas depuis que ce feuilleton sur les cow-boys, « Hee Haw », ne passe plus à la télé.

— Je l'ai connu il y a dix jours à Chelan. Je sais ce que tu vas me dire, mais...

— Dix jours. On peut coucher avec des hommes qu'on vient de rencontrer, Claire. Quelquefois, on

166

part même avec eux passer un week-end de folie. Mais ce qu'on ne fait pas, c'est les épouser.

— Je suis amoureuse, Meg. S'il te plaît, ne gâche pas tout.

Meghann avait si envie de donner des conseils à sa cadette qu'elle s'obligea à serrer les poings pour s'en empêcher.

— Qu'est-ce qu'il fait dans la vie ?

— Il est chanteur et il écrit des textes. Si tu l'entendais, Meg... On dirait un ange. Il se produisait au festival western de Cow-Boy Bob, la première fois que je l'ai entendu. Mon cœur a cessé de battre pendant une seconde. Tu as déjà ressenti ça ?

Claire enchaîna avant que Meghann ait le temps de répondre.

— L'hiver, il est moniteur de ski à Aspen et, l'été, il voyage en jouant de la musique. Il a deux ans de plus que moi, et il est si beau que tu n'en croiras pas tes yeux. Plus que Brad Pitt, je t'assure. Il va devenir une star.

Meghann essaya d'absorber les informations. Sa sœur épousait un vague professeur de ski de trente-sept ans qui rêvait d'être chanteur country. Et le concert le plus prestigieux qu'il arrivait à donner, c'était chez Cow-Boy Bob, dans un trou paumé.

— Ne commence pas, Meg, avertit Claire sans hausser le ton, remarquant que le blanc dans la conversation s'éternisait.

— Est-ce qu'il sait combien vaut le camping ? Tu crois qu'il acceptera de signer un contrat de mariage ?

— Enfin quoi, Meg. Tu ne peux pas juste te réjouir pour moi ?

— Si, j'en ai envie, répondit Meghann. Mais tu mérites ce qu'il y a de mieux, Claire.

— Bobby est ce qu'il y a de mieux. Tu ne m'as rien demandé à propos de la cérémonie.

— Elle a lieu quand ?

— Samedi 23.

— De ce mois-ci ?

— On s'est dit, pourquoi attendre ? Je ne rajeunis pas. Du coup, on a réservé l'église.

— L'église ?

C'était de la folie. Bien trop rapide.

— Il faut que je le rencontre.

— Bien sûr. Le dîner de préparation...

— Pas question. Il faut que je le rencontre *maintenant*. Je viens chez toi demain soir et je vous invite à dîner tous les deux.

— Vraiment, Meg, ce n'est pas nécessaire.

Meghann feignit de ne pas remarquer la réticence de Claire.

— J'insiste. Je dois quand même faire la connaissance de l'homme qui a ravi le cœur de ma sœur, non ?

— D'accord. À demain, alors... Je serai contente de te voir.

— Moi aussi. Au revoir.

Meghann raccrocha avant de composer le numéro de son bureau pour laisser un message à sa secrétaire :

— Trouvez-moi ce qu'on a sur les contrats de mariage. Les modèles types, des exemples d'affaires et même le cas Ortega. Veillez à ce que l'ensemble soit apporté chez moi avant demain matin dix heures.

Comme si elle s'en souvenait soudain, elle ajouta :

— Merci.

Sur ce, elle alla droit à son ordinateur pour effectuer quelques vérifications au sujet de Bobby Jack Austin.

Voilà à quoi elle emploierait ces vacances idiotes : à empêcher Claire de faire la plus grosse erreur de sa vie.

10

Claire raccrocha le téléphone du bureau. Le silence s'installa et, avec lui, le doute s'infiltra dans la pièce.

Bobby et elle allaient vite en besogne...

— Saleté de Meg.

Mais même si Claire maudissait sa sœur, elle savait que l'incertitude était là depuis le début, germant à l'intérieur d'elle-même comme une petite graine qui attendait de bourgeonner et de grandir. Elle était trop vieille pour se laisser emporter par la passion. Elle devait penser à sa fille. Alison ne connaissait pas son père biologique. Jusqu'à présent, il avait été facile d'envelopper son monde dans une bulle pour éviter qu'elle ne se cogne aux aspérités de la vie. Ce mariage allait tout changer.

La dernière chose que voulait Claire, c'était épouser un homme qui ne tenait pas en place. Elle connaissait les spécimens de ce genre, ceux qui faisaient des risettes pour mieux disparaître, un soir, pendant que l'autre se brossait les dents.

Claire avait hérité de quatre beaux-pères avant l'âge de neuf ans. Ce total ne comprenait pas les hommes qu'on lui avait demandé d'appeler tonton, ceux qui avaient traversé en flèche la vie de sa mère et qui se volatilisaient du jour au lendemain, ne laissant derrière eux qu'un arrière-goût amer.

D'autant que Claire avait placé son espoir dans chacun d'eux. « Celui-ci, pensait-elle, va m'emmener me promener en rollers et m'apprendre à faire du vélo. » Mais, bien sûr, c'était Meghann qui s'en était chargée ; elle, qui n'avait pas une fois appelé « papa » les maris de leur mère et qui refusait d'attendre quoi que ce soit d'eux. Pas étonnant qu'elle soit si méfiante. Le passé lui avait donné toutes les raisons de l'être.

Claire traversa le hall de la réception. En approchant de la fenêtre, elle ramassa un dépliant sur le sol – certainement oublié par un client – et le jeta dans la cheminée éteinte.

Dehors, le soleil se couchait, baignant le camping d'une teinte rose et dorée dans laquelle chaque feuille et chaque buisson se dessinaient avec précision. Les rayons miroitaient sur l'eau bleue de la piscine, déserte, maintenant que les vacanciers allumaient des feux de camp et des barbecues.

Claire était là, vulnérable et indécise, quand elle aperçut des ombres qui s'allongeaient sur l'herbe.

Sam et Bobby arrivaient. Sam portait sa tenue d'été habituelle : une salopette bleue et un tee-shirt noir. Ses yeux étaient protégés par une casquette défraîchie ornée du sigle du village-club, sous laquelle moussait sa masse de cheveux châtains.

Quant à Bobby, il était vêtu d'un jean fané et d'un tee-shirt bleu proclamant « les cow-boys, pour la bière Coors ». Dans la lumière faiblissante, sa chevelure avait la couleur généreuse et chaude de l'or. Il avait un taille-haie dans une main et un bidon d'essence dans l'autre. Depuis qu'il était arrivé, il faisait sa part de travail au village-club. Il se débrouillait bien, même si Claire savait qu'il ne serait pas heureux s'il devait y rester éternellement. Il avait déjà évoqué l'idée que Claire, Alison et lui partent plusieurs semaines en tournée l'été suivant. Il avait trouvé un nom au projet : « Les Austin taillent la route. » Claire trouvait formidable cette perspective d'aller de ville en ville quelque temps et d'écouter son futur mari chanter. Même si elle n'avait pas abordé le sujet avec son père, elle savait qu'il serait enthousiaste. Et pour ce qui concernait le camping durant cette période, ils régleraient la question ensemble le moment venu.

Sam et Bobby s'arrêtèrent devant le bungalow numéro cinq. Sam désigna les avancées du toit du doigt et Bobby acquiesça. Une minute après, ils riaient tous les deux. Sam posa la main sur l'épaule de Bobby, après quoi ils s'éloignèrent vers la buanderie.

— Coucou, m'man, qu'est-ce que tu regardes ?

Claire se retourna. Alison était debout au pied des escaliers, serrant dans ses bras sa poupée Elmo, effigie d'un personnage de l'émission « Sesame Street ».

— Hé, Ali Kat. Viens me voir une seconde, tu veux ?

Claire s'assit sur la causeuse rayée bleu et blanc près de la cheminée et posa les pieds sur l'ottomane voisine.

Alison grimpa sur ses genoux pour s'installer confortablement dans leur position favorite, cœur contre cœur.

— Je regardais grand-père parler à Bobby.

— Bobby va m'apprendre à pêcher. Il dit que je suis assez grande pour l'accompagner à l'élevage de truites sur la Skykomish. Il y a un truc pour attraper les grosses. Il va me le montrer. Et il dit que d'ici août, on pourra descendre la rivière en flottant sur des pneus. Même moi. Tu as déjà mis un ver sur un hameçon ? Berk. J'y arriverai, tu vas voir. Bobby m'aidera, si c'est trop dégoûtant.

— Je suis contente que tu l'aimes bien, répondit Claire en réprimant un sourire.

— Il est super.

Alison se tortilla jusqu'à ce qu'elle se retrouve face à Claire.

— Qu'est-ce qui se passe, m'man, on dirait que tu vas pleurer ? Les vers ne sentent rien. Parole.

Claire caressa la joue de sa fille.

— Personne ne prendra jamais ta place dans mon cœur.

Alison et Elmo embrassèrent Claire.

— Je sais.

Avec un rire cristallin, Alison décampa.

— Il faut que j'y aille. Grand-père m'emmène au garage de Smitty. On va faire réparer le camion.

Alison passa la porte au trot, hurlant :

— Grand-père, Bobby, je suis là.

Tandis que Claire la regardait, elle sentit à nouveau peser le poids des responsabilités. Comment faire pour savoir si elle se comportait en égoïste, et, d'ailleurs, était-ce nécessairement une mauvaise

173

chose ? L'égoïsme était courant chez les hommes, pourtant, ils construisaient des entreprises pesant des milliards et des fusées qui atteignaient la Lune.

Mais si ce mariage ne marchait pas ?

On y était enfin. Aux pieds d'argile du colosse.

Il fallait que Claire en parle à quelqu'un. Pas à sa sœur, bien sûr. À une amie. Elle composa le numéro de Gina, qui répondit à la première sonnerie.

— Allô ?

Claire se renfonça dans l'énorme fauteuil, les pieds en l'air.

— C'est moi. La reine du mariage instantané.

— Ça, tu l'as dit.

— Meghann croit que je fais une bêtise.

— Depuis quand on s'intéresse à ce qu'elle pense ? C'est une fichue avocate. Ce qui la place plus bas que les invertébrés dans la chaîne de l'évolution.

L'étau qui compressait la poitrine de Claire se desserra un peu. Elle sourit.

— Je savais que tu remettrais tout en perspective.

— Les amis sont là pour ça. Tu veux que je te le chante ?

— Non, merci. Je t'ai déjà entendue. Dis-moi juste que je ne suis pas une garce égoïste qui va saccager la vie de sa fille en épousant un inconnu.

— On parle de ta mère ?

— Je ne veux pas être comme elle.

La voix de Claire se résumait à un murmure.

— Je te connais depuis qu'on est arrivées toutes les cinq avec la même chemise bleue, le premier jour d'école. Je me souviens de l'époque où tu achetais de la crème pour faire pousser ta poitrine et où tu gobais tout ce qu'on te racontait. Tu n'es pas une

174

personne égoïste, Claire. Et je ne t'ai jamais vue aussi heureuse. Je me fiche que tu connaisses Bobby depuis moins de deux semaines. Dieu t'offre l'amour et la passion. Ne laisse pas passer ça.

— J'ai peur. J'aurais dû me jeter à l'eau quand j'étais jeune et optimiste.

— Tu l'es encore. Et bien sûr que tu as la trouille. Si tu te rappelles, j'ai bu deux tequilas cul sec avant d'épouser Rex, alors qu'on était ensemble depuis quatre ans... Je n'aurais sans doute pas dû choisir cet exemple. Peu importe. Quelqu'un d'intelligent redoute toujours le mariage. Tu as dépassé les années où l'on se marie pour se marier et tu n'en es pas encore à celles où l'on se désespère en maison de retraite. Tu as rencontré un homme, tu es tombée amoureuse. C'est allé vite. Et alors ? Si tu ne te sens pas prête pour t'engager, attends. Mais pas parce que ta grande sœur t'a suggéré de tout remettre en question. Fais ce que ton cœur t'inspire.

Claire avait l'estomac noué, l'esprit embrumé, mais ses sentiments étaient clairs.

— Qu'est-ce que je ferais sans toi ?

— La même chose que moi si tu n'étais pas là : tu boirais trop et tu pleurnicherais sur l'épaule de parfaits inconnus.

La pointe de dépression qui transparaissait dans les paroles de Gina n'échappa pas à Claire. Elle en aima d'autant plus son amie, qui l'avait écoutée déverser ses problèmes alors que son univers était en train de s'écrouler.

— Tu t'en sors comment ?

— Aujourd'hui ou cette semaine ? J'ai des sautes d'humeur pires que celles d'une adolescente et mon postérieur ressemble de plus en plus à l'arrière d'une Buick.

— Ne plaisante pas, Gigi. Comment tu te sens ?

— Pas terrible. Rex est passé, hier soir. Il a perdu au moins cinq kilos et se teint les cheveux. Bientôt, il va me prier de l'appeler *The Rexter* à nouveau. Il veut épouser cette femme.

— Zut !

— Eh oui ! Je me rappelle encore le jour où il m'a fait sa demande, alors qu'il regarde le prix des diamants pour en offrir un à sa dulcinée. Ça fait un mal de chien. Mais je ne t'ai pas annoncé la nouvelle : Joey est de retour.

— Tu plaisantes ? Où était-il ?

Il y eut un silence, puis Claire entendit quelqu'un bouger, après quoi Gina reprit plus bas :

— Je ne sais pas. Ici et là, à ce qu'il raconte. Il a l'air mal en point. Plus vieux. Il est arrivé hier et a commencé par dormir à peu près treize heures. Franchement, j'espère que je n'aimerai jamais autant quelqu'un qu'il a aimé Diana.

— Qu'est-ce qu'il va faire ?

— Je l'ignore. Je lui ai proposé d'habiter ici, mais il refuse. Il ressemble à un animal qui serait resté trop longtemps à l'état sauvage. En plus, cette maison le plonge dans ses souvenirs. Il a gardé les yeux rivés sur ma photo de mariage pendant une heure. Je te jure, j'avais envie de pleurer.

— Transmets-lui mon affection.

— Promis.

Les deux amies continuèrent à bavarder quelques minutes des choses de la vie quotidienne. Quand Claire raccrocha, elle se sentait mieux. Elle avait l'impression d'avoir retrouvé le contact avec la terre ferme. Penser à Joe et Diana l'aidait aussi. Malgré ce qui était allé de travers pour ces deux-là, leur relation prouvait que l'amour pouvait exister.

Claire baissa les yeux vers sa main gauche, sur sa bague de fiançailles : un filament de papier d'argent, soigneusement plié et enroulé autour de son annulaire. Refusant de penser à ce que Meghann en dirait, elle se souvint plutôt de son émotion au moment où Bobby le lui avait passé au doigt.

« Épouse-moi », avait-il murmuré, un genou en terre. Elle savait qu'elle aurait dû sourire avec tendresse et répondre : « Bobby, bien sûr que non. On se connaît à peine. » Mais elle n'avait pu s'y résoudre. Les yeux sombres de Bobby étaient pleins de cet amour dont elle avait rêvé et elle s'était sentie perdue. La partie rationnelle d'elle-même – la mère célibataire, qui endurait la solitude depuis plus de trois décennies – lui avait enjoint de ne pas faire l'imbécile. Mais il y avait son cœur. Ce tendre organe avait refusé qu'on l'ignore. Claire était bel et bien amoureuse. Tant, qu'elle avait l'impression de sombrer.

Gina avait raison. L'amour était un cadeau, que Claire avait cessé de chercher et auquel elle avait presque arrêté de croire. Elle n'allait pas lui tourner le dos par lâcheté. La maternité lui avait enseigné une chose : en amour, il faut être intrépide. La peur faisait partie du lot.

Attrapant son pull posé sur le dossier du canapé, Claire sortit.

La nuit était presque tombée ; l'obscurité enveloppait les parois de granit couleur saumon. Au milieu de ce coin de verdure au pied des murs verticaux des montagnes, à cette heure-là, tout semblait tranquille aux touristes occupés à faire griller des saucisses et des brochettes de marshmallows sur des feux de camp. Mais les autochtones savaient qu'il n'en était rien. À quelques dizaines de mètres grouillait un univers invisible aux observateurs inattentifs, un monde inconnu à ceux qui passaient leur vie l'oreille collée au téléphone ou assis devant un écran d'ordinateur.

Sur les pics voisins, dotés de noms comme le Formidable, la Terreur et le Désespoir, les glaciers n'étaient jamais au repos ni silencieux. Ils glissaient vers l'avant, grondant, craquant et écrasant les rochers sur leur passage. Même la chaleur du soleil d'août ne les faisait pas fondre complètement et, le long des rives de la Skykomish, juste un peu plus loin que le sentier foulé par les humains, un millier d'espèces sauvages luttaient pour leur survie.

Pourtant, la nuit paraissait silencieuse et paisible : l'air sentait les aiguilles de pin et l'herbe sèche. On était à cette phase de l'année où, l'espace de quelques semaines, les gazons fragilisés de la ville viraient au brun. C'était un moment très rare dans le Nord-Ouest : une période de quasi-sécheresse.

Claire entendait le bourdonnement paisible des conversations des campeurs, ponctué par l'aboiement d'un chien ou le rire aigu d'un enfant. En arrière-plan s'élevait le babil de la rivière, aussi régulier et familier que des battements de cœur. Dans sa jeunesse, Claire avait été bercée par cette mélodie, qui avait remplacé le tapage musical qui servait de fond sonore à la vie de sa mère.

Elle n'avait pas pris la peine de mettre des chaussures. Sans crainte pour la plante de ses pieds, épaissie par les étés passés au bord de la Skykomish, elle longea la piscine vide. Dans le cabanon en bardeaux adjacent, le moteur du filtre vrombissait. Deux grosses bouées rondes, l'une rose vif, l'autre vert fluo, flottaient sur l'eau qui s'assombrissait.

Claire fit sa ronde, s'arrêtant pour parler à plusieurs clients, buvant même un verre avec les occupants de l'emplacement treize, Wendy et Jeff Goldstein.

Il faisait noir quand elle atteignit la rangée de bungalows située à l'extrémité est du terrain. Les fenêtres étaient brillamment éclairées d'une lumière floue et dorée.

Au début, elle attribua le bruit qu'elle entendait à des criquets se préparant à un concert nocturne. Puis elle discerna le son harmonieux de cordes qu'on grattait.

Le bungalow quatre était doté d'une jolie véranda donnant sur la Skykomish. Son toit ayant été abîmé par la pluie, on l'avait retiré de la location pour l'été, ce qui avait permis à Bobby d'avoir un logement jusqu'au mariage. « Le destin », avait dit Sam en confiant la clé à Claire.

Ce soir-là, Bobby était assis en tailleur à l'extrémité de la terrasse, le corps baigné d'ombre, sa guitare sur les genoux. Il regardait la rivière au loin en jouant un air lent et incertain.

Claire profita des ténèbres pour se glisser sous un pin d'Oregon géant et, de sa cachette, observa Bobby. À l'écoute de la musique, elle fut parcourue de frissons.

Presque trop bas pour être entendu, Bobby se mit à chanter :

— Toute ma vie, j'ai marché... sur une route un peu paumée. Puis j'ai tourné au coin d'la rue, chérie, et... j't'ai vue.

L'émotion qui serra la gorge de Claire était à la fois si puissante et si douce que les larmes lui montèrent aux yeux. Elle sortit de l'ombre. Relevant la tête, Bobby l'aperçut. La joie éclaira son visage bronzé.

Claire s'avança vers lui, martelant l'herbe de ses pieds nus.

Sans la quitter des yeux, Bobby se remit à chanter :

— Pour la première fois d'ma vie... je crois en Dieu pour deux... Au Seigneur qu'mon grand-père m'a promis... parce que, chérie, ce que j'vois dans tes yeux, c'est l'paradis.

Bobby gratta encore quelques cordes avant de taper un grand coup sur l'instrument en souriant. Le posant, il s'approcha de Claire.

À chaque pas qu'il faisait, la respiration de Claire devenait plus difficile, à tel point qu'elle suffoquait quand il arriva à sa hauteur. C'était presque embarrassant de ressentir les choses si fort.

Prenant la main gauche de Claire dans la sienne, Bobby baissa les yeux sur la bague improvisée. Quand il regarda à nouveau Claire, il ne souriait plus.

— Pathétique, murmura-t-il.

Claire eut un pincement au cœur devant la honte qu'elle lisait dans ses yeux noirs.

— Peu de femmes accepteraient un bijou pareil.

— Je t'aime, Bobby. C'est tout ce qui compte. Je sais que ça a l'air dingue, impossible même, mais je t'aime.

Avoir prononcé ces mots libéra quelque chose en Claire. Elle arrivait à nouveau à respirer.

— Je ne suis pas un cadeau, Claire. Tu t'en rends compte. J'ai commis des erreurs. Trois, pour être exact.

C'était comme si Claire entendait la voix de Meghann s'élever par-dessus la brise, mais elle n'y attacha pas d'importance. Seule comptait la façon dont Bobby la fixait. Personne ne l'avait encore contemplée de la sorte, comme si elle était la femme la plus précieuse sur terre.

— Et moi, je suis une mère célibataire qui n'a pas réussi à se marier. Les erreurs, je connais, Bobby.

— Je n'ai jamais ressenti ça avant, avoua-t-il d'une voix enrouée. Je suis sincère.

— Ressenti quoi ?

— C'est comme si mon cœur ne m'appartenait plus, comme s'il ne pouvait pas battre sans toi. Tu es en moi, Claire, tu m'aides à tenir debout. Tu me donnes envie de me surpasser.

— Je veux qu'on vieillisse ensemble.

Claire avait chuchoté ces mots. C'était son rêve le plus secret, son espoir le plus cher. Toute sa vie, elle s'était imaginée seule durant sa vieillesse, une de ces femmes à cheveux blancs qui restaient assises, dans l'attente de la sonnerie du téléphone ou de l'arrivée d'une voiture. Maintenant, elle s'autorisait à envisager un futur meilleur, rempli d'amour, de rires et d'une famille.

— J'ai envie d'entendre nos enfants se disputer à propos de qui a asticoté qui à l'arrière de la voiture familiale.

Claire rit. C'était si bon de rêver avec quelqu'un.

Bobby l'attira dans ses bras et dansa avec elle au son de la musique de la rivière et des criquets.

Finalement, Claire ajouta :

— Ma sœur, Meghann, vient demain pour te rencontrer.

Bobby recula. Prenant Claire par la main, il la conduisit sur la véranda. Ils s'assirent sur la vieille balancelle qui craquait et oscillèrent lentement.

— Je croyais que tu avais dit qu'elle boycotterait le mariage.

— Je prenais mes désirs pour des réalités. Comme je m'y attendais, elle est peu enchantée de notre décision.

— C'est bien cette sœur-là que Gina appelle Cruella ?

— À vrai dire, son surnom le plus courant, c'est « les Dents de la mer ».

— Est-ce que son opinion a de l'importance ?

— Elle ne devrait pas en avoir.

— Mais elle en a.

Claire se sentit bête.

— Oui.

— Alors, je vais me la mettre dans la poche. Peut-être lui écrire une chanson.

— Tu as intérêt à ce que ce soit génial. Meg n'aime que le premier choix. Elle arrive demain en début de soirée.

— Est-ce que je dois aller au surplus de l'armée me renseigner sur les gilets pare-balles ?

— C'est le minimum que tu puisses faire.

Au bout d'un moment, le sourire de Bobby pâlit.

— Elle ne va pas réussir à te faire changer d'avis, au moins ?

La vulnérabilité de son amoureux émut Claire.

— Meg n'a jamais pu me faire changer d'avis sur rien. Ça la rend folle.

— Tant que tu m'aimes, je supporterai n'importe quoi.

— Eh bien, Bobby Austin...

Claire l'entoura de ses bras et se pencha pour l'embrasser.

Juste avant que leurs lèvres se touchent, elle ajouta tout bas :

— Tu supporteras donc ma sœur.

11

Debout devant l'évier, Claire lavait la vaisselle du petit déjeuner. C'était une journée grise, pas vraiment pluvieuse, de celles où le ciel est si bas qu'on a l'impression de s'y cogner quand on s'aventure à l'extérieur. Le temps idéal pour une visite de Meghann.

Rien que d'y penser, Claire en avait une migraine carabinée. Après s'être essuyé les mains, elle attrapa le tube d'aspirine sur l'appui de la fenêtre.

— Mary Kay Acheson a le droit de prendre des pétales de maïs aux pépites de chocolat.

Le matin, ce genre de discussion était monnaie courante.

— Elle aura de fausses dents avant la quatrième. Tu n'as pas envie d'enlever ton dentier avant de te coucher, quand même ?

Alison tapait des pieds en cadence sur les barreaux de sa chaise.

— Willie a toutes ses dents et il sera bientôt en troisième. C'est presque un adulte.

— C'est parce que Karen lui donne des céréales aux raisins secs. Avec les pétales de maïs aux pépites de chocolat, ce serait une autre histoire.

Alison réfléchit, le front plissé.

Claire avala le cachet avec une gorgée d'eau.

— Tu as encore mal à la tête, m'man ?

— Tante Meg vient nous voir, ce soir. Elle veut faire la connaissance de Bobby.

L'expression d'Alison devint perplexe. À l'évidence, elle essayait de comprendre le rapport entre le mal de tête de sa maman et la visite de sa tante.

— Je croyais qu'elle était trop occupée pour respirer.

Claire s'approcha de la table et s'assit à côté de sa fille.

— Tu sais pourquoi Meghann veut rencontrer Bobby ?

Alison roula des yeux.

— Ben oui, banane !

— Banane ?

Claire réprima un sourire. Un jour, il faudrait qu'elle chapitre Alison sur son langage irrespectueux, mais elle attendrait de pouvoir le faire sans perdre son sérieux. Au lieu de la réprimander, elle leva la main.

— Tu sais ce que signifie cette bague ?

— Ce n'est pas une bague, c'est du papier d'alu.

— C'est symbolique. L'important, ce n'est pas l'anneau, ce sont les mots qui l'accompagnent. Et Bobby m'a demandé de l'épouser.

— Je sais, m'man. Je peux avoir des biscuits apéritifs au cheddar ?

— On déjeune dans une seconde. Je veux qu'on parle de ça, toi et moi. Pour moi, personne ne compte plus que toi. Personne. Je t'aimerai toujours, même si je me marie.

— Mais m'man, je sais. Est-ce que je peux avoir…

— Oublie un peu les biscuits.

Rien d'étonnant à ce qu'on utilise communément l'expression « c'est comme parler à un enfant de cinq ans » pour exprimer la frustration.

— Ça t'ennuie que j'épouse Bobby ?

Le visage d'Alison se contracta. Elle gonfla la joue gauche, puis la droite. Ensuite, elle releva la tête vers Claire.

— Je pourrai l'appeler papa ?

— Il sera content.

— Alors, le jour de la fête de l'école, il viendra faire la course en sac et il aidera le papa de Brittani à griller les saucisses sur le barbecue ?

Claire poussa un soupir angoissé. Il lui était difficile de faire des promesses en l'air à la place de quelqu'un d'autre. Ce genre de foi en autrui existait dans le cœur des femmes qui avaient grandi dans un foyer protégé, où l'on pouvait s'appuyer sur ses parents. Pourtant, Claire croyait autant en Bobby qu'il était possible de croire en un homme après avoir subi les agissements d'une mère comme la sienne.

— Oui. On peut compter sur Bobby.

Alison sourit, ravie.

— D'accord. Je veux qu'il soit mon père. Papa.

Elle testait le mot, appréciant la façon dont il sonnait dans sa bouche. C'était extraordinaire de voir qu'il contenait autant de rêves de petite fille. Et de grande fille aussi, d'ailleurs.

Alison embrassa Claire avant de détaler, avec dans son sillage Elmo, qui traînait par terre. Elle grimpa dans sa chambre à l'étage. Quelques secondes plus tard, on entendit la chanson de *La Petite Sirène*.

Claire regarda sa bague de fiançailles. Aussi improvisée qu'elle soit, elle lui procurait un sentiment d'espoir.

— Une de moins, marmonna-t-elle.

Plutôt deux, en fait. Sa fille et son père avaient apposé le sceau de leur approbation sur ses projets de mariage. Ce qui ne laissait que deux membres de sa famille à convaincre : Meghann, qui n'avait pas paru emballée, et leur mère, qui ne serait probablement pas intéressée par la question. Claire avait repoussé le moment de l'appeler. Il ne sortait jamais rien de bon d'une conversation avec elle. Mais elle devait quand même la prévenir.

Quand elle pensait à sa « mère », c'était – quelle ironie ! – Meghann qui lui venait à l'esprit. Dans chaque souvenir d'enfance, Claire retrouvait sa sœur... jusqu'au jour, bien sûr, où celle-ci avait décidé qu'elle en avait assez de s'occuper de sa cadette.

Et leur mère. Eh bien, pour être honnête, ce que Claire se rappelait à son sujet était, au mieux, très vague. À ce point de vue, elle avait eu de la chance : Meghann avait écopé du fardeau des caprices maternels. Pourtant, toutes trois continuaient à se comporter comme si elles formaient une famille.

Claire saisit le téléphone et tapa le numéro. La sonnerie retentit à n'en plus finir, puis le répondeur s'enclencha. L'accent du Sud d'Eliana, doucereux et à couper au couteau, était accompagné de musique : « J'apprécie que vous ayez cherché à me joindre sur mon numéro privé. Malheureusement, j'ai trop d'fichues choses à faire pour répondre. Laissez-moi un message et j'vous contacterai aussi vite que possible. À l'occasion, lisez mon interview dans *People Magazine*, qui sera en kiosque fin juin. Au revoir. »

Il n'y avait que la mère de Meghann et Claire pour faire sa promotion sur son répondeur.

— Bonjour, maman, dit Claire après le bip. C'est Claire à l'appareil. Ta fille. J'ai une grande nouvelle à t'annoncer. Appelle-moi.

Elle laissa ses coordonnées, au cas où, avant de raccrocher.

Elle tenait encore le combiné en écoutant distraitement la tonalité quand elle réalisa son erreur. Le mariage avait lieu deux semaines plus tard ; si elle attendait que sa mère se manifeste, la cérémonie serait passée depuis longtemps. Elle devait l'*inviter* et pas seulement l'informer. C'était une obligation. Même si celle qui l'avait mise au monde avait l'instinct maternel d'une mante religieuse et si les chances qu'elle vienne étaient minimes.

Ainsi, quand elle avait enfin trouvé le temps de prendre l'avion de Los Angeles à Seattle pour voir son unique petite fille, Alison avait déjà quatre ans. Le souvenir de cette journée était ancré dans la mémoire de Claire. Sa mère était alors en pleine tournée promotionnelle de « Starbase IV » – encore une – et Seattle comptait parmi les destinations du périple.

Claire et Alison avaient attendu plus d'une heure, assises sur un banc à l'entrée du zoo de Woodland Park, dans le centre. Claire allait renoncer, quand elle avait entendu un piaillement suraigu familier.

Elle avait relevé la tête juste à temps pour apercevoir sa mère, en caftan de soie bronze, qui leur fonçait dessus à la vitesse d'un chariot lors du défilé de Thanksgiving.

« Saperlipopette, c'est bon de revoir ma fille », avait-elle hurlé, si fort que les passants aux alentours s'étaient arrêtés pour les observer. Un murmure excité avait parcouru la foule au fur et à mesure qu'on la reconnaissait. « C'est elle, avait lancé quelqu'un. Tara Zyn, de "Starbase IV". »

Claire avait résisté à la tentation de lever les yeux au ciel. Elle s'était avancée, serrant fort la main d'Alison dans la sienne.

« Bonjour, maman, contente de te voir. »

Sa mère avait plongé, mettant un genou en terre, dans un mouvement qui avait fait voleter des ailes soyeuses sur ses flancs.

« Est-ce que cette mignonne p'tite chose serait ma p'tite-fille ?

— Bonjour, madame Sullivan », avait répondu Alison, peinant à prononcer le nom qu'elle répétait depuis une semaine.

Claire était sûre que sa mère n'apprécierait pas d'être appelée grand-mère. Sur le papier, elle prétendait attendre avec impatience son cinquantième anniversaire.

Elle avait soigneusement étudié Alison. L'espace d'un court instant, une sorte de tristesse avait traversé ses yeux bleus. Puis elle s'était déridée.

« Tu peux m'appeler mamie, avait-elle lâché en étendant une main baguée pour caresser les cheveux bouclés d'Alison. T'es le portrait craché d'ta maman.

— Je n'ai pas le droit de cracher, mamie.

— Elle a du répondant, Clarinette. Comme Meggy. Tant mieux pour toi. Ce sont celles-ci qui s'en sortent, dans la vie. J'crois que c'est l'enfant de deux ans qui parle le mieux d'tout mon entourage.

— C'est parce qu'elle en a quatre, maman.

— Quatre ans ? Chérie, j'te crois pas. T'étais à l'hôpital il y a si peu d'temps. Maintenant, filons vite au pavillon des serpents. C'est celui que j'préfère. Et puis j'dois rentrer à mon hôtel dans une heure pour une interview avec *Evening Magazine*. »

Plus tard cet après-midi-là, Meghann avait fait une apparition et toutes les quatre avaient parcouru le Seattle Center, un complexe d'attractions, en silence, se persuadant en leur for intérieur qu'elles n'étaient pas des étrangères l'une pour l'autre.

Avant, le souvenir de cette journée faisait souffrir Claire, mais à présent, la blessure s'était refermée et une couche de cuir plus épais la recouvrait. Il y avait longtemps que Claire avait cessé de souhaiter avoir une mère différente. Cet espoir l'avait jadis handicapée et elle avait dû s'en débarrasser. Comme de son rêve d'avoir une sœur qui soit aussi sa meilleure amie. Dans la vie, certaines choses ne tournaient pas comme on le désirait et on ne pouvait pas passer son temps à se plaindre.

Claire leva les yeux vers la pendule au-dessus du four. Presque treize heures. Meghann serait bientôt là.

— Génial…, marmonna Claire.

— Ma sœur m'a appelée, hier soir.

Harriet s'installa confortablement dans son fauteuil, qui grinça.

— Ah. Pas étonnant que vous soyez venue au rendez-vous, cette fois-ci. Je commençais à désespérer de vous revoir.

— J'ai manqué une séance. Ce n'est pas grand-chose. J'ai téléphoné pour annuler et réglé la consultation.

— Pour vous, l'argent est la réponse à tout.

— Où cherchez-vous à en venir, Harriet ? Vous êtes si obscure, aujourd'hui, que Freud en personne aurait du mal à vous suivre.

— Je comprends que notre dernière entrevue vous ait perturbée.

La paupière de Meghann se mit à tressauter.

— Pas vraiment.

— Vous savez que le fait que vous soyez bouleversée fait partie du processus de guérison. Il faut que vous arrêtiez de fuir vos émotions.

— C'est ce que je suis en train de faire, si vous vous donniez la peine d'écouter. Je viens de vous dire que j'ai eu des nouvelles de ma sœur.

Harriet soupira.

— Est-ce inhabituel ? J'avais cru comprendre que vous lui parliez assez souvent. Sans aborder de sujets importants.

— C'est vrai. On se téléphone trois ou quatre fois par an. Et pour les fêtes et les anniversaires.

— Alors, qu'est-ce que la conversation d'hier soir a de remarquable ?

Le tic de Meghann s'accentua. Elle n'y voyait plus rien. Sans raison particulière, elle avait aussi du mal à rester assise sans bouger.

— Claire va se marier.

— Respirez un grand coup, Meg, conseilla Harriet, rassurante.

— Ma paupière bat à la vitesse d'un hors-bord.

— Respirez.

Meghann se sentit bête.

— C'est quoi, mon problème, à la fin ?

— Vous avez peur.

La réflexion de sa thérapeute fut d'un grand secours à Meghann. En effet, elle avait peur. Cessant de retenir sa respiration, elle souffla et regarda Harriet.

— Je ne veux pas que Claire souffre.

— Pourquoi supposez-vous que le mariage implique une souffrance ?

— S'il vous plaît ! J'ai remarqué que vous ne portez plus ce solitaire d'un carat à l'annulaire gauche. J'imagine qu'au moment où vous l'avez enlevé, ce n'était pas le nirvâna.

Harriet serra le poing gauche.

— Beaucoup de sœurs se réjouissent, à l'annonce d'une telle nouvelle.

— Pas celles qui s'occupent de divorce.

— Vous ne pouvez pas oublier votre métier ?

— Il ne s'agit pas de mon travail, Harriet. Claire risque gros. Il faut que je la sorte de là.

— Est-elle amoureuse ?

Meghann eut un geste impatient de la main.

— Évidemment.

— Vous ne croyez pas que ça compte ?

— Les femmes sont toujours amoureuses, au début. C'est comme partir en mer sur un radeau qui prend l'eau. Au bout de quelques années, on nage

192

sans pouvoir se raccrocher à rien. C'est alors que les requins arrivent.

— Les gens comme vous ?

— On n'a pas le temps de faire des blagues d'avocats. Je dois empêcher ma sœur d'épouser l'homme qu'il ne faut pas.

— Comment savez-vous qu'il ne lui convient pas ?

Meghann eut du mal à ne pas rétorquer : « Ils sont tous comme ça. » Une remarque de ce genre n'aboutirait qu'à déclencher une autre salve d'observations et de questions.

— Claire et lui se connaissent depuis un mois à peine. Il est *musicien*. Il s'appelle Bobby Jack. Choisissez.

— Vous êtes jalouse ?

— Oui... Je meurs d'envie de partager la vie d'un chanteur de country itinérant qui ne réussit même pas à avoir la vedette à la taverne de Cow-Boy Bob, près du lac de Chelan... Vraiment, Harriet, cette fois, vous avez mis dans le mille. Je suis jalouse... Bobby a probablement jeté son dévolu sur Claire à cause de son soi-disant village de vacances. Il va la persuader de construire des appartements ou des cabinets dentaires à la place.

— Ça montrerait qu'il a de l'initiative.

— Claire adore ce bout de terre. Elle détesterait qu'on y touche.

— Ne m'avez-vous pas raconté que le terrain était mal aménagé et que Claire perdait son temps là-bas ? Je crois aussi vous avoir entendue parler d'y bâtir un centre de remise en forme.

— Vous êtes hors sujet.

193

— Le sujet, c'est que vous avez besoin de monter sur votre destrier pour aller à la rescousse de votre sœur.

— Il faut bien que quelqu'un la protège. Je veux être là pour l'aider, cette fois-ci.

— Cette fois-ci.

Meghann releva la tête. Harriet avait achoppé sur les deux mots importants.

— Oui.

Harriet se pencha vers Meghann.

— Parlez-moi du jour où vous n'avez pas été là pour votre sœur.

Soudain crispée, Meghann eut un mouvement de recul. Le fauteuil couina en roulant en arrière.

— Ce n'est pas la question.

— Vous êtes plus intelligente que ça, Meg. Je ne devrais pas avoir à vous rappeler que vos problèmes avec Claire remontent au passé. Qu'est-il arrivé entre vous ?

Meghann ferma les yeux. Elle était en état de moindre résistance, car les souvenirs amers étaient prêts à affluer en masse sur le devant de la scène. Elle haussa les épaules, essayant de paraître détachée quand elle fixa à nouveau Harriet.

— Vous savez tout ça. Vous voulez juste m'entendre le raconter.

— Vous croyez ?

— J'avais seize ans, Claire, neuf. Maman était partie à l'audition pour « Starbase IV » et s'était tant amusée qu'elle avait oublié sa progéniture, restée à Bakersfield. Pour elle, cette négligence n'avait rien d'extraordinaire. Les services sociaux ont commencé à s'en mêler. Ils ont menacé de nous

194

placer dans des familles d'accueil. J'étais assez grande pour m'enfuir, mais Claire... Alors, j'ai joué les détectives et j'ai retrouvé la trace de Sam, son père biologique. Je l'ai contacté. Sam s'est précipité au secours de sa fille.

Meghann sentit resurgir les blessures de l'adolescente d'autrefois. Même maintenant, des années plus tard, elle supportait difficilement le souvenir de cet été-là, car elle détestait se rappeler qu'elle avait désiré que Sam soit son père à elle aussi. Elle se redressa.

— Rien de toutes ces histoires n'a d'importance. Sam a été parfait pour Claire. Tout le monde a été plus heureux, en fin de compte.

— Tout le monde ? Et la fille qui a perdu sa mère et sa sœur, sans même avoir un père vers qui se tourner ?

L'observation blessa Meghann, qui n'avait pas réussi à découvrir le patronyme de son géniteur ; l'expression par laquelle sa mère le désignait était « ce pauvre type ».

— Ça suffit. Dites-moi une chose, Harriet. C'est intelligent d'épouser un homme que vous ne connaissez que depuis quelques semaines ? Vous aimeriez que votre fille agisse comme Claire ?

— Il faudrait que j'aie confiance en elle, dans ce cas. On ne peut pas vivre la vie des autres à leur place. Même si on les aime.

— J'aime Claire, répliqua Meghann tout bas.

— Je le sais. Ça n'a jamais été le problème, n'est-ce pas ?

— Nous n'avons rien en commun. Ça ne signifie pas que j'ai envie de la regarder gâcher son existence.

195

— Oh, mais je pense que vous avez des points communs. Vous avez vécu neuf ans ensemble. Vous partagez de nombreux souvenirs. J'ai le sentiment que vous avez été les meilleures amies du monde.

— Avant que je refile Claire à un homme qu'elle connaissait à peine pour me sauver ensuite ? Oui. On était très proches. Mais Claire voulait un papa et... une fois qu'elle l'a eu, eh bien...

Meghann consulta la pendule en cristal de forme biscornue sur le bureau. Il était seize heures.

— Il va me falloir plus de deux heures pour atteindre Hayden. La circulation à Seattle est vraiment impossible, vous ne trouvez pas ? Si on pouvait élire un maire, au lieu de...

— Meg, ne vous lancez pas dans une de vos tirades. Ce qui va se passer aujourd'hui est important. Il se peut que Claire nourrisse une certaine animosité à notre égard.

— Je vous l'ai dit moi-même.

— Pourtant, vous foncez à Hayden dans votre voiture de luxe vous mêler de sa vie.

— Mon intervention vise à la sauver d'elle-même. En lui fournissant juste des informations qu'elle semble avoir négligées.

— Va-t-elle apprécier votre aide ?

Meghann fit la grimace. Claire ne serait probablement pas ravie. Certaines personnes peinent à accepter les faits.

— Je ferai ça aimablement.

— Vous lui direz « aimablement » qu'elle ne devrait pas se marier avec ce chanteur qui n'a pas de perspectives sérieuses ?

— Oui. Je sais que je peux être mordante et que mes opinions sont si arrêtées que c'en est oppressant, mais cette fois, je choisirai mes mots avec soin. Je n'utiliserai pas les termes de « bon à rien », « coureur de dot » ou « idiot ». Claire aura de la peine, mais elle réalisera que je me contente d'essayer de la protéger.

Harriet attendit pendant un moment qui sembla anormalement long avant de demander :

— Est-ce que vous vous souvenez de ce qu'on ressent quand on aime ?

Meghann n'arrivait pas à suivre le cheminement intellectuel d'Harriet, mais elle était enchantée d'arrêter de parler de Claire.

— J'ai épousé Éric, non ?

« Le numéro deux au hit-parade des mauvaises décisions », compléta-t-elle dans sa tête.

— Que vous rappelez-vous au sujet de votre mariage avec Éric ?

— De sa fin. Elle m'a donné des maux de tête qui ont duré plus longtemps que mon union elle-même.

— Pourquoi s'est-il terminé ?

— Vous le savez. Eric me trompait. Avec la plupart des majorettes des Seahawks et la moitié des serveuses à forte poitrine du Bellevue Hooters. Il était très ardent dans sa poursuite de la silicone. Si seulement il avait montré la même implication dans sa carrière !

— Vous souvenez-vous du jour où il vous a demandé de l'épouser ?

Meghann soupira. Elle n'avait aucune envie de se remémorer l'événement. Il y avait si longtemps que c'était arrivé ! La chambre éclairée aux chandelles, la traînée de pétales de roses blanches qui conduisait au lit extralarge, la musique qui s'échappait de la radio allumée dans une autre pièce, une version instrumentale très douce de « All out of Love », du groupe Air Supply.

— C'est moi qui lui ai demandé sa main, si vous tenez vraiment à le savoir. Je n'ai jamais su attendre et Éric était du genre à mettre une heure à choisir une paire de chaussettes.

Harriet parut contrariée.

— Meghann.

— Quoi ?

— Pourquoi n'essayez-vous pas à nouveau de me raconter cette histoire ? Ma mémoire n'est pas aussi défaillante que vous aimeriez le croire.

Meghann examina ses ongles. Elle avait raconté les infidélités d'Éric pendant des années. Sa remarque sur le goût de son ex-mari pour la silicone ne manquait jamais d'amuser son entourage. Elle s'était rendu compte qu'il était préférable de lui donner le rôle du méchant. La vérité était trop pénible. Même Élisabeth l'ignorait. Mais voilà que Harriet avait réussi, on ne sait trop comment, à déterrer la véritable version des faits.

— Je ne veux pas.

— Bien sûr que vous ne voulez pas, confirma Harriet. C'est pour ça que vous devriez.

Meghann expira à fond.

— Éric ne courait pas après les serveuses. Pas autant que je sache, en tout cas. Il m'a été fidèle… jusqu'à ce qu'il tombe sur Nancy.

Meghann ferma les yeux au souvenir de ce jour terrible où Éric était rentré à la maison en pleurant.

« Je ne peux plus continuer ainsi, Meg. Tu me tues. Rien de ce que je fais n'est assez bien pour toi. Et ton amour est... comme une pièce glaciale. » À ce moment-là, juste quand elle avait senti les larmes lui monter aux yeux, consciente qu'elle avait un plaidoyer désespéré sur le bout de la langue, Éric avait ajouté : « J'ai rencontré quelqu'un. Elle m'aime pour ce que je suis, pas pour ce que je pourrais être si j'étais plus ambitieux. Elle est enceinte... »

Rien que d'y penser, Meghann en avait les intestins qui se tordaient, une sensation de faiblesse et de manque affectif. Elle ne pouvait plus garder cela pour elle.

— C'était si romantique, la nuit où Éric m'a demandé de l'épouser, reprit-elle plus bas. Les pétales de roses blancs, c'était vrai. La musique aussi. Il m'a servi une coupe de champagne, m'a dit que j'étais tout pour lui, qu'il voulait m'aimer pour toujours et être le père de mes enfants. J'ai pleuré en entendant sa déclaration.

Meghann essuya les larmes qui auraient dû être taries depuis longtemps.

— Étant donné mon passé familial, j'aurais dû savoir à quel point l'amour était fragile, mais j'ai été imprudente. J'ai manipulé une bulle de verre comme si elle était en acier. Je n'en ai pas cru mes yeux qu'elle se brise si facilement. Éric est parti parce que je n'ai pas su l'aimer assez. Il n'est pas à blâmer.

— Alors, vous l'aimiez.

— Je l'aimais, admit Meghann, sentant la douleur enfouie resurgir avec une intensité nouvelle.

— Ce qui est intéressant, c'est que vous n'ayez pas de mal à évoquer la souffrance que vous a causée votre divorce, mais qu'il faille vous rappeler qu'il y avait aussi de l'amour.

— Assez ! explosa Meghann, déjà debout. C'est comme une opération à cœur ouvert sans anesthésie. D'ailleurs, on est à court de temps, poursuivit-elle en regardant sa montre. J'ai promis à Claire d'être à Hayden ce soir. Je dois y aller.

Harriet enleva ses lunettes avant de lever les yeux vers Meghann.

— Réfléchissez bien à tout ça, Meg. Ce mariage est peut-être l'occasion pour Claire et vous de vous rapprocher, de trouver un nouveau terrain d'entente.

— Vous pensez que je devrais la laisser épouser ce Bobby Jack et me taire ?

— Quelquefois, aimer est synonyme de faire confiance à nos êtres chers et les laisser prendre leurs décisions. En d'autres termes, de la boucler.

— Certaines clientes me paient grassement pour que je leur assène la vérité.

— *Votre* version de la vérité. Et Claire n'est pas une de vos clientes. C'est une femme qui se marie pour la première fois. Une femme de trente-cinq ans, qui plus est.

— Alors, je dois me contenter de sourire et de la serrer dans mes bras en lui disant que je trouve formidable qu'elle épouse un inconnu.

— Oui.

— Et s'il lui brise le cœur ?

— À ce moment-là, elle aura besoin de vous. Mais elle ne risque pas de se tourner vers quelqu'un qui triompherait à coups de « je t'avais prévenue ».

200

Meghann réfléchit à la question. Elle pouvait se montrer dure et têtue, mais elle n'était pas idiote.

— Désolée, Harriet, finit-elle par rétorquer. Je ne suis pas d'accord. Je ne peux pas laisser ce Bobby Jack faire du mal à Claire, qui est la personne la plus formidable que je connaisse.

— La personne la plus formidable que vous ne connaissez pas, Meg. Et vous avez l'intention de vous débrouiller pour que ça continue. Vous voulez la garder à distance.

— Si vous le dites, Harriet... Au revoir.

Meghann se dépêcha de sortir du bureau.

Harriet avait tort. Tout simplement.

Meghann avait laissé tomber Claire une fois. Elle ne recommencerait pas.

— C'est stupide d'épouser un homme qu'on vient de rencontrer...

Stupide n'est pas le terme qui convient.

— Je ne te conseillerais pas de...

Tu es sa sœur, pas son avocate.

Il y avait plus d'une heure que Meghann débitait ce monologue délirant à son rétroviseur. Comment se débrouillait-elle pour imaginer des arguments qui émouvaient un jury aux larmes et ne réussissait-elle pas à trouver une façon simple mais convaincante d'avertir Claire qu'elle courait à la catastrophe ?

Elle traversa la circulation en accordéon du centre de Seattle avant d'atteindre la plaine verdoyante de la vallée de la Snohomish. Les bourgades laitières somnolentes de sa jeunesse avaient désormais l'éclat ostentatoire de cités-dortoirs. D'imposants pavillons de banlieue à la façade en brique ornée d'un portique s'étalaient sur les terrains agricoles découpés en parcelles, et leurs allées s'encombraient de 4 × 4 et de camping-cars. Les fermes en bois avaient été démolies : il était rare d'en découvrir une au détour d'un panneau d'affichage ou d'un centre commercial.

Cependant, au fur et à mesure que l'autoroute grimpait, l'aspect « jeune cadre dynamique » disparaissait. Ici, à l'ombre des pics gris lavande de la chaîne des Cascades, les villes comme Sultan, Goldbar ou Index, trop excentrées pour s'embourgeoiser, restaient épargnées par la marche du progrès. Pour l'instant.

Le dernier arrêt avant Hayden, ultime endroit où l'on pouvait prendre de l'essence et faire des provisions avant le sommet du col, se résumait à un ensemble de bâtiments groupés au bord de la route. Une taverne décatie était tapie sous un panneau au néon clignotant qui recommandait la Coors light.

Meghann avait envie de garer sa voiture, d'entrer dans ce bar bondé et de se perdre dans la pénombre enfumée. Ce serait sûrement plus agréable que de lancer à Claire, après avoir été séparée d'elle toutes ces années : « Tu fais une bêtise. » Mais, au lieu de ralentir, elle franchit les quinze kilomètres qui la séparaient de Hayden, se rabattit sur la file menant à la sortie et quitta l'autoroute. La route se réduisit immédiatement à deux voies bordées de chaque côté par d'immenses conifères. Les montagnes dentelées se détachaient à l'arrière, menaçantes. Même pendant les mois d'été, la neige recouvrait les sommets inaccessibles.

Une pancarte verte souhaita la bienvenue à Meghann : « Hayden, huit cent soixante-douze habitants. Ville natale de Lori Adams, lauréate du concours d'orthographe de l'État en 1974. »

Mille neuf cent soixante-quatorze.

Trois ans plus tard, Meghann avait découvert la bourgade endormie. Hayden se composait alors de quelques bâtisses en mauvais état. Les habitants n'avaient pas encore eu l'idée providentielle d'utiliser le thème western pour attirer les touristes.

Meghann se souvenait de l'arrivée à Hayden et sentait pratiquement l'odeur de moisi du vieux pick-up de Sam, ainsi que la présence du corps fluet de Claire, blottie contre elle. « Tu crois vraiment qu'il veut de nous ? » chuchotait celle-ci chaque fois que Sam sortait du camion pour prendre de l'essence ou pour trouver une chambre dans un hôtel pas cher. Ils avaient rejoint l'État de Washington depuis la Californie en deux jours et, durant ce temps, n'avaient échangé que quelques mots. Meghann avait mal au cœur en permanence. À chaque kilomètre qui passait, elle était de plus en plus convaincue d'avoir fait le mauvais choix en appelant Sam. Lorsqu'ils avaient atteint Hayden, elle était à court de réponses optimistes aux questions de sa sœur, si bien qu'elle se contentait de serrer celle-ci plus fort. Le silence avait mis Sam mal à l'aise aussi, car il avait monté le son de la radio. Elle jouait « Goodbye Yellow Brick Road », d'Elton John, quand ils avaient atteint le village-club.

C'était drôle, les choses dont on se souvenait.

Meghann ralentit. Hayden semblait toujours être le genre d'endroit où les nouveaux venus sont bien accueillis et où les femmes apportent des plats cuisinés aux familles à peine installées de l'autre côté de la rue. Pourtant, Meghann n'était pas dupe. Elle avait vécu là assez longtemps pour savoir combien ces gens si propres sur eux pouvaient se montrer cruels avec une fille qui n'avait pas les bonnes fréquentations. Une petite ville avait un côté réconfortant, mais aussi, parfois, glacial. Pour celle qui avait été élevée par une strip-teaseuse et qui avait grandi dans une caravane stationnée dans un quartier mal famé, il était impossible d'emménager à Mayberry et de s'y intégrer. Meghann n'y était pas parvenue. Pour Claire, c'était une autre histoire.

Meghann s'arrêta devant l'unique feu rouge de Hayden. Quand il passa au vert, elle appuya sur l'accélérateur et traversa la cité en trombe. Quelques kilomètres plus loin, elle arriva à hauteur d'un panneau : « Village-club du bord de la rivière, prochaine à gauche. » Elle tourna sur la route en gravier bordée d'arbres gigantesques. Des rhododendrons à fleurs blanches et des fougères aussi hautes que des voitures poussaient sous leur ombre.

Meghann ralentit devant la première allée. Sur la jolie boîte aux lettres peinte de façon à ressembler à une orque, on lisait « C. Cavenaugh ».

Le jardin, jadis à l'abandon, avait été domestiqué, taillé et planté à l'anglaise. Quant à la maison, avec son toit en bardeaux jaune pâle soulignés d'une bordure blanche et sa jolie véranda agrémentée de pots de géraniums et de lobélies suspendus çà et là, elle aurait été digne de figurer dans un magazine de décoration.

Meghann n'était venue qu'une fois, à la naissance d'Alison. Tout ce qu'elle se rappelait à propos de cette journée, c'était d'être restée assise sur un canapé défraîchi, à essayer d'entretenir une conversation avec sa sœur. Et puis les Bleues, les amies de Claire, étaient arrivées, envahissant les lieux telles des locustes, dans une rumeur de bavardages incessants.

Pendant une heure qui lui avait paru interminable, Meghann n'avait pas bougé de sa place, sirotant une limonade fade et pensant à une déposition qui s'était mal passée. Elle avait fini par inventer une excuse idiote pour s'éclipser.

Elle gara sa Porsche et en sortit. Ployant sous les cadeaux, elle s'avança vers la porte d'entrée et frappa. Personne ne répondit.

Après avoir attendu un moment, elle reprit le volant pour couvrir les cinq cents et quelques mètres qui la séparaient du bureau du camping. Elle longea ensuite à pied la piscine, où des enfants jouaient à chat dans l'eau, jusqu'au long bâtiment étroit en rondins qui servait de réception. Une cloche sonna au-dessus de sa tête quand elle ouvrit la porte.

Debout derrière le bureau, Sam leva les yeux en l'entendant entrer. Son sourire commercial faiblit un peu avant de repartir de plus belle.

— Salut, Meg ! Content de te voir. Ça fait un sacré bout de temps.

— Oui, je suis sûre que je t'ai manqué.

Comme toujours, Meghann se sentait mal à l'aise avec Sam, en colère. Selon Harriet, c'était parce que Claire avait rejeté sa sœur pour lui, mais la vraie raison était tout autre. Meghann se souvenait encore du jour où Sam l'avait chassée, sous prétexte qu'elle exerçait une mauvaise influence sur Claire. Mais ce qu'elle avait vraiment détesté et, depuis, gardé en mémoire, c'était qu'il ait ajouté « exactement comme ta saleté de mère ».

Ils se dévisagèrent. Heureusement, Sam resta à distance.

— Tu as bonne mine, finit-il par tenter.

— Toi aussi.

Meghann consulta sa montre. Rester là sans rien avoir à dire à Sam était bien la dernière chose dont elle avait envie.

— Claire m'a demandé de surveiller ton arrivée. Elle a pris un peu de retard. Les Ford, de l'emplacement dix-sept, ont eu une urgence avec la cuisinière. Claire a dû les aider, mais elle devrait revenir d'une minute à l'autre.

— Bien. Je vais l'attendre à la maison, alors.

— Elle ne tardera pas.

— Tu viens de le dire.

— Tu es toujours aussi coriace, hein, Meg, riposta Sam d'une voix ténue, où perçait la lassitude.

— J'y ai été obligée, Sam. Tu le sais mieux que quiconque.

— Je ne t'ai pas jetée dehors, Meg, je...

Elle tourna les talons et s'éloigna, laissant la porte claquer derrière elle. À mi-distance de sa voiture, elle entendit à nouveau la voix de Sam :

— Claire est heureuse, tu sais. Avec ce gars, ajouta-t-il.

Meghann ne se pressa pas pour se retourner.

— Si mes souvenirs sont bons, tu étais heureux quand tu t'es marié avec maman. J'étais heureuse quand j'ai épousé Éric.

Sam se rapprocha.

— Ta mère est un sacré morceau, ça c'est sûr, et je lui en ai voulu pendant des années, mais je suis content de l'avoir épousée.

— Tu te drogues ou quoi ?

— Claire, se contenta de répondre Sam.

— Oh, laissa échapper Meghann, avec une pointe de jalousie.

Voilà que reparaissait le lien filial entre Claire et son père, qui rendait Meghann folle. Elle aurait dû passer ce cap, pourtant.

— Fais attention à elle, demanda Sam. C'est ta sœur.

— Je sais.

— Vraiment ?

— Oui, vraiment.

Une fois encore, Meghann s'éloigna, entreprenant une promenade à travers le camping, surprise d'y trouver tant de clients. Ils paraissaient s'amuser. L'endroit était bien entretenu et idéalement situé. Chaque vue ressemblait à une carte postale représentant les montagnes, des arbres et un lac. Meghann finit par remonter dans sa voiture pour retourner chez Claire.

Cette fois, quand elle sonna à l'entrée, elle entendit un léger bruit de pas à l'intérieur. La porte s'ouvrit d'un grand coup.

Alison apparut, vêtue d'une salopette en jean ornée de marguerites et d'un joli chemisier jaune.

— Tu ne peux pas être Alison Katherine. C'est un bébé.

Le commentaire fit rayonner Alison.

— Je suis une grande fille, maintenant.

— C'est vrai.

Alison fronça les sourcils en détaillant Meghann.

— Tes cheveux sont plus longs et il y a du gris dedans.

— Eh bien, merci de l'avoir remarqué. Tu fais un câlin à ta tante Meg ?

— On dirait que tu respires, aujourd'hui.

Meghann n'avait aucune idée de ce que sa nièce voulait dire par là.

— Mais oui.

Alison s'avança et l'étreignit sans beaucoup d'enthousiasme. Meghann annonça :

— Je t'ai apporté un cadeau.

— Laisse-moi deviner.

Claire émergea de l'ombre qui baignait l'extrémité du couloir.

— Tu t'es dit que tous les enfants de cinq ans devaient posséder un couteau suisse.

— Non. Une carabine à air comprimé.

— Ce n'est pas vrai !

Meghann rit aux éclats.

— Je suis descendue dans les entrailles de l'enfer – un magasin de jouets à Northgate –, où j'ai cherché la vendeuse qui avait l'air la plus ennuyeuse. Elle m'a recommandé ceci.

Alison déchiqueta le paquet.

— C'est une Groovy Girl, m'man. Une Groovy Girl !

Alison se jeta sur Meghann et lui sauta au cou. Puis elle montra la poupée à Claire avant de courir à l'étage.

Meghann tendit une bouteille de vin – Far Niente 1997 – à sa sœur.

— Un de mes préférés.

— Merci.

Elles se dévisagèrent longuement. Leur dernière rencontre datait d'un an auparavant, au moment de la visite de leur mère, en tournée promotionnelle pour « Starbase IV ». Celle-ci avait retrouvé Claire et Alison au zoo, et Meghann les avait rejointes plus tard au Seattle Center. Elles avaient passé le plus clair de leur temps à accompagner Alison dans les différentes attractions, ce qui leur avait évité de se parler.

Claire plongea en avant, serra Meghann dans ses bras et la lâcha presque aussitôt. Meghann recula en titubant, trop surprise par le geste de sa sœur pour lui rendre la pareille. Après coup, elle regretta sa froideur.

— Le dîner sent très bon, mais ce n'était pas la peine de cuisiner. Je voulais vous emmener au restaurant.

— La soirée scandinave de la Voiture-Buffet n'est pas ton style. Je n'avais pas envie de te l'entendre dire.

— Oh.

— Peu importe. Entre. Ça fait trop longtemps que tu n'es pas venue ici.

— Et toi, tu ne m'as jamais rendu visite.

Claire jeta un drôle de regard à Meghann.

— Ça s'appelle faire la conversation, Meg. Je n'essayais pas d'entamer une dispute.

— Oh, répéta Meghann, se sentant bête.

Elle suivit Claire jusqu'au canapé et s'installa à côté d'elle, mais ne put faire autrement que de remarquer la ridicule bague de fiançailles : une bande de papier d'aluminium. Pour l'amour du ciel ! Elle avait bien fait de venir. Inutile de perdre du temps.

— Claire, je pense…

Alors, Bobby entra dans la pièce. Meghann comprit sur-le-champ pourquoi sa sœur avait succombé. Bobby était peut-être bon à rien comme chanteur, mais pour ce qui était de l'apparence physique, il crevait tous les plafonds. Il était grand et mince, avec des épaules larges. Ses cheveux lui tombaient presque jusqu'aux épaules. Et quand il souriait, son visage entier s'animait. Un homme comme celui-ci ne faisait pas seulement perdre la tête à une femme ; il l'emmenait au septième ciel, si haut qu'ensuite elle ne pouvait que retomber.

Claire et lui échangèrent un regard débordant d'amour qui rappela à Meghann le film *Nos plus belles années*, hymne à cette vérité douce-amère selon laquelle on peut savoir qu'un homme n'est pas pour soi et néanmoins le trouver beau à couper le souffle.

N'empêche que tôt ou tard, la femme en question avait besoin de respirer.

— Je m'appelle Bobby Austin, dit-il en souriant.

Meghann se leva pour lui serrer la main.

— Meghann Dontess.

— Claire m'a dit que pour votre entourage, c'est Meg.

— Pour mes amis, oui.

Le sourire de Bobby s'élargit.

— Je déduis de votre expression à la « j'ai avalé mon parapluie » que vous préférez que je m'en tienne à « mademoiselle Dontess ».

— J'imagine que les filles des montagnes de l'Arkansas vous trouvent charmant.

— C'est sûr. Mais c'est de l'histoire ancienne. J'ai trouvé celle avec qui je veux vieillir, répliqua Bobby.

Il donna à Claire un léger baiser sur la joue, lui prit la main et la serra avant de saisir la bouteille de vin pour l'emporter à la cuisine.

Pendant la courte absence de Bobby, Meghann resta debout à dévisager Claire, essayant de choisir ses mots avec soin, mais aucun ne paraissait approprié.

Il revint avec deux verres de vin et en tendit un à Meghann.

— J'imagine que vous avez des questions à me poser, déclara-t-il en s'asseyant.

Sa franchise déstabilisa Meghann. Elle ne se sentait plus très sûre d'elle quand elle s'installa dans le fauteuil face au canapé. Ils constituaient des entités séparées, dorénavant : Claire et Bobby d'un côté, Meghann de l'autre.

— Parlez-moi de vous.

— J'aime Claire.

— Soyez plus précis.

— Vous êtes une femme qui veut des faits et des chiffres, hein ? J'ai trente-sept ans. Diplômé en

211

études musicales de l'université de l'Oklahoma. Boursier en rodéo[1]. Je prenais les veaux au lasso. Ce qui explique que mes genoux soient dans un sale état. J'ai été... marié.

Sur le qui-vive, Meghann se pencha en avant.

— Combien de fois ?

Bobby regarda brièvement Claire.

— Trois.

— C'est une plaisanterie, ou quoi ? Si le mariage était un crime, vous seriez en prison à perpétuité.

Le débit de Bobby s'accéléra.

— J'ai épousé Suellen quand on avait dix-huit ans. Elle était enceinte et là d'où je viens...

— Vous avez des enfants ?

— Non. Fausse couche. Après ça, Suellen et moi n'avions plus de raisons de rester mariés. On a tenu moins de six mois. Mais je n'apprends pas vite. Je me suis remarié à vingt et un ans. Malheureusement, les désirs de ma femme différaient des miens : belles voitures, bijoux. J'ai été arrêté quand on l'a coincée à vendre de la cocaïne chez nous. J'avais vécu deux ans avec elle sans m'en apercevoir. Je la trouvais simplement très lunatique. Personne n'a cru que je n'étais pas dans le coup. Laura, la dernière, est la seule qui ait compté. Elle est pédiatre, et fan de musique country. On a été mariés dix ans. J'ai rompu il y a un an. Je pourrais vous dire pourquoi, mais ça ne vous regarde pas. En revanche, Claire est au courant.

— Trois mariages ratés et un casier.

---

1. Allusion humoristique au Rhodes Scholarship, célèbre bourse universitaire, qui n'a rien à voir avec le rodéo. (*N.d.T.*)

Parfait. Maintenant, il fallait que la méchante sœur brise le cœur de la gentille. Mais comment ?

C'était la question à cent mille dollars. Comment formuler les choses qu'on devait dire dans des moments pareils ? Surtout avec Monsieur-je-suis-beau-comme-un-dieu assis là. Harriet avait raison sur un point : Meghann et Claire étaient en équilibre au bord d'un gouffre de politesse et de faux-semblants depuis des années. Adopter la mauvaise tactique risquerait de les précipiter dans le vide.

Claire quitta le canapé pour se rapprocher. Elle s'assit sur la commode chinoise sculptée qui faisait office de table basse.

— Je sais que tu ne peux pas être heureuse pour moi, Meg.

— Mais j'en ai envie. C'est juste que...

— Je sais. Bobby ne m'a pas offert de bague en platine. Je sais. Et tu gagnes ta vie en t'occupant de divorces. Je le sais aussi. Mais plus que tout, je sais que tu as grandi chez maman. Je sais, Meg.

Meghann eut conscience du poids des mots qu'elle venait d'entendre. Sa sœur avait envisagé les mêmes éventualités et arguments qu'elle. Elle s'attendait à ce qu'elle lui dirait.

— Ma décision semblera toujours irrationnelle. C'est une folie et je prends des risques, et le pire... c'est que ça me rappelle le comportement de maman. Je n'ai pas besoin que tu insistes sur le sujet, mais de ta confiance.

Exactement ce que Harriet avait prédit. Mais Meghann avait oublié depuis longtemps comment se fier à ses semblables. Si elle avait jamais su.

— C'est dur pour toi ; les chefs de bande ne suivent pas aisément les autres. Mais ce serait très important pour moi qu'au moins, tu ne t'opposes pas à mon choix. Et, aussi, que tu me prennes dans tes bras et que tu me dises que tu es contente pour moi. Même si c'est un mensonge.

Meghann plongea son regard dans les yeux vert pâle de sa sœur. Claire avait l'air effrayée et dans l'expectative. Elle se préparait à ce que la réaction de Meghann la blesse, bien qu'une partie d'elle ne puisse s'empêcher d'espérer…

Cela rappela le passé à Meghann. Lorsque leur mère amenait un nouvel « ami » chez elles, Claire se laissait aller à penser qu'elle aurait enfin un père. Meghann tentait de la protéger de son optimisme, sans succès. Chaque beau-père brisait un peu plus le cœur de Claire. Pourtant, à l'arrivée du suivant, elle s'arrangeait pour trouver un moyen d'y croire.

Bien sûr qu'elle croyait en Bobby Austin. Meghann n'arriverait pas à la faire changer d'avis ou, plus important, de sentiments. Deux choix s'offraient donc à elle : faire comme si elle lui donnait sa bénédiction ou camper sur ses positions. Le premier leur permettait, à Claire et à elle, de rester les presque sœurs qu'elles étaient actuellement. Le second risquait de remettre en cause cette relation déjà ténue.

— Je te fais confiance, Claire, lâcha enfin Meghann.

Elle fut récompensée par un sourire incertain.

— Si tu dis que Bobby Austin est l'homme que tu aimes, ça me suffit.

Claire laissa échapper un profond soupir.

— Merci. Je sais que ça n'a pas été facile pour toi.

Elle se pencha pour étreindre Meghann, qui, surprise, ne réagit pas. Claire battit en retraite et se mit debout. Elle alla jusqu'au canapé se rasseoir près de Bobby, qui s'empressa de passer un bras autour d'elle et de l'attirer plus près.

Meghann se creusa la tête pour briser le silence gêné qui s'installait.

— Alors, quels sont vos plans pour le mariage ? Devant un juge de paix ? J'ai un ami...

— Pas question, trancha Claire en riant. J'ai attendu ce moment pendant trente-cinq ans. Je veux le grand tralala. La robe blanche. La cérémonie religieuse dans les règles. Le gâteau. La soirée dansante. Tout.

Meghann ignorait pourquoi elle était surprise. Claire, petite fille, jouait sans cesse à la mariée.

— Il y a une consultante dans mon immeuble. Je crois qu'elle a organisé le mariage de Bill Gates.

— On est à Hayden, ici, pas à Seattle. Je vais louer la salle municipale et chaque invité apportera quelque chose, à la fortune du pot. Il y a un rayon mariage au Bon Marché[1], maintenant. Ce sera fantastique. Tu verras.

— À la fortune du pot ? Vraiment ?

Meghann se leva d'un bond. Elle avait apparemment hérité certains des gènes de sa mère. Elle ne laisserait pas sa sœur se marier au rabais.

— J'organiserai la cérémonie et la réception, offrit-elle.

Une fois sa proposition faite, elle se sentit mieux : elle contrôlait quelque chose.

---

1. En français dans le texte. (*N.d.T.*)

L'expression de Claire s'assombrit.

— Toi ?

— Je ne suis pas une handicapée des mondanités. J'y arriverai.

— Mais... ton travail est si prenant. Je ne peux pas te demander de me consacrer du temps alors que ton agenda est chargé.

— Tu ne m'as rien demandé, je l'ai proposé. Et il se trouve qu'en ce moment je suis... en sous-régime au bureau.

L'idée se mit à germer en Meghann. Peut-être que ce projet les rapprocherait, Claire et elle. Ce serait parfait.

— J'aimerais me charger de ça pour toi, Claire.

— Oh.

Claire semblait dépassée par les événements. Meghann savait ce qu'elle pensait : son aînée était un éléphant dans un magasin de porcelaine.

— Je t'écouterai et j'exécuterai tes décisions. Ce sera ton mariage, je te le promets.

— Je trouve que c'est super, approuva Bobby. C'est très généreux de votre part, Meghann.

Claire regarda sa sœur, inquiète.

— Pourquoi vois-je le scénario du *Père de la mariée* repasser dans ma tête ? Tu ne fais jamais les choses simplement, Meg.

Meghann se sentit soudain mal à l'aise, vulnérable. Elle n'était pas sûre de savoir pourquoi elle avait envie de s'occuper de cette fête.

— Ce sera le cas, cette fois. Sérieusement.

— D'accord, concéda Claire. Tu peux m'aider à tout préparer.

Avec un grand sourire, Meghann tapa dans ses mains.

— Très bien. Maintenant, j'ai intérêt à m'y mettre. Où est l'annuaire du coin ? Et quelle est la date prévue, déjà ? Le 23 ? Samedi prochain ? Ça ne nous laisse pas beaucoup de temps.

Elle se dirigea vers la cuisine, où elle trouva une feuille de papier, et commença à dresser une liste de tâches.

— Zut, entendit-elle Claire gémir. J'ai créé un monstre.

12

Dès la seconde nuit chez sa sœur, Joe avait eu l'impression de suffoquer. Partout où il regardait, il entrevoyait des bribes de son ancienne vie. Il ignorait comment faire pour continuer à aller de l'avant, mais il savait qu'il ne pouvait pas rester.

Il attendit que Gina soit sortie s'occuper du ravitaillement pour fourrer ses affaires dans son vieux sac à dos – y compris plusieurs photographies encadrées de Diana qu'il avait prises dans la maison – et se diriger vers la porte. Il laissa un mot sur le comptoir de la cuisine :

Je pars. Désolé. Ça fait trop mal. Je sais que c'est difficile pour toi, en ce moment, alors je n'irai pas loin. J'appellerai bientôt.
Je t'aime. Merci.
J.

Il couvrit les quelques kilomètres qui le séparaient de la ville à pied. Le temps d'atteindre Hayden, il avait la sensation de patauger dans la boue. Il était à nouveau fatigué, las, même. Il ne voulait pas s'enfuir, se terrer dans une chambre de motel minable pour ressasser sa culpabilité.

Levant les yeux, il aperçut un panneau qui indiquait le cimetière de Mountain View. Un frisson le parcourut. La dernière fois qu'il était venu, il pleuvait des cordes. À ses côtés, des policiers suivaient ses moindres mouvements. Si les gens assistant à l'enterrement avaient gardé leurs distances, il n'en avait pas moins senti le poids de leur condamnation, entendu leurs murmures. Il avait essayé de quitter la cérémonie, mais les policiers l'avaient ramené brutalement.

« Je ne peux pas voir ça, avait-il chuchoté, désespéré.

— Tant pis pour toi », avait rétorqué l'un d'eux en le forçant à rester.

C'était le moment, maintenant, d'aller au cimetière. Cependant, Joe ne pouvait pas se résoudre à s'agenouiller sur l'herbe verte et douce, devant la pierre tombale. D'ailleurs, il ne trouverait pas Diana là-bas. Elle était plus présente dans son cœur que sous n'importe quelle dalle grise.

Il contourna la ville pour prendre la direction de la rivière en coupant à travers un champ en friche. Les gargouillis étouffés du cours d'eau réveillèrent une dizaine de souvenirs de jeunesse. Les jours où Diana et Joe avaient pique-niqué sur la rive et les soirs où, dans la voiture de Joe de l'époque, une Dodge Charger, ils avaient fait l'amour dans le noir.

Joe se mit à genoux à cet endroit précis.

— Salut, Di.

Fermant très fort les yeux, il repoussa une vague de culpabilité.

— Je suis rentré. Et maintenant ?

Aucune réponse ne lui fut apportée par la brise d'été, aucune odeur de Red ne flotta dans sa direction. Pourtant, il savait : Diana était contente qu'il soit revenu.

Rouvrant les yeux, il scruta les remous argentés du courant.

— Je ne peux pas aller à la maison.

Rien que d'y penser, il en était à moitié malade. Trois ans plus tôt, il avait quitté le lieu où Diana et lui vivaient, leur foyer, à Bainbridge Island, sans un regard en arrière. Les vêtements de Diana occupaient encore les placards, sa brosse à dents trônait sur le lavabo. Retourner là-bas était hors de question. Le seul espoir pour Joe, s'il y en avait un, était d'avancer à petits pas. Il n'avait pas besoin de se rapprocher de sa vie d'avant ; il fallait juste qu'il cesse de la fuir.

— Je pourrais trouver du travail à Hayden, ajouta-t-il après un long silence.

Rester en ville promettait d'être difficile, il le savait. Tant de gens se souvenaient de son acte. Il devrait supporter les regards, les ragots.

— Je peux essayer.

Une fois qu'il eut prononcé cette phrase, il constata qu'il respirait à nouveau normalement. Il passa encore une heure sur place, perdu dans ses pensées. Finalement, il se releva et retourna à Hayden.

Quelques passants allaient et venaient dans les rues, et plus d'un le dévisagea, mais personne ne s'approcha. Joe vit qu'on le reconnaissait, nota la façon que ses vieux amis avaient de s'écarter ou de reculer en l'apercevant. Tête baissée, il progressait.

220

Il était sur le point de laisser tomber l'idée de trouver du travail quand il atteignit l'extrémité de la ville. Il resta un moment debout de l'autre côté de la rue qui bordait Riverfront Park, à contempler une série de voitures alignées sur un terrain en gravier derrière une clôture métallique distendue. Sur un baraquement en tôle s'étalait une inscription publicitaire : « Chez Smitty, le meilleur mécanicien de Hayden. » Affiché sur la barrière, un écriteau annonçait : « Recherche main-d'œuvre. Expérience demandée... mais je rêve un peu. »

Joe traversa la chaussée et se dirigea vers l'entrée.

Un aboiement retentit. Joe remarqua alors la pancarte : « Attention au chien. » Quelques secondes plus tard, un minuscule caniche blanc surgit telle une fusée au coin de la rue.

— Madonna, arrête de piailler !

Un vieil homme sortit de la pénombre qui baignait la baraque. Il portait une salopette tachée d'huile et une casquette de base-ball de l'équipe des Mariners. Le bas de son visage était enfoui sous une longue barbe blanche.

— Ne vous occupez pas du chien. Qu'est-ce que j'peux faire pour vous ?

— J'ai vu que vous cherchiez quelqu'un.

— Sans blague !

L'homme se tapa sur les cuisses.

— Ce truc est là-haut depuis que Jeremy Forman est parti pour l'université. Ça va faire deux ans. Je...

Il fit un pas en avant, l'air dubitatif.

— Joe Wyatt ?

Joe se raidit.

— Salut, Smitty.

Smitty poussa un soupir bruyant.

— Ça alors !

— Je suis revenu. Et j'ai besoin d'un boulot. Mais si tu estimes que ça te coûtera des clients de m'engager, je comprendrai. Sans rancune.

— Tu veux travailler dans un garage ? Mais t'es médecin.

— Cette vie-là est terminée.

Smitty examina Joe un moment avant de demander :

— Tu t'souviens de mon fils, Phil ?

— Il était beaucoup plus vieux que moi, mais oui. Il conduisait une Camaro rouge.

— Le Viêt-nam l'a fichu en l'air. La culpabilité, j'crois. Il a fait des trucs, là-bas... J'ai déjà vu un homme fuir sa vie. C'est pas bon. Bien sûr que j'vais t'engager, Joe. En prime, tu récupères le chalet. Ça te dit ?

— Oui.

Smitty approuva de la tête, puis il précéda Joe dans la baraque et ressortit aussitôt de l'autre côté. La cour était spacieuse et bien entretenue. Des fleurs poussaient en touffes désordonnées le long de l'allée. Plus loin, un fourré de conifères était planté en grappe derrière une cabane en rondins au toit couvert de mousse et à la véranda branlante.

— T'étais adolescent, la dernière fois que t'as habité ici. J'arrivais pas à m'y retrouver, dans toutes les filles avec qui tu sortais.

— C'était il y a longtemps.

— Oui, soupira Smitty. Helga s'arrange pour que l'endroit reste impeccable. Elle va être contente de t'avoir à nouveau avec nous.

Joe suivit Smitty à l'intérieur. C'était toujours aussi propre. Une couverture en laine à rayures rouges recouvrait un vieux canapé en cuir. Un fauteuil à bascule trônait près de la cheminée en pierres de la rivière. La cuisine en formica jaune semblait bien équipée et largement fournie en ustensiles. Quant à l'unique chambre, elle s'enorgueillissait d'un lit à baldaquin extralarge.

Joe s'approcha pour serrer la main de Smitty, qui enveloppa la sienne d'une poigne de fer.

— Merci, Smitty.

Joe avait la gorge serrée et était surpris par la profondeur de sa gratitude.

— Dans cette ville, pas mal de monde tient à toi, Joe. On dirait que tu l'as oublié.

— C'est agréable à entendre. Mais je préférerais que personne ne sache que je suis ici, pendant un moment, en tout cas. Je ne me sens... plus très à l'aise avec les gens.

— Pour se remettre d'un truc comme celui qui t'est arrivé, la route doit être longue, j'imagine.

— Très longue.

Après le départ de Smitty, Joe fourragea dans son sac à dos à la recherche d'une des photos encadrées qu'il avait prises chez sa sœur. Il caressa du regard le visage souriant de Diana.

— C'est un début, lui dit-il.

Au réveil, Meghann se sentit désorientée. D'abord, la pièce était sombre. Ensuite, elle était calme. Ni Klaxons, ni sirènes, ni bips-bips de camions faisant marche arrière. Au début, elle crut entendre le son d'une radio provenant d'une chambre de l'autre côté du couloir. Puis elle réalisa que c'était un chant d'oiseau. Un chant d'oiseau, bon sang !

La maison de Claire.

Meghann s'assit dans le lit. Elle trouvait la chambre d'amis, si joliment décorée, très réconfortante. Les babioles pullulaient, témoignant du temps que Claire consacrait aux détails, et les dessins d'Alison envahissaient les murs. Les meubles étaient encombrés de photos encadrées. Un autre jour, dans un autre lieu, Meghann aurait pu se moquer de la boîte à œufs recouverte de macaronis grossièrement peints qui servait d'écrin à bijoux. Mais ici, chez sa sœur, l'objet la fit sourire. En le regardant, elle se représentait Alison, avec ses petits doigts potelés, en train de disposer, de coller et de peindre les pâtes. Et Claire qui applaudissait avec fierté, une fois l'œuvre achevée, avant de la placer en évidence. Toutes ces choses que leur mère n'avait pas pris la peine de faire.

Meghann entendit quelqu'un frapper à la porte et prononcer son nom avec hésitation. Elle consulta le réveil. Dix heures et quart. Ça alors !

Elle se frotta les yeux, qui lui donnaient l'impression d'être pleins de sable à cause du manque de sommeil. Comme d'habitude, elle s'était tournée et retournée toute la nuit.

— Je suis réveillée, dit-elle en repoussant les couvertures.

— Le petit déjeuner est servi, cria Claire à travers le battant. Je vais nettoyer la piscine. On part vers onze heures, si tu es toujours d'accord.

Meghann mit une seconde à retrouver la mémoire. Elle avait promis de se joindre à Claire et ses amies

224

pour aller à Hayden. Chercher une robe de mariée avec des femmes adultes qui continuaient à se faire appeler les Bleues...

Meghann grogna.

— Je serai prête.

— À tout à l'heure.

Meghann écouta le bruit des pas de Claire qui s'éloignait. Combien de temps réussirait-elle à jouer la comédie de « je suis ta sœur et j'approuve ton mariage » ? Tôt ou tard, sa tête allait exploser ou, pire encore, elle ouvrirait la bouche par mégarde et il en sortirait une opinion qui ferait l'effet d'une bombe : « Tu ne peux pas épouser Bobby. Tu ne le connais pas. Sois un peu intelligente. » Aucune de ces affirmations ne passerait bien.

Pourtant, comme Meghann ne pouvait pas retourner travailler et n'avait ni amis à appeler ni projet de vacances digne de ce nom, elle se retrouvait sur le point de planifier le mariage de sa sœur. Honnêtement, existait-il quelqu'un de moins qualifié pour cette tâche qu'elle ? Elle ne se souvenait même pas du dernier mariage auquel elle avait assisté.

Oh, mais si.

Le sien.

Bien sûr, ce n'était pas la cérémonie qui était la cause de son échec, plutôt l'appariement désastreux.

Sortant du lit, Meghann alla à la porte, qu'elle entrouvrit pour regarder dehors. Tout était calme. Elle traversa en vitesse le couloir jusqu'à la salle de bains du second étage. Une brosse à dents de voyage emballée, visiblement rescapée de la mini-boutique du village-club, était posée au bord du

225

lavabo. Meghann se brossa les dents avant de prendre une douche brûlante.

Une demi-heure plus tard, elle était fin prête, vêtue de sa tenue de la veille – chemisier blanc Dolce & Gabbana, jean taille basse Marc Jacobs, large ceinture marron à boucle circulaire en argent.

Après avoir remis la salle de bains en ordre, elle fit son lit et sortit de la maison.

Dehors, le jardin était inondé de soleil. On était fin juin, une période magnifique dans le Nord-Ouest. Beaucoup de végétaux avaient fleuri. Il y avait de la couleur partout. Les parterres étaient bordés de buissons d'un vert brillant et des bosquets occupaient l'arrière-plan. Au fond, si proche en apparence qu'on l'aurait cru à portée de main, le sommet du Formidable émergeait d'une couche de nuages élevés.

Meghann balança son sac sur le siège passager de la Porsche et se glissa à la place du conducteur. Le moteur démarra en grondant. Elle roula au pas en direction du village-club, s'efforçant de ne pas soulever trop de poussière sur la route gravillonnée. La distance qui séparait la maison de la réception était courte, mais avec ses sandales hautes, Meghann ne pouvait pas marcher sur un chemin pareil.

Elle arriva à la hauteur du bâtiment et s'arrêta devant. Avant d'entrer, elle négocia avec prudence la traversée de l'étendue d'herbe trempée de rosée.

Personne.

Sur le bureau, elle trouva l'annuaire de Hayden, qu'elle feuilleta jusqu'à arriver à la rubrique « Mariages ». Un nom y figurait, « Royal, organisation d'événements », avec un slogan en petits caractères : « Faites comme si vous n'alliez vous marier qu'une fois. »

Meghann ne put s'empêcher d'être amusée. Ce M. Royal était un cynique doté du sens de l'humour. Qui, mieux que lui, pourrait aider Meghann ? Elle nota le numéro et le fourra dans son sac.

Elle trouva Claire dans les sanitaires, en train de déboucher des toilettes. Celle-ci se tint les côtes en voyant l'expression horrifiée de sa sœur.

— Attends-moi dehors, Majesté. J'arrive dans un quart de seconde.

Meghann battit en retraite et resta sur le bord de la pelouse.

Claire sortit en un rien de temps.

— Je me lave les mains et on y va.

Elle regarda la Porsche, moqueuse.

— Ne me dis pas que tu es venue jusqu'ici en voiture !

Puis elle s'éloigna dans un éclat de rire.

S'installant au volant, Meghann mit le contact. La radio s'alluma automatiquement, très fort, sur « Hotel California ». Meghann baissa la capote en attendant.

Claire finit par reparaître, en jean et tee-shirt du village-club. Elle jeta son sac à main en toile à l'arrière de la Porsche et s'assit.

— C'est ce que j'appelle aller en ville avec style.

Ignorant si Claire avait eu l'intention de la blesser en faisant cette remarque, Meghann se garda de répondre. À vrai dire, sa nouvelle devise était *Tais-toi et souris*.

227

— Ma parole, tu as fait la grasse matinée, s'étonna Claire en baissant la musique. Je croyais que d'habitude, tu arrivais au bureau avant sept heures.

— J'ai eu du mal à dormir, la nuit dernière.

— Ne t'inquiète pas pour moi, Meg, s'il te plaît.

Meghann se sentit coincée par ce « s'il te plaît » si discret. Elle ne pouvait pas laisser croire à sa sœur que son insomnie avait un rapport avec le mariage.

— Ce n'est pas à cause du mariage. Je ne dors pas.

— Depuis quand ?

— Je crois que ça a commencé à la fac. Je révisais comme une folle, la nuit, pour les examens. Tu sais ce que c'est.

— Non, justement.

Meghann avait essayé de protéger Claire en lui cachant le fait que ses insomnies avaient débuté quand leur famille s'était désagrégée, mais invoquer l'université avait été une mauvaise approche. Aux yeux de Claire, c'était un rappel supplémentaire de ce qui les séparait et une occasion de plus pour Meghann de la traiter avec arrogance. Pendant toutes ces années, Claire avait fait des dizaines de remarques à propos de sa sœur, ce « cerveau », qui avait commencé ses études si jeune.

— D'après ce qu'on m'a dit, être mère est aussi synonyme de quelques nuits blanches.

— Tu t'y connais, en bébés. Maman raconte que j'avais des coliques. Une vraie plaie.

— Comme si elle en savait quelque chose. Tu n'avais pas de coliques, mais des otites. Quand tu étais malade, tu criais comme une perdue. Tu hurlais et je t'emmenais à la laverie automatique. Si je m'asseyais sur le sèche-linge en te tenant dans mes bras, tu finissais par t'endormir. Maman se demandait où passaient les pièces de vingt-cinq cents.

Meghann sentit le regard de Claire se poser sur elle avec insistance. Elle essaya de trouver un moyen de détourner la conversation, en vain. Claire partit d'un rire un peu jaune.

— Pas étonnant que j'aime m'occuper de la lessive. Tourne là.

Meghann et Claire étaient à nouveau en terrain sûr, chacune de son côté de la rive.

— C'est ici.

Claire désigna une bâtisse victorienne peinte en rose vif avec une bordure lavande. Une allée de gravillon séparait la pelouse tirée au cordeau en deux. De part et d'autre fleurissaient des roses rouge vif. Sur la palissade blanche, une pancarte indiquait : « Abigail Drawers. Entrée libre. »

Meghann regarda cette maison ridiculement mignonne avec méfiance.

— On pourrait faire un saut chez Escada ou Nordstrom...

— Arrête, Meg.

— D'accord. C'est toi qui parles. Je resterai bouche cousue.

Elles montèrent les marches branlantes qui conduisaient à la boutique. Il y avait des marchandises partout : des fleurs en plastique, des cadres photo ornés de coquillages, des décorations de Noël en pâte à sel peinte. Le pare-feu de la cheminée était illuminé de bougies votives.

— Bonjour ! lança Claire.

La réponse fut immédiate : un concert de jacassements féminins, suivi d'un bruit de troupeau au galop.

Une grosse femme d'un certain âge fit irruption dans la pièce, sa choucroute de boucles grises tressautant comme celle de Cindy dans « La Famille Brady ». Elle portait un caftan à fleurs et des mules blanches à pompons.

— Claire Cavenaugh, je suis si contente de pouvoir enfin te montrer l'étage.

— Les robes de mariée sont au second, expliqua Claire à Meghann. Abby avait perdu espoir, en ce qui me concerne.

Avant que Meghann ait eu le temps de répondre, deux autres femmes arrivèrent en coup de vent. L'une, petite, était vêtue d'une robe informe flottant à la taille et chaussée de tennis blanches. L'autre, grande et un peu maigre, arborait un ensemble impeccable en soie beige. Deux des Bleues. Meghann les avait reconnues, mais n'aurait pas réussi à mettre un nom sur leur visage pour tout l'or du monde. La robe sac, apprit-elle, c'était Gina, et l'ensemble en soie beige, Charlotte.

— Karen n'a pas pu venir, annonça Gina avec un regard suspicieux en direction de Meghann. Willie avait rendez-vous chez l'orthodontiste et Dottie s'est assise sur ses lunettes.

— En d'autres termes, intervint Charlotte, la routine, pour Karen.

Elles se mirent à parler en même temps.

Meghann observa Claire, qui marchait entre Charlotte et Abigail. Elles discutaient dentelles, ornements en perles et voiles. Une pensée lui vint à l'esprit : « L'ultime accessoire reste le contrat. » À cette idée, elle se sentit des dizaines d'années plus vieille que les autres, et définitivement à part.

— Alors, Meghann. La dernière fois que je t'ai vue, Alison était un nourrisson.

Gina se tenait près d'une statue de grue en fonte.

— Te voici de retour pour le mariage.

Les amies de Claire avaient toujours excellé à rappeler à Meghann avec assez peu de subtilité qu'elle n'était pas à sa place à Hayden.

— Bonjour, Gina. Ravie de te revoir.

Gina regarda Meghann droit dans les yeux.

— Je suis étonnée que tu aies réussi à quitter ton bureau. Il paraît que tu es la meilleure avocate en divorce de tout Seattle.

— Je ne raterais pas le mariage de Claire.

— Je connais une avocate dans ton domaine. Sa spécialité, c'est de briser des familles.

— C'est notre travail.

Une ombre traversa le regard de Gina. Elle se radoucit.

— Est-ce qu'il t'arrive de recoller les morceaux ?

— Pas souvent.

Le visage de Gina sembla s'affaisser, se ratatiner comme un vieux sac en papier, et Meghann comprit.

— Tu es en train de divorcer.

Gina sourit.

— La procédure vient de se terminer, en fait. Dis-moi que ça s'arrange, par la suite.

— Ça va aller mieux, répondit Meghann. Mais ça peut prendre un bout de temps. Il existe plusieurs groupes de soutien susceptibles de t'aider.

Elle esquissa un geste pour fouiller dans son sac.

— Je peux pleurer sur l'épaule des Bleues, mais merci quand même. Je te suis reconnaissante d'être honnête. Maintenant, allons donc là-haut trouver la robe de mariée idéale pour ta sœur.

— À Hayden ?

Saluant la plaisanterie d'un rire, Gina conduisit Meghann à l'étage. Quand elles arrivèrent, Claire essayait déjà le premier modèle. Il avait d'énormes manches gigot, un décolleté en forme de cœur et une jupe qui ressemblait à une tasse à thé à l'envers. Meghann s'assit dans un fauteuil en osier à la décoration chargée. Gina resta debout derrière elle.

— Mon Dieu, c'est ravissant, commenta Abigail. Et il y a trente-trois pour cent de remise sur celle-ci.

Devant le miroir en pied à trois faces, Claire se tournait de tous les côtés.

— Ça fait très princesse, encouragea Charlotte.

Claire regarda Meghann.

— Qu'est-ce que tu en penses ?

Meghann n'était pas sûre de ce qu'on attendait d'elle : l'honnêteté ou l'approbation. Un nouveau coup d'œil à la tenue lui confirma que la seconde solution était impossible.

— C'est normal que cette robe soit en solde. Elle est hideuse.

Claire descendit de l'estrade et partit à la recherche d'un autre modèle. Comme elle quittait la pièce, Charlotte et Abigail regardèrent Meghann. Aucune des deux ne souriait. Meghann avait fait preuve de franchise – un défaut classique –, si bien qu'elle était suspecte. L'étrangère. Elle n'émettrait aucun avis sur la robe suivante. Absolument aucun.

— Et celle-ci ? demanda Claire quelques instants plus tard.

Meghann se tortilla dans le fauteuil. S'agissait-il d'une plaisanterie ? La tenue était digne d'une fête de village ou de la cérémonie des Country Music Awards. Il ne manquait plus qu'un seau pour la traite rehaussé de perles. Elle était moche. Point final. Et pour couronner le tout, elle était de qualité médiocre.

Claire étudia son reflet dans le miroir et virevolta un peu avant de se retourner vers sa sœur.

— Tu es affreusement silencieuse.

— L'horreur me serre la gorge. Je ne peux pas parler.

Le sourire de Claire se figea.

— J'en déduis que c'est négatif.

— Devant une robe au rabais du Bon Marché, je serai toujours négative. Ce truc à froufrous en dentelle ne m'inspire qu'une réflexion : « Enlève-moi ça tout de suite, tu as perdu la tête ou quoi ? »

— Je vous trouve un peu dure, s'insurgea Abigail en gonflant les joues comme un poisson rouge.

— Claire cherche une robe pour son mariage, rétorqua Meghann, pas un costume pour jouer dans « La Petite Maison dans la prairie ».

— Ma sœur est toujours dure, glissa Claire d'une voix étouffée en retournant dans la cabine.

Meghann lâcha un soupir. Elle avait encore gaffé en assenant son opinion comme on envoie un instrument contondant derrière la tête de quelqu'un. Elle se recroquevilla dans le siège en se jurant de rester muette.

Le reste de l'après-midi fut occupé par un défilé épuisant de robes de quatre sous. Claire les enfilait les unes après les autres, écoutait les diverses opinions et les enlevait. Elle ne consulta plus Meghann et celle-ci se garda bien de manifester quoi que ce soit, se contentant de se rencogner dans le fauteuil, la tête contre le mur.

Meghann fut réveillée par un petit coup dans les côtes. Encore à moitié endormie, elle tendit le cou. Charlotte, Abigail et Claire s'éloignaient en parlant avec animation et disparurent dans la pièce des chapeaux et des voiles.

Gina fixait Meghann.

— J'avais entendu dire que tu pouvais être une garce, mais dormir pendant que ta sœur essaie des robes de mariée, c'est vraiment grossier.

Meghann s'essuya les yeux.

— C'était la seule façon pour moi de me taire. J'ai vu de plus jolies tenues sur des serveuses de fast-food. Crois-moi, je faisais une faveur à Claire. Est-ce qu'elle a trouvé son bonheur ?

— Non. Oui. Tu sais ce que c'est quand on boit des margaritas un jour de déprime. Karen appelle sa sœur Susan la « psychopathe sans âme ». Claire te nomme « les dents de la mer ».

Meghann essaya d'avoir l'air d'apprécier la plaisanterie, sans succès.

— Oh.

— Je me souviens de l'époque où elle a emménagé ici, poursuivit Gina en baissant le ton. Elle était aussi timide qu'une petite souris et pleurait dès qu'on la regardait de travers. Pendant des années, elle a répété que sa sœur lui manquait. Ce n'est qu'après le lycée que j'ai su ce qui lui était arrivé.

— Ce que j'avais fait, tu veux dire.

— Ce n'est pas à moi de juger. J'ai traversé des périodes pénibles au cours de ma vie et être mère est la tâche la plus ardue au monde. Même quand on est adulte et qu'on est prête. Ce que je veux dire, c'est que Claire a été blessée et que quand elle souffre, elle fait preuve d'une politesse extrême. Elle est délicieuse, mais la température ambiante dégringole d'à peu près vingt degrés.

— J'ai eu besoin d'un manteau presque toute la journée.

— Fais le gros dos. Qu'elle l'admette ou non, ta présence compte beaucoup pour elle.

— Je lui ai dit que j'organiserais le mariage.

— Tu m'as l'air d'être exactement la personne qu'il faut.

— Oui, je suis une vraie romantique...

— Contente-toi d'écouter Claire, puis de remuer ciel et terre pour l'aider à réaliser son rêve.

— Peut-être que tu devrais recueillir l'info et me la rapporter. Comme une sorte de mission pour la CIA.

— À quand remonte la dernière fois où vous vous êtes assises, Claire et toi, pour prendre un verre et discuter ?

— Disons que c'était à une période où nous n'étions pas assez âgées pour boire du vin à table.

— C'est bien ce que je pensais. Vas-y maintenant.

— Mais Alison...

— Sam s'en occupera. Je le préviendrai.

Ouvrant son sac, Gina y plongea la main et en retira un morceau de papier. Elle griffonna quelque chose dessus et le tendit à Meghann.

— Voici mon numéro de portable. Appelle-moi dans une heure et je te dirai comment ça s'organise pour Ali.

— Claire ne va pas vouloir venir. Surtout après que j'ai mis mon veto pour les robes.

— Et que tu t'es endormie. Tes ronflements étaient poignants. De toute façon, en parlant avec Claire, j'ai cru comprendre que tu ne prêtais guère attention aux besoins et aux désirs de ton entourage.

— Tu ne mâches pas tes mots, au moins !

— D'où le divorce. Emmène Claire dîner. Allez voir un film. Regardez les arrangements floraux pour le mariage. Faites quelque chose entre sœurs. Ce ne serait pas trop tôt.

13

Claire savait que ses lèvres étaient serrées en une ligne mince et inflexible exprimant son mécontentement. Elle avait perfectionné cette technique, qui lui permettait de manifester sa colère sans prononcer les mots qu'elle serait amenée à regretter ensuite. Sam lui faisait souvent remarquer ce talent : « Bon sang, Claire, disait-il, personne d'autre n'arrive à me crier dessus en silence. Un de ces jours, toute ta colère rentrée va te remonter dans la gorge et t'étouffer. »

Elle jeta un regard en biais à sa sœur, qui conduisait trop vite, ses cheveux noirs flottant derrière elle comme ceux d'une starlette, les yeux cachés derrière des lunettes de soleil valant probablement autant que l'ensemble des biens de Claire.

— Où va-t-on ? demanda-t-elle pour la quatrième fois.

— Tu verras.

Toujours la même réponse. Brève et sans fioritures, comme si Meghann avait peur d'en dire plus.

Elle s'était endormie !

Ce n'était pas comme si Claire exigeait beaucoup de sa sœur. On ne pouvait pas être plus loin de la vérité. Elle ne s'était pas attendue à ce que Meghann prenne plaisir à l'accompagner dans sa quête d'une robe de mariée. Ça non. Meghann, apprécier une journée passée entre amies ? Trop peu pour elle. Ce qui exaspérait le plus Claire, c'était qu'elle avait d'abord demandé son opinion à Meghann, alors que Gina et Charlotte étaient présentes. Elle avait montré son besoin d'approbation au grand jour : « Qu'est-ce que tu en penses ? » Elle avait requis l'avis de Meghann deux fois. Au bout de la seconde, elle avait compris son erreur et ignoré sa sœur.

Puis elle avait entendu ses ronflements. Et senti les larmes lui picoter les yeux.

Évidemment, cela n'avait rien arrangé qu'aucune tenue ne convienne, que par les temps qui courent, même les plus laides valent une fortune et que, dès la fin de l'après-midi, elle se soit surprise à penser qu'une robe bain de soleil blanche puisse être plus pratique. Ces pensées n'avaient fait que raviver son envie de pleurer. Mais à présent, Claire était juste en colère. Meghann allait sans aucun doute ficher le mariage en l'air. Elle était comparable à un virus. Dix secondes passées dans une pièce en sa compagnie vous rendaient malade.

— Il faut que je retourne m'occuper d'Ali, s'insurgea Claire, pour la quatrième fois aussi.

— Tu vas rentrer.

Claire respira profondément. Assez, elle en avait assez !

— Écoute, Meg, au sujet de ta décision d'organiser mon mariage. Sincèrement, tu...

— On est arrivées.

Meghann manœuvra la Porsche argentée dans une place de parking vide sur la chaussée. Avant que Claire ait eu le temps de dire ouf, elle se tenait déjà à côté du parcmètre.

— Allez, viens.

Elles avaient atteint le centre de Seattle. Le territoire de Meghann, qui voulait sans doute frimer avec son luxueux appartement.

Claire fit la moue. La Porsche était garée au pied d'une longue côte en pente douce. Plus haut, à six pâtés de maisons de là, environ, Claire apercevait le marché couvert. Derrière elle, quelques artères plus loin, se devinait l'embarcadère des ferrys. Un musicien jouait sur son saxophone un air triste qui flottait au-dessus de la rumeur de la circulation. Sur la gauche, des marches en béton cascadaient jusqu'à la cour d'un complexe d'appartements. De l'autre côté de la rue s'étalait un parking de la chaîne Diamond, aux emplacements presque tous vides, en ce jour sans match.

— Tu habites ici ? interrogea Claire en attrapant son sac avant de s'extirper de la Porsche. Je t'imaginais vivant dans un gratte-ciel élégant.

— Je t'ai invitée chez moi à de multiples reprises.

— Deux fois : le jour où maman était en ville pour la tournée de promotion de « Starbase IV » et pour un réveillon de Noël. Tu as annulé ce dernier parce que tu avais la grippe et maman nous a emmenées au restaurant Chez Canlis.

— Vraiment ? J'avais l'impression de te prier sans cesse de venir à la maison.

— C'est vrai, mais tu ne fixais jamais ni le jour ni l'heure. Tu sous-entendais que je pouvais passer quand je venais ici. Je vais te donner un scoop : je ne viens jamais.

— Tu m'as l'air un peu hostile, aujourd'hui.

— Ah bon ? Je me demande bien pourquoi.

Claire balança la lanière de son sac par-dessus son épaule, emboîtant le pas à Meghann, qui gravissait la colline à une allure digne du général Patton.

— Il faut qu'on parle du mariage. Ta performance de ce matin...

— On y est, avertit Meghann.

Elle s'arrêta devant une étroite porte blanche flanquée d'une fenêtre de chaque côté. Une enseigne en fer forgé annonçait « À dessein ». Un homme vêtu d'un costume noir strict déshabillait avec diligence un mannequin dans la vitrine. Apercevant Meghann, il lui fit signe d'entrer.

— Qu'est-ce que c'est que cet endroit ?

— Tu as bien dit que je pouvais organiser le mariage ?

— Justement, je voulais t'en reparler. Hélas, tes facultés d'écoute sont restreintes.

Ouvrant la porte, Meghann s'engagea dans une entrée.

Claire hésita.

— Viens.

Meghann l'attendait devant l'ascenseur. Claire la suivit. Une seconde après, les portes de la cabine s'écartèrent en tintant puis se refermèrent sur les deux sœurs.

Meghann finit par reprendre la parole.

— Je suis désolée pour ce matin. Je n'ai pas été à la hauteur.

— C'est une chose de dormir. Mais ronfler ?

— Je sais. Excuse-moi.

Claire soupira.

— C'est comme ça depuis toujours entre nous, Meg. Tu n'en as pas assez ? Il y en a systématiquement une des deux qui est désolée, mais jamais on ne...

Les portes de l'ascenseur se rouvrirent. Le spectacle qui s'offrait à Claire la stupéfia.

Meghann fut obligée de lui poser la main sur l'épaule et de la pousser doucement en avant. Trébuchant sur la marche du seuil de la boutique, elle entra. Sauf qu'appeler ce lieu une boutique revenait à qualifier Disneyland de fête foraine.

Des mannequins, revêtus des plus belles robes de mariée que Claire ait jamais vues, étaient disposés partout.

— Mon Dieu, murmura-t-elle en faisant un pas en avant.

La tenue en face d'elle dénudait les épaules et serrait la taille. Des flots de soie ivoire tombaient jusqu'au sol. Claire caressa le tissu – plus doux que tout ce qu'on pouvait imaginer – et regarda discrètement l'étiquette : « Escada, 4 200 dollars ».

Elle recula aussitôt et se tourna vers Meghann.

— Allons-nous en.

Claire avait la gorge serrée. Elle était redevenue une petite fille, debout dans le couloir de la maison d'une amie, absorbée par le spectacle d'une famille en train de dîner.

Meghann lui attrapa le poignet, décidée à ne pas la laisser partir.

— Je veux que tu fasses un essayage *ici*.

— C'est impossible. Je sais que tu es fidèle à toi-même, Meg, mais c'est... un peu difficile à avaler. Je tiens un camping...

— Je ne me répéterai pas, Claire, alors écoute-moi et crois-moi. Je travaille quatre-vingt-cinq heures par semaine et mes clients paient presque quatre cents dollars de l'heure. Je ne dis pas ça pour me vanter. C'est un fait : j'ai de l'argent. Ça me ferait très plaisir de t'offrir une belle robe de mariée. Celles qu'on a vues ce matin ne sont pas dignes de toi. Je serai navrée si tu penses que je suis snob, mais c'est mon opinion. S'il te plaît, permets-moi de faire ça pour toi.

Avant que Claire ait trouvé une réponse, une femme s'exclama :

— Meghann Dontess ! Dans une boutique de mariage ! Qui l'eût cru ?

Une grande perche maigre comme un clou portant un fourreau bleu marine s'avança en faisant claquer ses talons hauts sur le sol en marbre. Ses cheveux, mélange parfait de blond et d'argent, encadraient son visage d'une coupe à la Meg Ryan.

— Bonjour, Risa, répondit Meghann en tendant la main.

Une fois les salutations échangées, Risa regarda Claire.

— Voici donc la petite sœur de notre illustre Meg, c'est ça ?

Claire perçut un soupçon d'accent d'Europe de l'Est dans sa voix. Probablement de Russie.

242

— Je m'appelle Claire.

— Et Meghann vous autorise à vous marier ?

— Pour tout vous dire, elle me l'a déconseillé.

Risa rejeta la tête en arrière et laissa libre cours à son hilarité.

— Bien sûr. Elle m'a donné le même type d'avis à deux reprises. Chaque fois, j'aurais dû l'écouter, mais, oui, l'amour a toujours le dessus.

Elle fit un pas en arrière, détaillant Claire des pieds à la tête.

Claire ferma le poing gauche pour cacher sa bague de pacotille.

Risa se tapota les dents de devant d'un ongle long verni de couleur sombre.

— Je ne m'attendais pas à ça, dit-elle en regardant Meghann d'un air de connivence. Vous disiez que votre sœur était une fille de la campagne et qu'elle se mariait au milieu de nulle part.

Claire ne savait pas si elle devait sourire ou donner à Meghann un grand coup sur la tête.

— Je suis une provinciale. Comme Meghann, avant.

— Ah. Ce doit être là qu'elle a laissé son cœur, non ?

Risa se tapota à nouveau les dents.

— Vous êtes splendide, ajouta-t-elle enfin. Taille trente-huit ou quarante. Il faudra qu'on rembourre votre soutien-gorge. Votre sœur pourra-t-elle prendre rendez-vous avec Renaldo ? Ses cheveux..., poursuivit Risa en se tournant vers Meghann.

— Je peux essayer.

— Il faut qu'on mette ces beaux yeux bleus en valeur. Ils me rappellent la femme de Brad Pitt. La fille nerveuse qui joue dans « Friends ». Oui, voilà à qui vous ressemblez. Pour vous, je vois quelque chose de classique : Prada ; Valentino ; Armani ; Wang. Peut-être une robe vintage Azzaro. Venez.

Risa tourna les talons et s'éloigna à grands pas. De temps à autre, sa main surgissait comme un serpent pour attraper une robe.

Claire regarda Meghann.

— Armani ? Vera Wang ?

Elle secoua la tête, incapable de dire : « Tu ne peux pas faire ça. » C'était la réponse qui s'imposait, mais elle était prise à la gorge à l'idée de refuser. Quelle petite fille n'avait pas rêvé de cet instant ? Surtout Claire, qui avait continué à croire à l'amour après tant de promesses stériles.

— On peut toujours partir sans rien acheter, suggéra Meghann. Essaie-les. Juste pour t'amuser.

— Juste pour m'amuser.

— Dépêchez-vous, toutes les deux ! Je n'ai pas la journée devant moi, lança Risa.

Claire, surprise, hâta le pas.

Meghann resta en arrière à surveiller Risa, qui allait de portant en portant, empilant les tenues dans ses bras.

Quelques minutes plus tard, Claire pénétra dans un salon d'essayage plus spacieux que sa chambre. Trois miroirs courant du sol au plafond étaient disposés autour d'elle. Au centre se dressait une estrade en bois.

— Allez-y. Toute ma sélection est là-dedans.

Risa donna une petite bourrade à Claire.

Celle-ci pénétra dans la cabine, où l'attendaient plusieurs robes suspendues sur des cintres. La première, une Ralph Lauren époustouflante, avait un corsage aux motifs compliqués en dentelle et perles entrelacées ; la suivante, une Prada aux reflets pêche, des mancherons plissés et une encolure légèrement asymétrique ; la troisième, un fourreau Armani de soie blanche, d'une simplicité absolue, un décolleté en V plongeant et un dos drapé et sexy.

Claire s'interdit de consulter les prix. C'était le moment où elle s'autorisait à faire semblant. Elle pouvait choisir n'importe quoi. Elle enleva son jean froissé et son tee-shirt et les envoya valser sur le sol, s'abstenant au passage de regarder ses sous-vêtements achetés en grande surface.

Le modèle Ralph Lauren flotta au-dessus de ses épaules comme un nuage avant de retomber sur son corps quasi nu. À partir du cou, Claire ressemblait à Kim Basinger dans *L.A. Confidential*.

— Allons, chérie, voyons un peu ça, dit Risa.

Ouvrant la porte, Claire s'aventura dans le salon.

Son entrée fut saluée par un cri de surprise étouffé. Sur ce, Risa disparut au trot en braillant :

— Chaussures !

Meghann était immobile, chargée d'une brassée de robes. Elle entrouvrit les lèvres avec un soupir.

Claire sourit malgré elle. En même temps, elle avait une envie de pleurer des plus bizarres.

— Ce Ralph Lauren n'a pas les deux pieds dans le même sabot. D'un autre côté, ma voiture vaut moins cher que cette merveille.

Claire monta sur l'estrade et admira son reflet dans le miroir. Pas étonnant que Meghann se soit endormie lors du précédent essayage.

Risa revint en brandissant une paire de sandales hautes et à lanières.

Claire se moqua :

— Vous me prenez pour Carrie Bradshaw, de « Sex and the City » ? Si je portais des talons pareils, mon nez se mettrait à saigner. Sans compter que je me fracturerais la hanche en tombant.

— Taisez-vous et mettez-les.

Claire obtempéra, puis resta immobile. Chaque bouffée d'air qu'elle inspirait menaçait de la faire basculer du podium.

— Ah ! Votre mère ne vous a donc pas appris à marcher avec des talons ! Je vais vous chercher des escarpins, lâcha Risa, la bouche tordue de dégoût en prononçant ce mot.

Après son départ, Meghann rit de bon cœur.

— La seule chose que maman nous ait apprise, c'est à marcher avec des chaussures trop petites.

— Alors qu'elle en avait toujours des neuves, elle.

— Curieusement.

Les deux sœurs échangèrent un regard, partageant un moment de connivence absolue. Quand il fut passé et qu'elles se retrouvèrent dans le présent, Claire eut un sentiment fugitif de regret.

— Je trouve que le tissu est trop mince, pas toi ? glissa-t-elle.

Elle tentait de trouver un défaut au modèle, gênée que Meghann s'apprête à dépenser une fortune pour elle.

Meghann parut sceptique.

— Trop mince ? Tu es superbe.

— Ça souligne mes bourrelets. Il faudrait que je porte des sous-vêtements fabriqués par Boeing.

— Claire, c'est un trente-huit. Encore un commentaire dans ce genre et tu auras le droit d'entrer à la ligue des épouses anorexiques d'Hollywood.

Ensuite, Claire essaya une série de robes, chacune plus belle que la précédente. Elle les récusa toutes, mais cela ne lui gâcha pas son plaisir, car elle avait l'impression d'être une princesse. Elle parvenait, chaque fois, à justifier son refus : les manches étaient trop courtes, trop larges, trop plissées ; le décolleté, trop modeste, trop sexy, trop traditionnel ; le tissu, peu agréable à porter... Claire voyait que Meghann commençait à se sentir frustrée. Pourtant, elle continuait à revenir avec de nouveaux modèles plein les bras.

— Tiens, essaie ça, répétait-elle.

Meghann et la patience n'avaient jamais fait bon ménage.

Il y avait longtemps que Risa était allée s'occuper d'autres clientes.

Finalement, Claire se retrouva devant l'ultime tenue choisie par Meghann. Elle était blanche, avec un corsage sans manches incrusté de perles et une jupe en taffetas. Claire dégrafa son soutien-gorge et la passa. Elle ajusta la fermeture dans le dos puis sortit de la cabine.

Meghann resta muette comme une carpe. Claire se rembrunit. Elle entendait Risa papoter à l'extrémité du magasin. Elle lança un regard interrogateur à Meghann.

— Tu es bien silencieuse. Il faut que je te fasse du bouche-à-bouche ?

— Regarde-toi.

247

Claire souleva la lourde jupe, monta sur l'estrade et prit la pose devant le miroir. La femme qui lui renvoya son regard n'était pas Claire Cavenaugh. Non. Elle n'avait pas quitté l'université parce qu'elle avait trop fait la fête ni décidé qu'esthéticienne était un choix de carrière valable, avant de cesser de suivre la formation nécessaire à l'obtention du diplôme... Elle n'avait pas eu d'enfant hors mariage parce que son amant avait refusé de l'épouser... Et elle ne gérait pas un camping en prétendant qu'il s'agissait d'un village de vacances.

Cette femme-là se déplaçait en limousine et buvait du champagne dans une flûte. Elle dormait dans des draps de soie et avait un passeport en cours de validité. C'était celle que Claire aurait été si elle était allée à la fac à New York et si elle avait préparé un doctorat à Paris. Peut-être celle qu'elle pouvait encore devenir.

Comment une robe pouvait-elle mettre en exergue ce qui était allé de travers dans la vie d'une personne tout en lui laissant espérer un avenir meilleur ? Claire imagina l'expression de Bobby quand elle marcherait le long de la travée à l'église. Bobby, qui avait mis un genou en terre pour lui demander de l'épouser. S'il la voyait dans cette tenue...

Meghann, qui s'était approchée de Claire par-derrière, monta sur l'estrade. Elles se tenaient côte à côte, elles qui avaient été, autrefois, plus proches que n'importe quelles sœurs et qui se retrouvaient si éloignées l'une de l'autre aujourd'hui.

Meghann posa une main sur l'épaule nue de Claire.

— Pas la peine d'essayer de trouver un défaut à celle-ci.

— Je n'ai pas regardé le prix, mais...

Meghann déchira l'étiquette en deux.

— Et tu ne le verras pas. Risa, venez par ici.

Claire regarda Meghann d'un air inquisiteur.

— Tu savais, non, quand tu as sélectionné ce modèle ?

Meghann se retint de sourire.

— C'est un Vera Wang, chérie. Bien sûr que je savais. J'avais aussi conscience qu'au début, tu étais sur la défensive. Tu n'as pas envie que je t'offre ce présent.

— Ce n'est pas ça...

— Il n'y a pas de problème, Claire. C'est très important pour moi que tu me laisses participer à ton mariage.

— On forme une famille, répliqua Claire après un long silence.

Elle trouvait la conversation embarrassante, presque dangereuse. Comme si Meghann et elle patinaient sur un étang gelé, dont la surface risquait de céder sous leur poids.

— Merci pour la robe. C'est celle... dont j'ai toujours rêvé.

Meghann sourit pour de bon.

— Ce n'est pas parce que je ne crois pas au mariage que je ne suis pas capable d'organiser une fête à tout casser, tu sais.

Risa entra dans le salon.

— La Wang, murmura-t-elle en regardant Meghann. Vous pensiez que votre sœur s'arrêterait sur celle-ci.

— J'avais deviné juste.

— Elle incarne l'amour, non ?

Elle alla vers Claire.

— Il faut qu'on reprenne un peu le buste, jusque-là, n'est-ce pas ? Et qu'on élargisse à peine la taille. Il reste à trouver un voile. Quelque chose d'élégant, de pas trop chargé. Quelles chaussures allez-vous porter ?

Risa se mit à épingler et à reprendre.

— Ces escarpins sont parfaits.

Elle s'agenouilla pour rectifier le décolleté.

— Je vais garder la longueur de la jupe, au cas où vous changeriez d'avis, ce que je vous conseille. Ce sera prêt à temps, promit-elle une fois sa tâche terminée, avant de repartir en coup de vent.

Quelques minutes après son départ, Claire demanda à Meghann :

— Comment savais-tu que je choisirais cette création de Vera Wang ?

— À mon mariage, je t'ai entendue parler avec Élisabeth. Tu lui disais qu'une robe de mariée devait être simple. Tu avais raison. La mienne ressemblait à un costume de cirque. Peut-être est-ce pour ça qu'Éric m'a quittée.

Meghann avait gardé le sourire, mais Claire perçut une souffrance dans sa voix, aussi fluette qu'un fil qui vole dans le vent. Claire avait toujours cru sa sœur aussi dure que le roc.

— Éric t'a blessée, n'est-ce pas ?

— Bien sûr que oui. Il m'a brisé le cœur, puis il s'en est pris à mon argent. Tout aurait été plus facile si on avait signé un contrat. Ou, mieux encore, si j'avais vécu avec lui au lieu de l'épouser.

Claire réprima un sourire devant ce rappel pas très subtil. Mais cette fois elle comprenait.

— Si mon mariage avec Bobby est une erreur, je la commets en connaissance de cause.

— Oui. C'est ça le truc extraordinaire avec l'amour : l'optimisme inhérent. Pas étonnant que je me cantonne au sexe. Maintenant, si on achetait des plats chez le restaurant chinois du coin pour les manger chez moi ?

— Ali…

— Elle dîne au drive-in de Chez Zeke, et retrouve Sam et Bobby au bowling pour la soirée des amoureux. J'ai appelé Gina d'Everett.

Le sourire de Claire s'élargit.

— Bobby va à la soirée des amoureux au bowling ? Et tu ne crois pas au grand amour ! Allez, aide-moi à me déshabiller.

Claire enjamba la tenue qui achevait de glisser sur le sol et se dirigea précautionneusement vers la cabine. Elle était sur le point d'en refermer la porte quand elle se souvint de ce qu'elle voulait ajouter :

— Ta robe de mariée était splendide, Meghann, et toi aussi. J'espère que je ne t'ai pas vexée avec mes commentaires. Élisabeth et moi avions bu plusieurs verres.

— Les manches ressemblaient à des parapluies ouverts. Dieu sait pourquoi j'avais fait ce choix. Non, c'est faux. Hélas, j'ai hérité mon goût de maman. Dès que j'ai commencé à gagner de l'argent, j'ai engagé une personne qui me conseille pour me vêtir. En tout cas, merci de t'être excusée.

Fermant la porte de la cabine, Claire se changea. Meghann et elle passèrent encore une heure à chercher un voile puis des chaussures. Une fois ces accessoires trouvés, Meghann la prit par le bras et l'entraîna hors de la boutique.

Elle gara la Porsche en double file devant le restaurant chinois et y entra en courant pour en ressortir trois minutes plus tard, un sac en papier à la main. Elle le lança sur les genoux de Claire, se glissa sur le siège du conducteur et mit les gaz. Elle tourna dans Pike Street et vira brusquement à gauche dans un parking souterrain.

Claire suivit sa sœur dans l'ascenseur jusqu'à l'étage du penthouse et à son appartement.

La vue était stupéfiante. Il faisait presque nuit et le ciel couleur améthyste emplissait les baies vitrées. Au nord, la communauté somnolente de Queen Anne étincelait de lumières multicolores. La Space Needle, qui avait revêtu ses coloris estivaux, occupait à elle seule une fenêtre. Partout ailleurs, on voyait le bras de mer bleu nuit, dont la surface sombre n'était éclairée que par les flots lumineux de la ville le long de la rive.

— La vache ! s'extasia Claire.

— Oui, c'est une vue peu banale, répondit Meghann en laissant tomber le sac en papier sur le plan de travail en granit noir de la cuisine.

Où que Claire regardât, elle ne voyait que perfection. Pas un tableau accroché de travers sur les murs tendus de soie, pas un objet traînant sur la table. Et pas de poussière, bien sûr. Claire s'approcha du bureau Biedermeier, à l'extrémité du salon. Sur la surface brillante trônait une photo encadrée, la seule de la pièce, à ce qu'il semblait.

Le cliché représentait Meghann et elle, âgées de sept et quatorze ans, environ. Elles étaient assises au bout du ponton, avec chacune un bras passé autour des épaules de l'autre. Dans un coin, l'extrémité rougeoyante d'une cigarette permettait d'identifier la photographe : Eliana.

Revoir cette image parut douloureux à Claire. Elle coula un regard en direction de Meghann, qui s'affairait à répartir la nourriture. Reposant le cadre, elle continua son inspection de l'appartement. Elle découvrit une chambre à coucher blanche, que seule une femme sans enfants ni animal domestique pouvait avoir choisie, et une salle de bains contenant plus de produits de beauté que l'allée des cosmétiques d'une pharmacie. Durant sa visite, Claire se surprit à penser que quelque chose clochait.

Elle reprit le chemin de la cuisine.

Meghann lui tendit un margarita dans un verre givré.

— On the rocks. Pas de sel. Ça te va ?

— Parfait. Ton chez-toi est superbe.

— Mon chez-moi... C'est drôle. Je n'y pense jamais en ces termes, mais c'est bien ça, évidemment. Merci.

Meghann avait mis le doigt sur le problème. L'endroit n'était pas un foyer, plutôt une suite digne d'un quatre-étoiles, somptueuse, mais froide, impersonnelle.

— Tu l'as décoré toi-même ?

— Tu plaisantes ? La dernière chose que j'aie choisie, c'était ma robe de mariée. J'ai engagé une décoratrice. Une Allemande qui ne parlait pas un mot d'anglais. Tiens. Si on dînait sur la terrasse ?

Meghann s'empara de son assiette et de son cocktail.

— On va devoir s'asseoir par terre. La décoratrice avait choisi les meubles de jardin les plus inconfortables qui soient. J'ai tout rendu et je n'ai pas trouvé le temps d'en acheter d'autres.

— Ça fait combien de temps que tu habites ici ?

— Sept ans.

Claire suivit sa sœur à l'extérieur. C'était une très belle soirée, avec un ciel magnifique.

Elles mangèrent, séparées par le silence qui s'installait.

Meghann hasarda une ou deux phrases mal à propos et embarrassées, destinées à briser la glace, mais le silence revenait, telle l'eau de mer à marée montante.

— Est-ce que je t'ai remerciée pour la robe ?

— Oui, et il n'y a pas de quoi.

Meghann posa son assiette au sol et s'étira.

— C'est drôle, remarqua Claire, il y a du bruit, ici, le soir – entre la circulation, les cornes des ferrys et les trains –, mais on a quand même l'impression que c'est... vide. Isolé.

— C'est parfois comme ça, la ville.

En regardant Meghann, Claire ne voyait plus la grande sœur dure, prompte à juger les gens et qui avait toujours raison. Ni celle qui l'avait, jadis, aimée d'une manière absolue. Plutôt une femme pâle à l'expression sérieuse qui semblait ne pas avoir de vie en dehors de son travail. Une solitaire qui avait eu le cœur brisé longtemps auparavant et qui ne s'autorisait plus à croire à l'amour.

254

Claire ne pouvait s'empêcher de se souvenir du bon vieux temps, lorsque sa sœur et elle étaient les meilleures amies du monde. Pour la première fois depuis des années, elle se demandait si elles ne pouvaient pas le redevenir. Dans ce cas, l'une d'elles devait faire le premier pas.

Claire se jeta à l'eau.

— Peut-être que ça te plairait de venir quelques jours chez moi pendant que tu planifies le mariage ?

— Vraiment ?

Meghann releva la tête, surprise.

— Tu es probablement trop occupée.

— Pour être franche, non. Je suis... entre deux affaires, en ce moment. Et il faut que je passe un peu de temps à Hayden. Pour organiser les festivités, tu vois. D'ailleurs, j'ai un rendez-vous sur place demain. Mais je ne veux pas m'imposer.

Grave erreur, Claire. Grosse comme une maison.

— C'est d'accord, alors. Tu logeras à la maison, ça te simplifiera les choses.

14

Meghann gara la voiture et en descendit. Elle
vérifia à nouveau ses instructions et balaya la rue
du regard.

Hayden chatoyait dans la lumière vive du soleil.
Les gens traversaient la rue avec nonchalance pour
rejoindre les promenades en planches, et s'arrêtaient
çà et là pour se rassembler en petits cercles canca-
niers, s'adressant des signes en cours de route.

Sur le trottoir opposé, une adolescente aux cheveux magenta, affublée d'un pantalon qui aurait
été trop grand même pour Shaquille O'Neal, était
debout, seule. Meghann savait que la jeune fille se
sentait comme une étrangère dans cette jolie petite
ville. Celle qui ne s'intégrait pas. Les terrains de sta-
tionnement pour les caravanes, ainsi que Meghann
l'avait découvert, étaient, par principe, aménagés
dans les mauvaises parties urbaines. Et quand vos
vêtements clochaient et que votre adresse était encore
pire, on vous traitait en paria. Tôt ou tard, vous
finissiez par en devenir un.

Rien d'étonnant à ce que la mère de Meghann et
de Claire ne se soit jamais arrêtée dans les bourgades

ressemblant à Hayden. « Une taverne et quatre églises ? J'crois qu'on ne va pas faire d'escale », arguait-elle. Elle aimait le genre d'endroit où personne ne connaissait votre nom... ni ne risquait de vous mettre la main dessus quand vous filiez à l'anglaise au milieu de la nuit en laissant trois mois de loyer impayés.

Meghann remonta deux rues plus haut et tourna à droite dans Azalea Street. Sa destination était facile à identifier : une étroite maison victorienne peinte en jaune canari avec une bordure violette. L'écriteau « Royal, organisation d'événements » était accroché de travers sur la palissade blanche. Les lettres, fuchsia, étaient entrelacées de roses à paillettes.

Meghann faillit ne pas s'arrêter. Il était impossible qu'un amateur de peinture pailletée soit capable d'orchestrer un mariage avec un tant soit peu de classe. Mais il s'agissait de celui de Claire, qui voulait que ce soit décontracté, comme elle l'avait répété à deux reprises la veille au soir et trois fois ce matin-là à Meghann.

« Tu m'entends, Meg ? Je suis sérieuse.

— Comment ça ? Pas d'orchestre ni de sculptures sur glace ? avait ironisé Meghann.

— Des sculptures sur glace ? J'espère que tu plaisantes, Meg. Simple est l'adjectif à retenir. On n'a pas besoin de traiteur, non plus. Chaque invité apportera quelque chose. »

C'était sur ce point que Meghann avait fixé la limite.

« C'est un mariage, pas un enterrement, et même si je vois les points communs de ces deux événements,

257

je ne vais pas, je répète, te laisser organiser une réception à la fortune du pot.

— Mais...

— Des saucisses enveloppées de fromage industriel et de la Jell-O rose dans des moules en forme d'alliance ? avait poursuivi Meghann en frissonnant. Très peu pour moi.

— Meg, tu redeviens toi-même.

— D'accord. Je suis avocate, je sais faire des compromis. La nourriture ne sera pas sophistiquée.

— Et il faut que la fête ait lieu dehors.

— Dehors ! Là où il pleut ? Où les insectes se reproduisent ? Ce dehors-là ? »

À ce stade de la conversation, Claire souriait.

« Dehors. À Hayden, avait-elle résumé.

— C'est bien que tu m'en parles. J'aurais pu réserver fortuitement la Bloedel Reserve, sur Bainbridge Island. C'est très beau. Et pas à des heures et des heures de voiture, avait ajouté Meghann, pleine d'espoir.

— Hayden.

— D'accord, mais un oiseau risque de s'oublier sur ta tête. »

Claire avait commencé par rire, mais elle s'était aussitôt calmée.

« Tu n'es pas obligée de faire ça, tu sais. C'est beaucoup de travail de mettre un mariage sur pied en neuf jours. »

Meghann était consciente que Claire n'avait pas vraiment envie qu'elle s'occupe des préparatifs et se sentait piquée au vif. Mais chaque fois qu'on s'opposait à elle, elle n'en était que plus résolue à s'investir dans sa tâche.

« J'ai un rendez-vous en ville, il vaut mieux que je file », avait-elle répliqué. Alors qu'elle était sur le point de partir, Claire avait lancé : « N'oublie pas la remise des cadeaux, demain, chez Gina. »

Meghann avait dû se forcer à prendre l'air enthousiaste. Une soirée « en couple ». Elle serait sans doute la seule célibataire présente, à part Gina. Génial...

Elle souleva le loquet de la barrière et pénétra dans un jardin digne de celui d'Hansel et Gretel, s'attendant à moitié à voir Pee Wee Herman[1] et ses petits amis lui sauter dessus. Une allée en gazon synthétique la conduisit jusqu'aux marches menant à la véranda, qui ployèrent sous son poids. Elle frappa à la porte couleur saumon.

Celle-ci s'entrouvrit avant de heurter quelque chose avec un son creux. Une voix enrouée lança :

— Saleté !

Cette fois, le battant s'écarta en grand, dévoilant une vieille dame aux cheveux roses assise dans un fauteuil roulant à moteur, une bonbonne d'oxygène derrière elle. Les tubes transparents insérés dans ses narines remontaient sur ses pommettes hautes et creusées et disparaissaient derrière ses oreilles.

— Il faut que je devine ? croassa-t-elle, menaçante.

— Pardon ?

— Ce que vous voulez, bon sang ! Vous avez bien frappé à cette fichue porte, hein ?

— Oh. Je viens voir l'organisateur d'événements.

---

1. Personnage excentrique du film *Pee Wee's Big Adventure*, incarné par l'acteur Paul Rubens. (*N.d.T.*)

— C'est moi. Vous voulez quoi ? Des danseurs nus ?

— Allez, grand-mère, fit une voix masculine plutôt fluette provenant de la pièce voisine. Tu sais bien que tu as pris ta retraite il y a vingt ans.

La femme recula en exécutant un demi-tour avec son fauteuil et s'éloigna.

— Erica a des ennuis. Il vaut mieux que j'y aille.

— Excusez ma grand-mère, demanda l'homme en s'approchant de la porte.

Il était élancé, avec les cheveux bouclés d'un blond peroxydé, et arborait un bronzage soutenu digne d'un Californien. Ses lunettes massives étaient bordées de noir. Il portait un pantalon de cuir noir collant et un débardeur gris-bleu qui soulignait ses bras, aussi fins que ceux d'un épouvantail.

— Elle perd la mémoire de temps en temps. Vous devez être Meghann Dontess. Je m'appelle Roy Royal.

Meghann tenta de rester impassible.

— Allez-y, moquez-vous. Et encore, j'ai de la chance que mon second prénom ne soit pas Al.

Il balança une hanche en avant, une main crânement posée dessus.

— Vos vêtements sont stylés, mademoiselle Dontess. On ne voit pas beaucoup de Marc Jacobs, à Hayden. Nos marques préférées sont plutôt Levi's et Wrangler. Je n'arrive pas à imaginer ce qui vous amène ici.

— Je suis la sœur de Claire Cavenaugh. Je dois organiser son mariage.

Roy sauta carrément en l'air et hurla :

— Claire ! À la bonne heure, ma fille. Allez, on s'y met. Tout ce qu'il y a de mieux pour Claire.

Il introduisit Meghann dans le salon, la dirigeant vers un canapé en velours rose.

— Mariage à l'église épiscopale, bien sûr. Réception à l'hôtel de l'Élan, restauration fournie par la Voiture-Buffet. On peut se procurer des tonnes de fleurs en soie au grand magasin Target. Elles sont réutilisables.

Meghann se répéta « simple et décontracté, simple et décontracté ».

Elle n'allait pas y arriver.

— Attendez !

Roy s'interrompit au milieu de sa diatribe surexcitée.

— Oui ?

— C'est comme ça, un mariage à Hayden ?

— Seulement le dessus du panier. Il n'y a pas eu mieux que celui de Missy Henshaw, parce qu'elle a opté pour le golf de Monroe. On y a servi du champagne, pas de la bière, précisa Roy en se penchant vers Meghann.

— Et combien coûte une réception, par ici ?

— Une belle fête qui, sans égaler celle de Missy, soit tout de même de qualité ? Disons… deux mille dollars. Sans doute un peu moins, si un étudiant se charge des photos.

Ce fut au tour de Meghann de se pencher vers Roy.

— Vous lisez *People Magazine*, Roy ? Ou *In Style* ?

Il rit.

— Vous vous moquez de moi ? De la première à la dernière page.

— Alors, vous savez à quoi ressemblent les mariages des célébrités. Surtout ceux qualifiés de « simples et élégants ».

Roy agita les mains en l'air et claqua des doigts.

— Vous plaisantez, mon chou ? Pour celui de Denise Richards, censé être de ce genre-là, il y avait assez de fleurs fraîches pour recouvrir un char de la parade des roses. À Hollywood, simple signifie juste très cher, mais sans demoiselles d'honneur ni cocktail à l'extérieur.

— Pouvez-vous garder un secret, Roy ?

— Je suis resté au placard pendant les années Reagan. Croyez-moi, mon chou, je sais tenir ma langue.

— Je veux le style de mariage que cette ville n'a encore jamais vu. Mais – et c'est important –, personne à part vous et moi ne doit savoir que c'est le top niveau. Il faut que vous appreniez à utiliser la phrase : « C'était en solde. » Marché conclu ?

— Sans blague !

Le sourire jusqu'aux oreilles, Roy battit des mains.

— Quel est votre budget ?

— Celui de la perfection. Du rêve de toutes les petites filles.

— En d'autres termes...

— L'argent ne doit pas constituer une contrainte.

L'incrédulité se peignit sur le visage de Roy.

— Mon chou, voilà une phrase que je n'ai jamais entendue. Et je crois sincèrement que vous êtes la plus jolie femme que j'aie vue de ma vie.

Il attrapa un exemplaire d'un magazine sur la table basse.

— Il faut qu'on commence par la robe. C'est...

— La mariée en a déjà une.

Roy leva les yeux.

— Vera Wang.

— Vera Wang, répéta Roy avec déférence en refermant la revue. D'accord. On se met au travail.

— La fête aura lieu dehors.

— Ah. Une tente. Parfait. On devrait démarrer par l'éclairage...

Meghann écoutait à peine Roy, qui énumérait d'un ton on ne peut plus monotone des milliers de détails. La lumière. Les fleurs. La décoration des tables. Le gâteau du marié[1]. Pour l'amour du ciel...

Meghann avait pris la bonne décision en venant ici. Elle n'aurait qu'à se contenter de signer des chèques.

Joe avait les mains dans le cambouis jusqu'au coude sous le châssis d'un vieux tracteur Kubota dont il faisait la vidange quand il entendit une voiture approcher. Il guetta la voix de stentor de Smitty, qui montait d'un cran à l'arrivée d'un client, mais n'entendit que le son ténu et éraillé d'une vieille chanson de Hank Williams passant à la radio.

— Il y a quelqu'un ? cria le visiteur. Smitty ?

Joe roula sur lui-même pour s'extraire de sous l'engin et se releva. Il rajustait sa casquette de baseball, tirant la visière bas sur son front, quand un homme trapu et replet au teint fleuri entra dans le garage. Joe le reconnut : c'était Reb Tribbs, un ancien bûcheron qui avait perdu un bras dans un accident du travail.

Enfonçant un peu plus sa casquette, Joe évita de rencontrer le regard de Reb.

---

1. Tradition du sud des États-Unis, le *groom's cake* est destiné à reporter l'attention sur le futur époux. (*N.d.T.*)

— Qu'est-ce que je peux faire pour vous ?

— Mon camion vient encore de m'lâcher. J'avais tout juste récupéré ce satané truc chez Smitty. Il a dit qu'il l'avait réparé. Un sacré boulot qu'il a fait ! J'paierai pas tant qu'il marchera pas.

— Il faudra que vous régliez ça avec Smitty. Mais si vous voulez conduire le véhicule dans le garage, je vais...

— J'vous connais ?

Reb plissa les yeux en remettant son chapeau de cow-boy et s'approcha.

— J'oublie jamais une voix. J'y vois rien, mais j'entends aussi bien qu'un loup.

« Je vous connais ? » Joe avait eu droit à cette question dans toutes les villes de l'État.

— J'ai un visage très commun. Les gens croient toujours qu'ils m'ont déjà vu. Maintenant, si vous voulez avancer...

— Joe Wyatt. Bon Dieu ! C'est toi, hein ?

Vaincu, Joe soupira.

— Salut, Reb.

Il y eut un long silence durant lequel Reb passa Joe en revue, la tête penchée sur une épaule comme s'il écoutait quelqu'un.

— T'as du culot de revenir ici, mon gars. Les habitants se rappellent ce que t'as fait. J'te croyais en prison.

— Non.

Joe s'empêcha de céder à la tentation de tourner les talons. Au contraire, il resta là, attentif aux paroles de Reb. Il méritait chaque mot.

— Tu ferais mieux d'filer. Son père n'a pas besoin d'apprendre que t'es de retour en ville.

— Je n'ai pas vu son père.

— Sûr que non. T'es une poule mouillée, t'as pas de cran. Tu ferais mieux d'filer, Joe Wyatt. Cette ville n'a pas besoin d'un type comme toi.

— Ça suffit, Reb.

C'était Smitty. Il était debout près de la porte du garage, un sandwich entamé dans une main et une canette de Coca dans l'autre.

— J'peux pas croire que t'as engagé cette ordure, cracha Reb.

— J'ai dit ça suffit.

— J'conduis pas mon camion ici si c'est lui qui s'en occupe.

— J'crois que j'peux perdre des clients et arriver à survivre, riposta Smitty.

On entendit le bruit d'un crachat, après quoi Reb tourna les talons et sortit au pas de charge. Au moment de monter dans son engin, il vociféra :

— Tu vas le regretter, Zeb Smith. Les sales types comme lui n'ont pas leur place à Hayden.

Tandis que le véhicule s'éloignait, Smitty posa une main sur l'épaule de Joe.

— C'est une pourriture, Joe. Il a toujours été méchant comme la gale.

Par la fenêtre, Joe suivit des yeux le camion rouge qui bringuebalait sur la route.

— Tu vas perdre des clients, dès que la rumeur de ma présence ici se sera répandue.

— Ça ne fait rien. Ma maison est payée. J'ai un meublé en ville qui me rapporte cinq cents dollars par mois. Helga et moi, on a tous les deux la Sécurité sociale. J'ai pas besoin d'un seul fichu client. Plus jamais.

— N'empêche. Ta réputation, c'est important.

Smitty serra l'épaule de Joe.

— Selon les dernières nouvelles que Helga et moi on a eues de notre Phil, il vit à Seattle. Sous le viaduc. Drogué à l'héroïne. J'espère chaque jour que quelqu'un lui tende la main.

Joe opina. Il ne savait que dire.

Finalement, Smitty lança :

— Il faut que j'aille faire les courses au Costco. Tu crois que tu peux t'occuper du garage pendant deux heures ?

— Pas si la visite de Reb est un signe.

— Mais non.

Smitty lança les clés à Joe.

— Ferme quand ça te chante.

Sur ce, Smitty tourna les talons.

Joe termina sa journée de travail sans arriver à oublier l'incident pour autant. C'était comme si les mots de Reb planaient encore dans le garage, empoisonnant l'atmosphère : « Cette ville n'a pas besoin d'un type comme toi. »

Dès qu'il eut fermé boutique, il se sentit à nouveau vide. La justesse des remarques de Reb lui avait fichu un coup. C'est alors qu'il se souvint de Gina. Il avait une famille, ici ; la solitude n'était plus une fatalité.

Il rentra dans le bureau pour téléphoner à sa sœur. Le répondeur s'enclencha, mais Joe reposa le combiné sans laisser de message.

Il verrouilla pour la nuit et s'apprêtait à regagner son bungalow quand son regard se tourna par hasard vers la rue. L'enseigne au néon vantant la bière Redhook dans la vitrine de Chez Mo attira son attention. Soudain, il eut soif, et aussi très envie de se glisser dans cette pénombre enfumée et d'y boire jusqu'à ce que la douleur dans sa poitrine disparaisse.

Renfonçant la casquette de base-ball sur son front, il traversa la rue. Devant la taverne, il s'arrêta juste assez longtemps pour prier qu'il n'y ait aucune de ses connaissances à l'intérieur, avant de pousser la porte en bois abîmée.

Il embrassa l'endroit du regard et, devant l'absence de visages familiers, se remit à respirer. Il se fraya un chemin jusqu'à une table dans le fond, la plus éloignée des plafonniers. Quelques minutes plus tard, une serveuse à la mine fatiguée apparut. Elle nota sa commande, un pichet de bière, et la lui apporta sur-le-champ. Joe s'en versa une chope. Malheureusement, les trois chaises vides autour de la table lui rappelèrent d'autres temps, dans une autre vie. À cette époque-là, il ne buvait jamais seul.

Meghann n'avait pas assisté à ce genre de fête depuis plus de dix ans. Ses amies et collègues vivaient des années avec leur petit copain et, parfois, se mariaient, mais dans l'intimité. Meghann ignorait comment s'y prendre pour se fondre dans cette assemblée de provinciaux, comment se mettre au diapason. La dernière chose qu'elle voulait, c'était se faire remarquer.

La veille, après son rendez-vous avec Roy, elle avait passé encore un moment dans un magasin d'électroménager. Bien qu'elle n'ait rien d'une cuisinière hors de pair, elle connaissait les ustensiles et les gadgets utiles dans une maison. Quelquefois, quand elle n'arrivait pas à dormir, elle regardait les émissions culinaires à la télévision, ce qui lui avait permis de repérer les accessoires essentiels. Elle avait donc acheté à Claire – et Bobby, même si, à vrai dire, elle ne pensait pas à eux comme à un couple – un robot ménager.

À son retour chez sa sœur, elle était fatiguée, et le dîner n'avait rien arrangé. Au fur et à mesure que le repas avançait, elle s'était sentie de plus en plus isolée, une femme marquée par la solitude, même au sein de sa soi-disant famille.

Elle avait essayé de faire la conversation, mais c'était difficile. Claire et Bobby se quittaient à peine des yeux, et Alison jacassait en permanence, relançant sa mère et Bobby. Aux rares occasions où Meghann avait réussi à placer un mot entre deux tirades de sa nièce, elle avait découvert ce qu'on entend par silence de mort.

« Quoi ? » avait demandé Bobby deux fois, cillant lentement tandis qu'il s'arrachait à la contemplation de Claire.

Du coup, Meghann ne se souvenait plus de ce qu'elle venait de dire. Elle se rappelait juste que c'était une erreur, puisqu'elle avait fait allusion à son travail. Une petite remarque innocente sur un de ces fainéants de pères, et Alison avait demandé en criant presque :

« Est-ce que Bobby et toi vous allez divorcer, un jour, m'man ?

— Non, ma chérie, n'écoute pas tante Meg, avait répliqué Claire, agacée. Dès qu'on parle de mariage, elle se transforme en antéchrist.

— Quoi ? »

Bobby avait ri si fort qu'il en avait renversé son lait. Ce qui avait fait pouffer Alison, puis Claire. Il était remarquable de voir à quel point le rire des autres contribuait à vous isoler.

Meghann avait été la seule à garder son sérieux alors que Claire et Bobby réparaient les dégâts. Elle s'était excusée et, prétextant une migraine, avait quitté la table pour courir à l'étage.

Aujourd'hui, elle se sentait mieux. Un coup d'œil au réveil sur la table de chevet lui apprit qu'il était dix-huit heures quarante-cinq. Allez, Meg, s'exhorta-t-elle. Tu dois célébrer la décision de ta sœur d'épouser un raté de première. En prime, tu lui offriras ton cadeau !

Elle traversa le couloir et s'engouffra dans la salle de bains, où elle ramassa son abondante chevelure noire en chignon et se maquilla assez pour masquer les dégâts laissés autour de ses yeux par le manque de sommeil. Choisir une tenue lui demanda du temps. Heureusement, elle en avait apporté beaucoup.

En fin de compte, elle opta pour une robe noire toute simple. Avec Armani, elle était sûre de ne pas se tromper. Elle enfila un collant noir très fin et une paire d'escarpins avant de descendre.

La maison était silencieuse.

— Claire ?

Pas de réponse.

C'est alors qu'elle vit le mot sur la table :

Chère Meg,
Désolée que tu sois malade. Reste ici et repose-toi. À plus tard.
C.

Claire et Bobby étaient partis sans elle. Elle consulta sa montre : dix-neuf heures. Évidemment. Les invités d'honneur ne pouvaient pas se permettre d'être en retard.

— Zut !

Meghann envisagea de ne pas bouger. « Je suis désolée, Claire. Je… ne retrouvais plus l'adresse… me sentais mal… n'ai pas réussi à faire démarrer le moteur… » Ces excuses étaient plausibles. En réalité, Claire serait sans doute ravie que Mcghann ne vienne pas. Et malgré tout, ce serait poser une brique supplémentaire sur le mur qui les séparait. Il y en avait déjà assez comme ça.

Meghann passa son sac au crible, cherchant l'invitation couleur lavande qui disait : « Remise des cadeaux en couple à Claire et Bobby, dix-neuf heures. » Le plan d'accès figurait au dos.

Meghann ne se rappelait pas à quand remontait la dernière fois où elle avait autant traîné pour gagner sa voiture ni respecté aussi scrupuleusement la limitation de vitesse. Elle eut beau prendre son temps, elle ne peina pas à suivre les indications, car Hayden était une petite ville ; aussi, il lui fallut moins de dix minutes pour trouver la maison de Gina. Elle gara la Porsche derrière un pick-up rouge cabossé avec un casier à fusils dans la cabine et un autocollant sur le pare-chocs proclamant : « J'emmerde les chouettes. » Encore un ami des bêtes.

Meghann sortit de la Porsche et remonta l'allée menant jusqu'à une maison en rondins biscornue, agrémentée d'une véranda panoramique. Des géraniums rouge vif et des lobélies violettes s'échappaient en cascade de pots suspendus. Il y avait des rhododendrons avec des bourgeons rouges gros comme des soucoupes partout. Meghann entendait le bourdonnement des conversations à travers les fenêtres ouvertes et le rythme syncopé d'un vieux tube de Queen, « Another One Bites the Dust », venant de quelque part à l'intérieur.

Le choix du titre – « Encore un qui mord la poussière » – amusa Meghann. Serrant son présent sous le bras, elle gravit les marches de la véranda et frappa à la porte. Tu vas y arriver. Tu peux t'entendre avec les amis de Claire. Contente-toi de sourire et de faire des signes de tête, et demande un pichet de margarita, se raisonnait-elle.

Il y eut un bruit de pas précipités et la porte s'ouvrit. C'était Gina. Son visage était plissé par le rire, jusqu'à ce qu'elle aperçoive Meghann.

— Oh.

Elle recula pour lui permettre d'entrer.

— Je suis contente que tu te sentes mieux.

Meghann inspecta Gina. Elle portait un corsaire en jean et un tee-shirt noir trop grand, et était pieds nus. Génial !

— Je suis trop habillée.

— Tu plaisantes ? Si je n'avais pas pris sept kilos depuis que Rex m'a quittée, j'aurais choisi une autre tenue que celle-ci. Viens. Tu es ma cavalière pour la soirée. Je croyais que tu m'avais posé un lapin.

Prenant Meghann par le bras, Gina lui fit traverser un large couloir vers l'endroit d'où provenait le vacarme. Elles atteignirent la pièce principale, qui donnait sur un jardin admirablement entretenu.

271

— Claire ! Regarde qui a réussi à venir, lança Gina, assez fort pour être entendue de tous malgré le tapage.

Les conversations s'arrêtèrent et l'assemblée se tourna vers les arrivantes. C'était une mer de tee-shirts et de jeans. À l'exception de Meghann, bien sûr, qui avait l'air fin prête pour aller danser au sommet de la Space Needle.

Claire s'extirpa de son tête-à-tête avec Bobby pour se précipiter vers sa sœur. Elle était superbe en pantalon de coton bleu glacier et pull blanc à encolure bateau. Ses longs cheveux blonds étaient retenus en arrière par un chouchou blanc. Elle sourit à Meghann.

— Je suis ravie que tu sois venue. Je croyais que tu avais la migraine. Quand ça m'arrive, je ne peux pas bouger pendant des heures.

Meghann avait l'impression d'être Jackie Onassis à la fête de la bière.

— Je n'aurais pas dû vous rejoindre. Je vais rentrer.

— S'il te plaît, ne pars pas, implora sa sœur. Je suis heureuse que tu sois parmi nous. Sincèrement.

Bobby se fraya un passage à travers la foule et se faufila au côté de Claire, glissant un bras autour de ses hanches. Meghann devait reconnaître qu'il était beau. Sacrément beau. Il ne se contenterait pas de briser le cœur de Claire, mais le réduirait en miettes.

— Salut à toi, Meghann, claironna-t-il avec un large sourire. Content de te voir.

Le fait que ce rustaud lui souhaite la bienvenue à la soirée de sa propre sœur restait en travers de la gorge de Meghann. Elle dut se forcer à faire bonne figure.

272

— Merci, Bobby.

Ils restèrent plantés comme des piquets dans un silence gêné. Gina finit par s'exclamer :

— Je parie que tu meurs d'envie de boire un verre.

Meghann approuva.

— Avec plaisir.

— Suis-moi dans la cuisine, proposa Gina. On va te trouver un margarita géant.

— Dépêchez-vous de revenir, avertit Claire. On est sur le point de commencer les jeux.

Meghann trébucha en entendant cette petite phrase. Les jeux ?

Meghann avait mal à la tête pour de bon, maintenant.

Elle était assise sur le bord du canapé, tenant sur ses genoux serrés, dans une attitude guindée, une assiette en carton remplie de cookies faits maison. Les autres invités – allant par paires, comme sur l'Arche de Noé – étaient affalés en cercle sur le parquet. Ils parlaient en même temps, évoquant les souvenirs d'une période inconnue à Meghann :

— Tu te rappelles quand Claire est tombée du plongeoir au camp de Lake Island...

— Et quand elle a caché la règle préférée de Mme Testern...

— Et quand elle a appelé le centre antipoison, parce qu'elle avait trouvé Ali en train de manger le désodorisant du panier des couches sales...

Les années de collège et de lycée, les années où les filles avaient envie de s'amuser, comme le chantait Cindy Lauper, les années avec Alison... Toutes

273

étaient mystérieuses pour Meghann. Elle aussi avait des histoires à raconter, bien sûr : celles d'une petite fille qui avait coupé ses cheveux, un jour, pour ressembler à Buffy dans *Family Affair*, qui pleurait chaque nuit quand sa maman oubliait de rentrer et qui dormait roulée en boule dans les bras de sa sœur aînée sur un lit de camp trop étroit.

— Tiens, voici la grande sœur de Claire, s'exclama une femme brune en jean délavé et tee-shirt Old Navy.

Son alliance était ornée d'un diamant gros comme la gomme au sommet des crayons. Elle se laissa tomber à côté de Meghann.

— Je m'appelle Karen. On s'est rencontrées il y a plusieurs années. Ta robe est très jolie.

— Merci.

— J'ai entendu dire que tu veux que Claire établisse un contrat de mariage.

— Les banalités sont déjà finies ?

— On s'entraide les unes les autres.

Meghann n'était pas mécontente de l'apprendre. Dieu sait si elle n'avait pas été là pour jouer les anges gardiens avec Claire. C'était la raison pour laquelle elle se trouvait assise sur ce canapé comme une étrangère endimanchée en faisant semblant d'adorer les cookies.

— Claire a de la chance de vous avoir pour amies.

— On a toutes de la chance. Claire ne veut rien signer, tu sais. Je lui ai donné le même conseil que toi.

— Ah oui ?

Karen agita les doigts de sa main gauche.

— Je suis une rescapée des guerres du divorce. L'homme là-bas, qui mâche comme un écureuil, c'est Harold.

— Tu pourrais peut-être parler à Claire. Ce n'est pas malin de sa part de se lancer dans cette aventure sans protection.

— Cette aventure, c'est le mariage, et tout y est basé sur la confiance. Ta sœur est l'une des rares personnes de ce monde à y croire. Ne lui retire pas ça.

— À la fac de droit, on nous retire la confiance presque chirurgicalement.

— À mon avis, tu avais déjà perdu la tienne bien avant. N'aie pas l'air si choquée. Je ne suis pas médium. On se raconte tout les unes aux autres. Claire et toi en avez bavé, quand vous étiez petites.

Gênée, Meghann se tortilla sur son siège. Elle n'avait pas l'habitude qu'autrui en sache autant sur son compte. Ni ses amis ni, encore moins, les étrangers. Son enfance était un sujet sur lequel elle ne s'était jamais confiée à personne, pas même à Élisabeth. Elle se souvenait de la façon dont les gens la regardaient alors, comme si elle faisait partie des petits Blancs[1] ; elle n'avait pas eu envie que ce jugement la poursuive jusqu'à l'âge adulte.

Karen semblait attendre une réaction de sa part. Le silence s'éternisait. Le cœur de Meghann se mit à battre plus fort. Elle ne voulait pas continuer la conversation. Ces Bleues étaient trop abruptes.

---

1. Les *White Trash* sont la frange la plus pauvre de la population blanche des États-Unis. (*N.d.T.*)

— C'est l'heure des jeux, hurla soudain Gina en se levant.

Meghann poussa un soupir de soulagement.

— Gina adore ça, commenta Karen. J'espère juste que personne ne va devoir s'humilier. J'ai été ravie de te revoir. Il vaut mieux que je file. Harold commence à faire une drôle de tête.

En un clin d'œil, Karen partit retrouver son mari.

— Dehors, ordonna Gina en tapant à nouveau dans ses mains et en poussant tout le monde vers l'extérieur, où des beignets couverts de sucre glace pendaient à intervalles réguliers, suspendus à une corde à linge mal tendue. Chacun doit choisir un beignet et se mettre devant.

Se ruant vers la corde, les invités se placèrent en ligne.

Meghann était restée en retrait dans l'embrasure de la porte.

— Allez, Meg, l'encouragea Gina. Il y a une place pour toi aussi.

Chacun se retourna pour la dévisager.

Elle se dépêcha de traverser la véranda et le jardin. Le parfum sucré du chèvrefeuille et des roses embaumait l'air nocturne. Il devait y avoir une mare non loin de là, car on entendait des grenouilles coasser en masse, ce qui donnait à la soirée une atmosphère étrange et irréelle. Ou peut-être était-ce à cause des beignets...

— Quand je déclenche le chronomètre, chacun lèche le sucre. Ça nous indiquera qui est celui ou celle qui embrasse le mieux.

Un homme rit à gorge déployée. Meghann se dit que c'était sûrement le mari de Charlotte.

— Si tu veux savoir qui parmi nous sait le mieux se servir de sa langue, on devrait...

— Je ne te conseille pas de finir cette phrase, l'interrompit Charlotte en riant.

— Allez-y. Et pas le droit d'utiliser les mains.

Le groupe s'attela à la tâche. Au bout de quelques secondes, l'hilarité régnait. Meghann fit vraiment un effort, mais au premier essai, elle s'envoya le beignet dans le nez, constellant le devant de sa robe de particules blanches.

— Fini, brailla Bobby en levant les bras au ciel, comme s'il venait de marquer un point crucial au base-ball.

Claire l'entoura de ses bras.

— Et voilà la vraie raison pour laquelle j'épouse Bobby.

Meghann s'éloigna de sa cible. Une fois de plus, elle était la seule à rester de marbre et son silence lui pesait sur la poitrine comme le A stigmatisant l'adultère d'Hester Prynne dans *La Lettre écarlate* de Nathaniel Hawthorne.

Gina tendit un CD à Bobby.

— Tu as gagné. Je dois dire, par ailleurs, qu'aucun de nous ne te regardera plus de la même façon, désormais.

Elle fonça à l'intérieur pour revenir chargée d'un gros bol en porcelaine blanche.

— Le jeu suivant s'intitule « la vérité dans les M&M's ». Chacun en prend autant qu'il veut et va s'asseoir quelque part.

Gina circula à travers le groupe, distribuant les bonbons.

Meghann remarqua qu'elle n'était pas la seule à se méfier. Personne ne se servit beaucoup. Meghann en attrapa deux et s'installa en haut du perron. Les autres se posèrent sur le gazon.

— À chaque M&M's, vous devez dire une chose à propos de la mariée ou du marié et faire une prédiction pour l'avenir.

Un grognement parcourut la partie masculine de l'assistance.

Harold roula des yeux. Karen lui donna un coup de coude.

— Je commence, proposa Charlotte. J'ai trois M&M's. Je prédis que le beau sourire de Claire persistera, car Bobby va se débrouiller pour ça ; que celui-ci sera gros à quarante ans, car Claire est très bonne cuisinière ; et qu'il va apprendre à apprécier le genre taché et froissé, car elle déteste faire la lessive.

Claire fut celle qui rit le plus fort.

— À mon tour, dit Karen. Je suis au régime, comme d'habitude, du coup je n'ai pris qu'un M&M's. Je prédis que grâce à Bobby, Claire parviendra à maîtriser son... penchant pour les appareils électriques.

— Karen ! protesta Claire en s'esclaffant.

Ils continuèrent à faire le tour du cercle et à chaque commentaire, Meghann se sentait de plus en plus mal à l'aise. Même les maris des amies de Claire paraissaient en savoir plus qu'elle sur la vie quotidienne de cette dernière et elle était terrifiée à l'idée que quand son tour viendrait, elle laisserait échapper la phrase fatidique : « Je prédis que Bobby brisera le cœur de Claire. » Elle finit son second margarita à lampées avides.

— Meg, Meg ?

C'était Gina.

— À toi.

Meghann regarda la paume de sa main. La transpiration avait transformé les pastilles en traces rouges.

— J'ai deux M&M's. Claire est la meilleure mère que je connaisse, c'est pourquoi je prédis qu'elle aura un enfant avec Bobby.

Claire sourit et se pencha amoureusement vers Bobby, qui lui murmura un mot à l'oreille.

— Une autre, Meg.

Elle acquiesça.

— Claire sait aimer, mais elle ne se laisse pas aller facilement, alors je prédis… que cette fois-ci est la bonne, acheva Meghann après avoir marqué une légère pause.

Quand elle releva la tête, elle remarqua que Claire s'était rembrunie.

Meghann ignorait ce qui clochait dans sa prédiction. Elle lui avait paru gaie et optimiste, romantique, même. Pourtant, sa sœur semblait au bord des larmes.

— Je suis la dernière, annonça Gina pour rompre le silence soudain. Je n'ai qu'un M&M's. Claire n'est pas musicienne. Je prédis donc que Bobby ne la laissera jamais chanter les chœurs.

L'intervention de Gina relança les rires et les conversations. Tout le monde se pressa autour du couple.

C'était absurde, mais Meghann sentit les larmes lui monter aux yeux. Elle se leva avec maladresse, constatant que les margaritas étaient plus forts qu'elle ne le pensait. Elle tourna le dos à la fête. Si elle finissait saoule, ce serait la goutte d'eau qui ferait déborder le vase. Profitant d'un moment où personne ne la regardait, elle se glissa à l'intérieur, pour se précipiter ensuite vers sa voiture.

Elle avait l'intention de rentrer et d'attendre Claire pour s'excuser des hypothétiques choses déplaisantes qu'elle avait dites.

C'est alors qu'elle aperçut la taverne.

15

Meghann leva le pied. La Porsche se mit à rouler au pas.

À travers la vitre de la taverne, teintée de gris par la fumée, Meghann devinait les silhouettes, dans l'ombre, tassées les unes contre les autres le long du bar.

Il était facile de se perdre dans une foule de ce genre, où personne ne vous demandait votre nom ni la raison de votre présence. Meghann savait que si elle prenait un verre, voire deux ou trois, elle se sentirait mieux. Peut-être rencontrerait-elle quelqu'un... qui l'emmènerait chez lui quelques heures et l'aiderait à oublier. À dormir.

L'expérience lui avait appris qu'un soir comme celui-là, quand ses défauts lui étaient aussi douloureux que de petits morceaux de verre pointus incrustés dans sa chair, elle était sûre de rester allongée dans son lit en regardant le plafond, incapable de trouver le sommeil. Le matin, elle se réveillerait pour découvrir dans le miroir un visage ridé au regard triste et fatigué.

Meghann appuya sur l'accélérateur. Le moteur rugit en revenant à la vie. Elle franchit deux rues en trombe, trouva une place de parking et y gara sa voiture. Au moment où elle coupait le contact, elle remarqua à quel point la nuit était calme. La Grande Ourse semblait pointer en direction de la rivière.

La plupart des magasins étaient fermés. Certains avaient laissé leur enseigne allumée. Tous les cinq mètres, un lampadaire en fer forgé vert projetait sa lumière vers le sol, dessinant des motifs festonnés le long de la promenade en planches obscure.

Rajustant la bandoulière de son sac tout en coinçant celui-ci sous son coude, Meghann se dirigea vers la taverne. Une fois devant la porte ouverte, elle entra sans hésitation.

L'endroit ressemblait aux centaines d'autres qu'elle avait déjà fréquentés. La fumée se massait contre le revêtement acoustique du plafond, traînant comme les manches d'un fantôme sous l'éclairage intégré. Le bar, un modèle gigantesque en acajou, vieux d'au moins un siècle, occupait le côté droit de la pièce. La glace posée au-dessus, veinée de filaments dorés et à laquelle l'âge avait conféré la couleur de l'argent terni, mesurait au bas mot dix mètres de long. Les clients s'y voyaient plus grands et plus minces, comme dans un miroir déformant, même s'ils étaient trop saouls pour s'en apercevoir.

Meghann remarqua les gens agglutinés près du comptoir, assis sur des tabourets de bois. Il y avait plus de pichets que de convives et ceux-ci tenaient tous une cigarette allumée. C'était les buveurs purs et durs, ceux qui retrouvaient leur place au bar dès

282

dix heures du matin et qui s'y installaient pour la journée.

Des tables rondes étaient éparpillées sur la gauche. En arrière-plan, Meghann distingua les contours imprécis d'un billard et entendit les claquements et les coups sourds d'une partie en cours. Une vieille chanson de Springsteen, « Glory Days », passait sur le juke-box. Parfait. C'était probablement le type en chemise rouge et blanc proclamant qu'il avait gagné un trophée sportif qui l'avait choisie. Il y avait belle lurette qu'il avait perdu ses cheveux.

Meghann avança à travers l'atmosphère brumeuse. Son cœur battait plus vite : la fumée et l'anticipation faisaient pleurer ses yeux. Elle s'approcha du premier espace libre au bar, où un homme à l'air usé épongeait un peu de liquide renversé. À l'arrivée de Meghann, il soupira et leva les yeux. S'il était surpris de la voir – après tout, ce n'était pas courant que des femmes comme elle se montrent seules dans un endroit mal famé –, il le cacha bien.

— Qu'est-ce que vous voulez ?

Il jeta son chiffon pour reprendre sa cigarette dans le cendrier.

Meghann eut un sourire charmeur.

— Un martini.

— C'est une taverne, ici, ma petite dame. On n'a pas le droit de servir d'alcools forts.

— Je plaisantais. Je prendrai un verre de vin blanc. Du vouvray, si vous avez.

— On a de l'Inglenook et du Gallo.

— Inglenook.

L'homme se retourna et partit de l'autre côté. Un instant plus tard, il revenait avec un verre.

283

Meghann fit claquer sa carte de crédit Gold sur le comptoir.

— Ouvrez-moi un compte.

Le juke-box cliqueta, bourdonna. Un vieux tube d'Aerosmith retentit. Meghann eut un flash-back subit de sa jeunesse et se revit debout au premier rang au centre de la salle de concert du Kingdome, criant son amour pour Steven Tyler, le chanteur du groupe.

Elle reprit sa carte au barman, la rangea dans son sac et alla vers la table la plus proche, où étaient installés trois hommes à la voix sonore. Normalement, elle aurait cherché une place vide et se serait assise en attendant de voir qui allait l'aborder, mais ce soir-là elle se sentait à cran.

— Bonjour, lança-elle en se glissant entre deux des hommes.

La conversation s'arrêta net. Ce silence soudain lui fit presque grincer des dents. Alors seulement, elle remarqua que ses interlocuteurs portaient une alliance.

— Salut, répondit l'un d'eux en gigotant sur sa chaise.

Il évita de croiser le regard de Meghann, mal à l'aise.

— Salut.

— Salut.

Meghann s'efforçait de rester souriante, même si ce n'était pas facile.

— Il faut que j'y aille, les gars, balbutia le premier en reculant.

— Moi aussi.

— Moi aussi.

En trente secondes, ils avaient décampé.

Meghann fit de grands signes en direction de leur dos, s'écriant gaiement :

— À bientôt, faites attention sur la route !

Juste au cas où quelqu'un aurait été témoin de son humiliation.

Elle compta en silence jusqu'à cinq et se retourna. Pas trop loin, une autre table était occupée par un homme seul. Il écrivait sur un bloc jaune, prenant sans doute des notes dans un livre de cours ouvert devant lui, si concentré sur son travail qu'il n'avait pas remarqué la débâcle à côté.

Meghann s'approcha de lui.

— Je peux me joindre à vous ?

Quand il leva la tête, elle s'aperçut qu'il était jeune. Environ vingt et un ou vingt-deux ans. À son regard, on devinait qu'il n'était pas sur ses gardes, et rempli de cet espoir infini inhérent à la jeunesse. Meghann se sentit attirée et réchauffée par cet optimisme.

— Pardon, madame. Qu'est-ce que vous avez dit ? Madame...

— Appelez-moi Meg.

Il parut désarçonné.

— Vous me rappelez quelqu'un. Vous êtes une amie de ma mère, Sada Carlyle ?

Meghann eut l'impression d'être la vieille dame de *Titanic*.

— Non. Et je... pensais vous connaître, mais je me suis trompée. Désolée.

Elle serra son verre plus fort. Le désespoir n'était pas loin, il lui tapait presque sur l'épaule. Ressaisis-toi, s'admonesta-t-elle.

Elle se dirigea vers une autre table. Au moment où elle s'en approchait, une femme se glissa dans la chaise vide et se pencha pour embrasser le garçon sur le siège en face.

Meghann bifurqua comme une flèche sur la gauche, heurtant un type hirsute aux allures de vagabond qui revenait visiblement du bar.

— Désolée. J'aurais dû mettre mon clignotant avant de tourner comme ça.

— Il n'y a pas de mal.

Il retourna s'asseoir. Meghann remarqua qu'il ne tenait pas bien sur ses jambes.

Elle resta debout, clouée sur place, seule au milieu de la salle surpeuplée. Il y avait trois hommes à l'arrière, près du billard. Deux d'entre eux paraissaient un peu dangereux, avec leurs vêtements de cuir noir et leurs chaînes. Le crâne chauve du troisième était si tatoué qu'on aurait dit la Terre vue de l'espace.

Le désespoir montait, pressant Meghann d'essayer encore, mais cela ne servirait à rien. Ce n'était pas sa soirée. Elle allait devoir retourner dans la chambre d'amis accueillante et confortable de Claire, se mettre au lit seule et passer la nuit à se tourner et se retourner, torturée par le désir. Torturée par le désir, plus que tout.

Meghann fixa le vagabond. Il avait les épaules larges. Son tee-shirt noir était tendu sur le haut de son dos. La ceinture de son jean défraîchi bâillait comme s'il avait perdu du poids sans se soucier d'acheter un pantalon à sa taille.

C'était lui... ou la solitude.

Meghann alla jusqu'à sa table et se posta derrière.

— Je peux m'asseoir ?

— Je suis quoi, votre cinquième choix, avec un peu de chance ?

— Vous comptiez ?

— Ce n'est pas dur, ma belle. Vous faites le vide dans cet endroit plus vite qu'un policier dans une fête d'étudiants.

Meghann tira une chaise et s'installa. Les accords de « Looking for Love » montèrent du juke-box. « Chercher l'amour »... dans tous les endroits où il n'est pas...

L'inconnu leva les yeux. Par-dessous sa frange argentée, certainement taillée avec un couteau de poche, une paire d'yeux bleus détaillait Meghann. Avec un sursaut, elle constata que son interlocuteur n'était pas beaucoup plus vieux qu'elle, et presque beau, dans le genre cow-boy solitaire. À le voir, on aurait dit que, plus jeune, il avait dû traîner dans pas mal de coins louches.

— Quoi que vous cherchiez, reprit-il, vous ne le trouverez pas ici.

Meghann s'apprêtait à flirter avec une repartie drôle et impersonnelle, mais avant même que sa langue ait formé le premier mot, elle s'arrêta. Il avait quelque chose de...

— On s'est déjà rencontrés ? demanda-t-elle, troublée.

En général, elle se félicitait de sa mémoire. Les visages, elle les oubliait rarement. Sauf s'ils appartenaient aux hommes qu'elle avait dragués. Ceux-là disparaissaient instantanément. S'il vous plaît, mon Dieu, faites que je n'aie pas déjà couché avec celui-là.

— On me dit ça tout le temps. J'ai juste un visage ordinaire, je suppose.

Non, ce n'était pas la question. Meghann était sûre de l'avoir déjà vu quelque part, mais elle s'en fichait. D'ailleurs, son but, ce soir-là, était de rester dans l'anonymat, pas de se faire des amis.

— C'est loin d'être le cas. Vous êtes du coin ?

— Maintenant, oui.

— Vous travaillez dans quoi ?

— Est-ce que j'ai l'air de gagner ma vie ? Je me débrouille, c'est tout.

— C'est ce qu'on fait tous, en fin de compte.

— Écoutez, ma belle…

— Meg, mes amis m'appellent Meg.

— Meg. Je ne vais pas vous ramener chez vous. Est-ce que c'est assez clair ?

La réponse la fit sourire.

— Je ne me souviens pas de vous avoir demandé une chose pareille. Simplement si je pouvais m'asseoir. Vous extrapolez beaucoup.

Il recula un peu, mal à l'aise.

— Désolé. J'ai été seul pendant un moment. Ça fait de moi un piètre compagnon.

« Un piètre compagnon » : voilà qui sonnait comme les paroles d'un homme éduqué…

Meghann se rapprocha pour l'examiner. En dépit de la faiblesse de la lumière et de la fumée de cigarette qui obscurcissait l'air, elle aimait ses traits.

— Et si j'avais envie que vous me rameniez ?

Quand elle releva la tête, elle aurait juré qu'il avait pâli. Ses yeux étaient aussi bleus que le fond d'une piscine.

Il mit une éternité à reprendre la parole.

288

— Je répondrais que ça ne voudrait rien dire.

Le son de sa voix était oppressé. Il avait l'air effrayé.

Meghann plissa le front.

— Le sexe ?

Il acquiesça.

Soudain, elle fut envahie par l'excitation de la chasse et son cœur s'emballa. Elle tendit la main, passant son index le long du dos de celle de l'homme.

— Et si je disais que ce n'est pas grave ? Que je ne souhaite pas que ça signifie quelque chose ?

— Je répliquerais que c'est triste.

Mortifiée, Meghann retira sa main et se sentit transparente, comme si son interlocuteur voyait à travers elle.

— Vous voulez vous envoyer en l'air ou pas ? Sans obligations. Sans avenir. Juste ce soir. Histoire de passer le temps.

La voix de Meghann se brisa : un son ténu et désespéré, qui lui fit si honte qu'elle se tut.

Le silence s'éternisa à nouveau. L'homme finit par le rompre.

— Je ne sais pas si je suis doué pour ça.

— Moi, oui.

Meghann serra les lèvres pour s'empêcher de formuler une bêtise. C'était ridicule, mais elle se sentait angoissée. Elle voulait que cet individu étrange ait envie d'elle, si fort qu'elle en était dépassée. Il n'était pas grand-chose, un maillon de plus dans la chaîne des partenaires pas libres et faciles à oublier avec lesquels elle avait couché depuis son divorce. Pour autant qu'elle puisse en juger, il n'avait rien de particulier, rien qui justifie ce frémissement familier dans sa poitrine. Mais elle craignait qu'il ne la repousse.

— Peut-être qu'on pourrait s'aider mutuellement à aller au bout de cette nuit.

Il se leva si vite que sa chaise vacilla et faillit tomber.

— J'habite au bout de la rue.

Meghann ne le toucha pas, ne lui prit pas la main, n'eut aucun geste possessif à son égard. Elle ne manifesta pas l'habituelle affection de façade et se contenta de murmurer :

— Je vous suis.

Arrête ça maintenant, pensa Joe. Tourne-toi juste vers cette femme et dis-lui : « Je me suis trompé, je suis désolé. » Mais il continuait à avancer, à poser un pied devant l'autre. Il sentait le parfum de Meghann. Quelque chose de sucré et de sexy, avec une touche de renfermé qui lui rappelait l'été dans le Sud profond, les arbres en fleurs odorants et les chaudes nuits sombres. Il perdait les pédales ; sans doute était-il plus saoul qu'il ne le pensait.

C'était trop dur. Il ne savait même plus comment on faisait : pas la partie sexe, ça, il s'en souvenait. C'était plutôt le reste qu'il avait oublié : parler, toucher, être avec l'autre.

Soudain, il se retrouva devant le chalet. Meghann et lui avaient remonté trois pâtés de maisons sans qu'il arrive à engager la moindre conversation. Meghann ne l'avait pas fait non plus et Joe ignorait si cela l'arrangeait ou non. Si elle avait bavassé de tout et de rien, il aurait trouvé la force de lui tourner le dos, de s'excuser et de partir. Mais grâce à son silence, il n'avait pas réagi.

— Voici où j'habite en ce moment, annonça-t-il alors qu'ils se tenaient devant la porte d'entrée.

En son for intérieur, il jugea ce commentaire plutôt stupide.

— En ce moment ?

La réaction de Meghann prit Joe de court. Elle avait relevé la seule information importante de la phrase. Avec elle, il devrait faire attention.

Il lui ouvrit, s'effaçant pour la laisser passer.

Un éclair d'incertitude traversa le visage de Meghann, puis elle précéda Joe dans les ténèbres. Il la suivit, laissant volontairement les lumières éteintes : d'une part, à cause des photos de Diana dispersées partout, d'autre part, parce qu'il n'avait pas envie d'expliquer pourquoi il avait choisi ce mode de vie, pas à cette femme aux vêtements de marque et aux bijoux or et platine hors de prix. En vérité, il ne voulait pas parler.

Dans la cuisine, il attrapa quelques bougies. Elles y étaient stockées par dizaines, en prévision des coupures de courant pendant les tempêtes d'hiver. Sans un mot, il les emporta dans la chambre, les disposa où il pouvait, puis les alluma une à une. Sa tâche terminée, il se retourna. Meghann se tenait au pied du lit, agrippant son sac comme si elle pensait qu'il allait le lui voler.

Cessant de retenir sa respiration, il souffla enfin. Elle était splendide : cheveux noirs de jais, peau pâle, yeux verts en amande, lèvres qui semblaient ne sourire qu'à regret. Qu'est-ce qu'elle faisait ici avec lui ? Et qu'est-ce qu'il fabriquait avec elle ? Depuis le décès de Diana, il n'avait pas été avec une femme.

Meghann chercha quelque chose dans sa besace – Un préservatif... Oh, Seigneur ! – et la laissa tomber sur le sol.

Tout en marchant vers Joe, ondulant des hanches, elle défit la fermeture à glissière de sa robe. Celle-ci lui tomba sur les bras, révélant un soutien-gorge en dentelle noire et un décolleté laiteux.

Joe voulait lui dire de partir et pourtant il l'attira à lui d'un geste. Le corps de Meghann épousa le sien et, lentement, se mit à bouger.

Quand Joe trouva la force de se détacher d'elle, il tremblait.

— Est-ce que ça va ? s'enquit Meghann.

Il arrêta de parler, de penser, la portant juste jusqu'au lit.

Ils tombèrent ensemble sur les draps froissés. Joe était allongé sur Meghann dans une attitude possessive et il se sentait bien. Les hanches de la jeune femme se soulevèrent à sa rencontre. Grognant, il se pencha et prit la bouche de Meghann. Son contact doux et souple le ramena dans le passé.

— Diana.

— Qu'est-ce que tu as dit ?

Joe recula pour la contempler.

Meghann.

Cette fois, il garda les yeux ouverts pendant le baiser. Elle lui rendit le sien avec une telle ardeur qu'il en eut le souffle coupé. Elle fourra les mains sous son tee-shirt et lui effleura la poitrine.

— Enlève ton pantalon, ordonna-t-elle d'un ton rauque. Je veux te toucher.

Ils s'éloignèrent l'un de l'autre. Joe glissa hors du lit pour se déshabiller, d'une manière si peu assurée qu'il n'arriva pas à déboutonner son jean du premier coup.

Nus, ils tombèrent sur le lit. Joe se frotta contre Meghann, embrassant sa bouche ouverte, son menton, ses yeux clos. Elle enroula sa jambe sur la sienne et se colla à lui, puis le caressa et ajusta le préservatif d'un geste expérimenté.

Il se laissa aller pendant un doux moment d'agonie et s'écarta avant qu'il ne soit trop tard. Il glissa vers les seins de Meghann. Ses mains s'insinuèrent entre ses jambes tandis qu'il progressait plus bas, atteignant son nombril, son pubis.

Elle essaya de le repousser. Il la maintint, poursuivant le jeu érotique jusqu'à ce qu'elle gémisse et s'abandonne.

— Mon Dieu, implora-t-elle d'une voix cassée. Maintenant.

Il l'attira à lui d'un mouvement fluide et la pénétra. Elle s'accrocha à lui, creusant le dos pour aller à sa rencontre. Leurs corps étaient en harmonie.

L'orgasme de Joe ne ressembla à rien de ce qu'il avait jamais vécu.

— Dis donc ! commenta Meghann en ramenant ses cheveux humides en arrière. C'était exceptionnel.

Joe s'adossa à la tête de lit branlante. Saisi d'un accès de faiblesse générale, il tremblait comme une feuille. Meghann leva le regard vers lui, tout sourire, encore hors d'haleine.

— Comment t'appelles-tu ?

— Joe.

— Eh bien, Joe, c'était génial.

293

Au bout d'une longue minute, il osa glisser un bras autour d'elle. Il l'étreignait quand il ferma les yeux.

Pour la première fois depuis des années, il s'endormit en tenant une femme dans les bras.

Au réveil, il était seul.

16

— Oh là là !

Claire se laissa retomber dans le lit.

— Je ne me souviens plus de la dernière fois où ça a été ma fête le matin.

Elle écarta les cheveux qui lui tombaient sur les yeux et sourit à Bobby.

— Tu dois vraiment m'aimer pour m'embrasser avant que je me sois brossé les dents.

Bobby roula sur le côté. Son beau visage était marqué d'un lacis de fines marques d'oreiller.

— Tu te poses encore des questions, hein ?

— Non, répondit Claire trop vite.

Bobby effleura sa joue d'une caresse si douce qu'elle en soupira.

— Je t'aime, Claire Cavenaugh. Je voudrais corriger celui à cause duquel tu as tant de mal à me croire.

Elle savait que son sourire était plus qu'un peu triste. Mais elle n'y pouvait rien.

— Les hommes ne sont pas les seuls responsables.

— Je ne peux pas casser la figure à ta mère ou à ta sœur, quand même !

L'idée dérida Claire.

— Essaie juste de prouver à Meg qu'elle a tort. Rien ne l'énerve autant que ça.

— Elle fait des efforts.

Claire s'assit.

— Oui, j'ai remarqué. Elle a mentionné mon incapacité à aimer les gens et ensuite quitté la soirée.

— Elle t'a aussi acheté une robe qui vaut plus cher que ma voiture.

— L'argent, c'est facile, pour Meg. Elle en a beaucoup. Demande-le-lui.

Bobby s'appuya contre la tête de lit. Les couvertures glissèrent de sa poitrine nue jusqu'à sa taille.

— Meg a grandi avec ta mère, elle aussi, et elle n'avait pas de père pour la soutenir. Ça a forcément été dur pour elle que Sam prenne sa place, alors qu'elle t'avait élevée pendant des années.

— Je n'en reviens pas que tu la défendes. Elle m'a dit que j'étais stupide de t'épouser.

Bobby adressa à Claire ce sourire indolent qui la rendait flagada.

— Mon chou, tu ne peux pas lui en vouloir pour ça. Elle essaie de te protéger.

— De me contrôler, tu veux dire.

— Viens ici, chuchota Bobby.

Claire se pencha vers lui. Ses seins nus effleurèrent sa poitrine pendant qu'ils s'embrassaient. Il lui glissa une main autour du cou et prolongea son baiser jusqu'à ce qu'elle oublie leur conversation. Quand elle se dégagea, elle était étourdie et hors d'haleine.

— Je commence à te connaître, Claire Cavenaugh, bientôt Austin, dit Bobby contre ses lèvres. Tu as eu une migraine après le fiasco de l'essayage de la robe de mariée et une autre hier soir. Quand Meghann te blesse, tu dis que tu t'en fiches et tu prends de l'aspirine. J'ai connu ça, chérie. Je sais que ce qui est important, c'est qu'elle soit ta sœur. La seule et unique.

Claire aurait voulu contredire Bobby, mais elle savait que c'était inutile. Elle avait envie d'être à nouveau proche de Meghann, vraiment. De plus en plus, ces derniers jours, elle s'était surprise à se rappeler l'autre Meghann. À l'époque où toutes deux s'aimaient.

— Je suis fatiguée de nos rapports actuels, admit-elle.

— Ah ?

— Personne ne sait me pousser à bout comme Meghann. Elle a un véritable don pour dire le truc qu'il ne faut pas.

— Oui. Mon père était comme ça. On n'a jamais réussi à ce que ça colle entre nous. Maintenant qu'il n'est plus de ce monde, je regrette de ne pas avoir fait plus d'efforts.

— D'accord, Sigmund Freud. Je vais essayer de parler à Meghann. Encore une fois.

— Fini l'aspirine.

Claire embrassa Bobby langoureusement avant d'aller jusqu'à la salle de bains, nue. Le temps qu'elle finisse de se doucher et de s'habiller, il était parti.

Elle fit le lit avant de traverser le couloir jusqu'à la chambre d'Alison. Celle-ci dormait, enfouie sous le drap et l'édredon, aux motifs de *La Petite Sirène*.

— Coucou, ma puce, dit Claire en s'asseyant au pied d'un des lits jumeaux. C'est l'heure de te réveiller.

Alison s'étira et roula sur le dos.

— On a acheté un chaton ?

— Non, pourquoi ?

— Je crois que j'ai entendu un petit chat miauler, ce matin.

Claire se mordit les lèvres pour s'empêcher de sourire. Note à moi-même : s'abandonner à la jouissance en silence.

— Eh non, pas de chaton. Tu as dû rêver.

— Et j'ai entendu quelqu'un dans les escaliers.

— J'étais... allée faire du café.

— Oh. Alors, on pourrait avoir un chiot ? Amy Schmidt en a un et sa maman est allergique aux chiens.

— Pourquoi pas un poisson rouge ?

— M'man. Le dernier qu'on a eu, il est parti dans les toilettes.

— Je vais y penser, d'accord ? Dépêche-toi de descendre, je fais des crêpes aux myrtilles.

Claire alla au rez-de-chaussée mettre le café en route. Quand Alison entra dans la cuisine en traînant sa Groovy Girl dans son sillage, le petit déjeuner était prêt.

La fillette grimpa sur sa chaise, installa la poupée sur ses genoux et se mit à verser le sirop.

— Ça suffit, avertit Claire en retournant une crêpe sur la plaque en téflon.

— Bobby, tante Meghann et toi, vous avez pris une douche ensemble[1], hier soir. Comment vous avez fait ?

---

1. Alison a entendu parler de la fête de remise des cadeaux, ou *bridal shower*, et *shower* signifie « douche ». (*N.d.T.*)

Claire eut un rire indulgent.

— Ce n'est pas une douche avec de l'eau. C'est une fête pour les personnes qui se marient. Tu sais, comme pour un anniversaire.

— Vous avez joué à des jeux ?

— Bien sûr.

— Eu des cadeaux ?

— Tu parles.

— Quoi ?

Des strings. Dc la peinture corporelle au chocolat. Une boîte géante de préservatifs.

— Tante Meghann nous a offert un mixer génial, répondit Claire, devant la mine interrogative d'Alison.

— Oh. Grand-père m'emmène pêcher, aujourd'hui. À Tidwell Pond.

— Ça va être sympa.

— Il a dit que tu avais des merdes à faire pour le mariage.

— Alison Katherine. Tu sais qu'il ne faut pas répéter les gros mots de grand-père.

— Oui.

Alison se pencha pour lécher le sirop sur son assiette, la nettoyant en un rien de temps.

— Tu savais que quand on coupe un ver de terre en deux, il repousse ?

— Oui.

Alison recula son siège.

— Mais Lily France a eu le doigt coupé et il n'a pas repoussé. Je crois que Dieu aime plus les vers que Lily. C'est parce qu'elle double dans la queue à la cantine.

— Eh bien, je ne...

— Au revoir, m'man !

Alison envoya un baiser à Claire et détala. La porte grillagée claqua derrière elle. Un instant plus tard, Claire entendit sa fille hurler d'une voix aiguë :

— Je suis là, grand-père. Tu me cherchais ?

Le sourire aux lèvres, Claire éteignit la plaque et se versa une seconde tasse de café, avant de sortir sur la véranda, à l'arrière. Elle s'installa sur la balancelle. Elle y oscilla tranquillement en admirant le contour argenté de la rivière, qui marquait la limite de sa propriété. La maison était située en retrait du cours d'eau, sur une butte, par sécurité, mais un jour comme celui-ci, où le ciel était bleu myosotis et où l'herbe se teintait de reflets dorés, après une semaine de soleil inattendue, il était presque impossible de se rappeler le danger que présentait une crue.

Le battant grillagé s'ouvrit en couinant et se referma avec un claquement. Meghann apparut sur le perron. Elle portait une blouse paysanne noire à franges et un jean évasé. Ses cheveux, détachés, lui tombaient dans le dos en une avalanche de boucles. Elle était superbe.

— Bonjour.

Claire resserra la couverture de laine autour de ses jambes afin de cacher le jogging déchiré qu'elle avait enfilé.

— Tu veux des crêpes ?

Meghann s'assit sur le transat vis-à-vis de sa sœur.

— Non merci. Mon métabolisme est encore aux prises avec le gâteau d'hier soir.

— Tu as quitté la fête tôt.

Claire espérait qu'elle n'avait pas l'air vexée.

— C'était très réussi. Ton amie Gina a un sacré sens de l'humour.

— C'est vrai.

— Ce doit être dur pour elle de te voir te marier si peu de temps après son divorce.

Claire approuva d'un signe.

— Elle traverse une période difficile.

— C'est toujours pénible de découvrir qu'on a épousé l'homme qu'il ne fallait pas.

— Gina et Rex sont restés mariés quinze ans. Le fait qu'ils divorcent ne signifie pas forcément qu'elle n'aurait pas dû l'épouser.

Meghann eut un regard ironique.

— Je pense le contraire.

— Éric t'en a fait voir de toutes les couleurs, on dirait.

— Sans doute.

Claire but une gorgée de café. Elle envisagea d'oublier ce qui la contrariait, de faire ce qu'elle avait fait si souvent avec Meghann : se taire et prétendre qu'elle s'en fichait. Et puis, se souvenant de sa conversation avec Bobby, elle revint à la charge :

— Pour quelle raison es-tu partie tôt ?

— Il n'était pas si tôt que ça. Et tes cadeaux ?

— Ils étaient fantastiques. À propos, merci pour le robot. Meg, réponds à ma question, s'il te plaît.

Meghann ferma les yeux, tarda un peu à les rouvrir. Elle avait l'air... effrayée.

Voir sa sœur dans cet état choqua tant Claire qu'elle se leva à moitié.

— Meg ?

— J'ai filé à cause de l'épisode des M&M's, lâcha Meghann. J'ai essayé de jouer le jeu et de participer, mais je te connais à peine, du coup j'ai dit quelque chose de déplacé. Je ne sais toujours pas ce que ça pouvait être, à la fin !

— Que je savais aimer mais que je n'aimais pas facilement.

— Oui.

— Je ne trouve pas que ce soit vrai et ça m'a attristée.

— C'est vrai en ce qui me concerne.

Claire s'inclina vers l'avant, intéressée. Enfin, elles abordaient un point important.

— Quelquefois, c'est dur de t'aimer, Meg.

— Crois-moi, je le sais.

Meghann eut un rire rauque et amer.

— Tu juges les gens, dont moi, avec sévérité. Tes opinions sont comme des coups de cravache. Elles laissent une marque.

— Les gens, oui. Mais toi ? Je ne te juge pas.

— J'ai été virée de l'université. J'ai abandonné la formation pour devenir esthéticienne. Je n'ai jamais quitté Hayden. Je m'habille mal. J'ai eu un enfant illégitime avec un homme dont j'ai découvert qu'il était marié. Aujourd'hui, je m'apprête à épouser un raté et je suis trop bête pour me protéger en signant un contrat de mariage. Arrête-moi quand ça te rappellera quelque chose.

Meghann parut sceptique.

— Je t'ai vraiment accusée de tout ça ?

— Oui, et c'est aussi lourd à porter qu'une armure. Je ne peux pas te parler sans avoir l'impres-

302

sion d'être minable ; toi, bien sûr, tu es riche et parfaite.

— Cette partie-là est vraie, concéda Meghann.

Comprenant qu'elle ne s'en sortirait pas en plaisantant, elle ajouta :

— Ma psy pense que je veux tout contrôler.

— Ah oui ? Sans blague ! Tu ressembles à maman, tu sais. Elle et toi avez besoin d'être aux commandes.

— La différence, c'est qu'elle est psychotique. Je suis névrosée. Mais Dieu sait si elle nous a légué sa malchance avec les hommes. Tu as brisé le sort ?

Hier encore, la question aurait mis Claire en rage. Mais maintenant, elle comprenait. Elle avait hérité de leur mère l'idée que tôt ou tard l'amour s'évanouissait. Meghann, pour sa part, n'y croyait purement et simplement pas.

— Oui, Meg, je le pense.

Meghann sourit, mais ses yeux étaient empreints de tristesse.

— J'aimerais avoir ta confiance.

Pour une fois, Claire eut l'impression d'être la plus solide des deux.

— Je sais que l'amour existe. Il habite chaque moment que je partage avec papa et Ali. Peut-être que si... tu avais eu un père, tu y croirais.

Remarquant la pâleur subite de Meghann, Claire réalisa qu'elle était allée trop loin.

— Tu as eu de la chance d'avoir Sam, reconnut Meghann.

Claire ne put s'empêcher de penser à l'été durant lequel Sam avait essayé de jouer un rôle dans la vie de Meghann. Un vrai cauchemar. Elle et lui s'étaient disputés, vociférant au sujet de qui aimait le plus

Claire, qui savait ce qu'il y avait de mieux pour elle. Claire avait mis fin à la plus sanglante de ces confrontations en criant à Meghann : « Arrête de hurler sur mon papa. » Pour la première fois, elle avait vu sa sœur pleurer. Le lendemain, Meghann était partie. Des années plus tard, alors qu'elle était à l'université et qu'elle avait sa vie, elle avait fini par rappeler Claire.

— Sam voulait être là pour toi aussi, ajouta Claire avec douceur.

— Ce n'était pas mon père.

Après ce constat, elles restèrent sans mot dire. Le silence dérangeait Claire, qui se sentait obligée d'en combler le vide avec un tas de mots sans savoir lesquels choisir. Elle fut sauvée par le téléphone. Dès la première sonnerie, elle bondit et courut répondre.

— Allô ?

— Ne quittez pas, s'il vous plaît, je vous passe Eliana Sullivan.

Claire entendit Meghann arriver par-derrière. Elle articula silencieusement « maman ».

— Ce devrait être amusant, commenta Meghann en se servant une tasse de café.

— Allô ? Allô ?

— Bonjour, maman. C'est moi, Claire.

Sa mère partit de ce rire de gorge sensuel soigneusement étudié qu'elle avait perfectionné au fil des ans.

— J'crois savoir laquelle de mes filles j'ai appelée, Claire.

— Bien sûr, répondit Claire.

Leur mère les confondait, car, dans ses souvenirs, elles étaient interchangeables. Quand Meghann ou Claire le lui faisait remarquer, elle répliquait avec désinvolture : « P't-être, et alors ? Vous autres étiez comme les doigts de la main, en ce temps-là. Comment est-ce que j'pourrais me rappeler le moindre détail ? »

— Eh bien, chérie, parle. Mon domestique a dit que tu m'avais laissé un message. Qu'est-ce qui s'passe ?

Claire abhorrait cet accent fabriqué. Chaque mot écourté lui rappelait qu'elle appartenait, en fin de compte, au « public » de sa mère.

— Je t'ai appelée pour t'annoncer que je vais me marier.

— Bonté divine ! J'étais pourtant sûre que tu mourrais vieille fille.

— Merci, maman.

— Alors, qui est-ce ?

— Tu vas l'adorer, maman, c'est un gentil garçon du Texas.

— Un garçon ? J'croyais que c'était plutôt le style de ta sœur ?

Claire pouffa.

— C'est un homme, maman. Il a trente-sept ans.

— Combien gagne-t-il ?

— Ça n'a pas d'importance pour moi.

— Fauché, hein ? Laisse-moi te donner un conseil, chérie. C'est plus facile d'épouser ceux qui sont riches, mais qu'est-ce que ça fiche ? Félicitations. Le mariage est quand ?

— Samedi 23.

— Juin ? Samedi prochain ?

— Oui. Tu l'aurais su en temps utile si tu m'avais rappelée.

— J'jouais Shakespeare. Avec Charlie Sheen, en plus.

— Sans interruption ?

— Allez, mon chou. Tu sais que j'dois m'occuper de mes fans. Ils sont ma force vitale. T'as vu ma photo dans *People Magazine*, d'ailleurs ? Juste moi et la présentatrice Jules Asner, en train de papoter entre filles.

— Je l'ai ratée. Désolée.

— J't'ai offert un abonnement, bonté divine ! Qu'est-ce que vous faites, vous autres ? Vous laissez traîner la revue sans la lire ?

— J'étais occupée à préparer le mariage.

— D'accord. Samedi, ça va être difficile, pour moi, mon chou. Et pourquoi pas le premier week-end d'août ?

Claire leva les yeux au ciel.

— Je respecte ton agenda, maman, mais les invitations sont déjà parties. Meg se charge de l'organisation du jour J. Il est trop tard pour changer la date.

Eliana ricana.

— Meg prend ton mariage en main ? Mon chou, c'est comme demander au pape de célébrer une bar-mitsva.

— Les festivités ont lieu samedi. J'espère que tu pourras y assister.

Claire redevenait raide et cérémonieuse, comme toujours en cas de stress. Meghann lui tendit une aspirine. Claire sourit malgré elle.

— Maman me donne des maux de tête à chaque coup de fil, compatit Meghann. Elle jacasse encore ?

Claire confirma d'un signe du menton, ajoutant entre ses dents :

— Je crois avoir entendu le nom d'Anna Nicole Smith, le mannequin.

Meghann eut un large sourire complice.

— Encore une gentille fille du Sud qui a du mal à préserver sa vie privée...

— Claire, s'enquit sèchement sa mère. Tu m'écoutes ?

— Mais oui, maman. Chacun de tes mots est une perle.

— Quelle heure, samedi ? J'te l'ai demandé deux fois.

— La cérémonie est à dix-neuf heures. La réception ensuite.

Eliana laissa échapper un soupir.

— Samedi. Ça fait trois mois que j'attends mon rendez-vous au salon de coiffure avec José. P't-être qu'il pourra me prendre plus tôt.

Claire en avait plus qu'assez.

— Il faut que j'y aille, maman. Je serai à l'église épiscopale de Hayden samedi prochain. Je comprendrai, si tu ne parviens pas à te libérer.

— Ce n'est pas si souvent qu'une femme voit sa fille se marier.

— Dans notre famille, certes.

— Dis-le-moi franchement, mon chou. Tu crois que celui-ci va durer ? J'détesterais laisser tomber mon rendez-vous pour...

— Je dois raccrocher, maman. Au revoir.

— D'accord, mon chou. Et félicitations. J'suis vraiment très, très heureuse pour toi.

— Merci, maman. Au revoir.

307

Claire releva les yeux vers Meghann avec un pauvre sourire.

— Samedi ne lui convient pas.

— Elle a une audition pour le jeu télévisé « 25 000 $ Pyramid » ?

— Un rendez-vous avec José, son coiffeur.

— On aurait dû lui envoyer l'invitation une fois l'événement passé.

— J'ignore pourquoi je continue à attendre qu'elle se comporte différemment.

Meghann compatit, navrée.

— Je sais. Même les mères alligators restent près de leurs œufs pour les protéger.

— La nôtre en ferait une omelette !

Meghann et Claire éclatèrent de rire. Claire regarda par la fenêtre. Le soleil entrait à flots dans le jardin, rehaussant l'éclat des fleurs. Devant cette vue, qui lui rappelait ce qu'il y avait de bien dans sa vie, elle se sentit apaisée. Mieux valait qu'elle oublie sa mère.

— Si on parlait des préparatifs du mariage, finit-elle par proposer.

— Parfait. Peut-être qu'on pourrait discuter du menu.

Claire se redressa.

— Bien sûr. Je pensais servir de ces sandwiches longs comme le bras. Ça peut nourrir pas mal de gens, et les hommes les adorent. La salade de pommes de terre de Gina serait l'accompagnement idéal.

Meghann fixait sa sœur avec incrédulité.

— De la salade de pommes de terre et des sandwiches. C'est... délicieux.

— Tu as hésité.

— Ah bon ? Je crois que j'ai juste repris ma respiration.

— Je connais ce petit silence. C'est la voix du jugement.

— Non, non. Simplement, je viens de parler à une de mes amies, Carla, qui débute comme chef. Elle a son diplôme depuis peu et est si fauchée qu'elle n'a pas de quoi payer son loyer. Alors elle a proposé de préparer quelques hors-d'œuvre à prix coûtant, plus une somme minime. Tu sais ce que c'est : elle a besoin de se lancer. Mais ne t'inquiète pas. Je serai ravie de faire les courses au supermarché pour le buffet, si c'est ce que tu préfères.

Claire fronça les sourcils.

— Ça aiderait vraiment ton amie d'être le traiteur de la fête ?

— Oui, mais ce n'est pas ce qui compte. Ce qui m'importe, c'est que tu aies le mariage que tu espères.

— Combien ça coûterait ?

— La même chose que les sandwiches et la salade de pommes de terre.

— Sans blague ! Eh bien, je suppose que ça pourrait coller. À condition qu'on serve des mini-friands à la saucisse. Bobby en raffole.

— Pas de problème. Je suis sûre que j'y aurais pensé.

Claire eut l'impression que Meghann marquait une nouvelle pause, mais elle n'en était pas certaine.

Meghann lui adressa un sourire à peine forcé.

— En plus, par chance, il se trouve que je connais une pâtissière au chômage qui pourrait faire un gâteau fourré aux quatre parfums avec des fleurs fraîches. Elle recommande les violettes, mais c'est à toi de voir, évidemment.

— Tu sais, Meg, tu es une casse-pieds finie.

— Je sais. Péremptoire et impitoyable.

— Oui ! Mais tu commandes bien.

Meghann s'assombrit. Elle repensait, Claire le savait, à cet été-là, de si nombreuses années plus tôt, où elle avait pris les rênes et bouleversé leur vie.

— Je ne disais pas ça de manière péjorative, ajouta Claire d'une petite voix. Entre nous, c'est un tel champ de mines.

— C'est vrai.

— Alors, au sujet du gâteau...

17

— J'ai obtenu le permis pour l'occupation du parc et réservé la tente à la boutique de location de mobilier de réception. Je m'arrêterai en chemin, demain, avant d'aller chez Costco pour revoir avec le responsable les instructions finales concernant la disposition des tables.

Roy se rassit avec un geste théâtral.

— C'est tout.

— Et l'éclairage ? s'enquit Meghann en rayant la tente de sa liste.

— Dix mille lumignons de Noël blancs, quarante-deux lanternes chinoises et vingt suspensions lumineuses. C'est bon.

Meghann barra aussi ce point. Le dernier. Le reste avait été traité. Les deux jours précédents, elle s'était démenée comme une folle, vérifiant chaque détail. Elle avait fait en sorte que Roy ait tout ce qu'il avait demandé. Le mariage promettait d'être le plus beau qui aurait jamais lieu à Hayden, ainsi que Roy le proclamait trois fois par jour minimum.

Pour Meghann, ce n'était pas vraiment une référence, mais elle apprenait à garder ses réflexions cyniques pour elle. Elle travaillait même si dur qu'elle arrivait à dormir la nuit. Son seul problème, c'était les rêves. Ils semblaient se concentrer sur Joe. Dès que Meghann fermait les yeux, elle se le rappelait. Ses yeux bleus si tristes... La façon qu'il avait eue de murmurer quelque chose – un prénom, sans doute – pendant qu'ils faisaient l'amour.

Faisaient l'amour.

Meghann n'y pensait jamais en ces termes, avec personne.

— Meghann ? Tu as de nouveau ce regard mièvre. Tu imagines les hors-d'œuvre ?

Elle sourit à Roy.

— Tu aurais dû voir la tête de Carla quand je lui ai annoncé qu'elle devrait préparer un plateau de mini-friands à la saucisse.

— C'est très bon, tu sais. Trempé dans le ketchup. Et encore meilleur plongé dans la purée de haricots. Ils seront mangés avant le Brie et le pâté.

— Le pâté n'est pas autorisé...

Meghann consulta encore une fois sa liste. C'était devenu une manie. Roy lui tapota le bras.

— Tu as fini, ma belle. Il ne te reste plus qu'à venir à la répétition, ce soir, puis à bien dormir cette nuit.

— Merci, Roy. Je ne sais pas comment je me serais débrouillée, sans toi.

— Tu peux me croire, ça a été un plaisir inespéré pour moi de t'aider à organiser cette fête. Pour mon prochain événement, qui aura lieu sur le pâturage des Clausen, en l'honneur de l'admission de Todd au centre universitaire, les invités sont censés boire de la bière au tonneau et apporter chacun un plat.

Après le rendez-vous, Meghann retourna vers sa voiture. Plusieurs rues plus loin, elle prit conscience qu'elle partait dans la mauvaise direction. Elle était sur le point de revenir sur ses pas quand elle reconnut le garage. À demi caché derrière un fourré d'arbres et un buisson à fleurs blanches qui semblait avoir poussé là par accident, elle aperçut le chalet de Joe.

Elle eut soudain une envie irrésistible d'aller jusqu'à la porte, de dire « salut, Joe ! » et de le suivre dans sa chambre. Cela avait été si bon, avec lui, qu'elle avait dû partir comme une voleuse au milieu de la nuit. Elle était plus douée pour les adieux que pour les débuts.

La lumière de la cuisine était allumée. Meghann entrevit une ombre qui passait devant la fenêtre et, l'espace d'un éclair, des cheveux argentés.

Elle faillit aller voir Joe.

Faillit.

Elle n'était sûre que d'une chose, apprise à la dure : elle n'arrivait à gérer que les rencontres de passage.

Elle fit demi-tour pour regagner sa voiture.

Debout devant l'évier, Joe écoutait couler l'eau, qui gargouillait en descendant dans les tuyaux rouillés. Il était censé laver la vaisselle de son déjeuner – c'était la raison de sa présence, après tout –, mais ses mains ne répondaient pas.

Meghann regardait le chalet depuis l'autre côté de la rue.

« Mes amis m'appellent Meg. »

Elle se tenait immobile, les bras croisés, le menton à peine relevé. Une traînée de fleurs rouges cascadait le long de son bras depuis un énorme pot suspendu derrière elle, mais elle n'avait pas l'air de s'en apercevoir. Pas plus qu'elle ne devait remarquer leur parfum. Elle n'avait pas frappé Joe par son romantisme.

— Meghann.

Il prononça son prénom avec douceur, surpris par l'accès inopiné de désir que cela suscitait en lui. Il avait pensé à elle trop souvent dans les heures qui avaient suivi leur rencontre. Il s'était répété que c'était sans importance, juste l'excès d'hormones d'un corps resté insensible pendant des années. Mais maintenant, il se surprenait à regarder Meghann et à la désirer, et réalisait qu'il se racontait des histoires.

Sur l'autre trottoir, elle fit un pas dans sa direction.

Joe serra les poings et son cœur battit plus vite.

Puis elle tourna les talons et s'éloigna à grands pas.

— Ouf ! marmonna Joe, regrettant de ne pas le penser pour de bon.

Il ferma le robinet et se sécha les mains. Allant d'un pas traînant jusqu'à la cheminée, il se posta devant une photo de Diana. Elle y posait au pied de l'Arc de Triomphe, à Paris, agitant la main à l'intention de Joe, un sourire lumineux aux lèvres.

— Pardon, chuchota-t-il en touchant le cadre.

La sonnerie du téléphone le fit sursauter. Il savait qui c'était.

— Salut, Gina, répondit-il, attrapant ses gants de travail.

— Salut, grand frère. Je sais que je t'appelle un peu à la dernière minute, mais je donne un dîner de répétition chez moi, ce soir. J'ai pensé que ça pourrait te faire plaisir de venir.

Un dîner de répétition. Le prélude à un mariage.

— Non, désolé.

— C'est pour Claire Cavenaugh. Elle se marie enfin.

Joe ferma les yeux au souvenir de Claire.

— Je suis navré, Gigi, finit-il par ajouter. Je ne peux pas.

À part aller à un mariage, la pire chose qui puisse lui arriver serait d'entrer dans un hôpital.

— Je comprends, Joe. Sincèrement. Je te fais signe la semaine prochaine.

Claire était assise dans la salle d'attente du médecin, plongée dans la dernière édition de *People Magazine*. Elle tomba, comme prévu, sur la photo de sa mère dans le jardin public d'une ville quelconque, entourée de fans en tenue de voyageurs de l'espace. La légende disait : « Eliana Sullivan, assiégée par ses fans à l'occasion du vingt-cinquième anniversaire du premier épisode de "Starbase IV". »

— Mon costume d'Halloween du primaire était plus convaincant !

— Quoi, m'man ?

Claire sourit à sa fille, qui, assise en tailleur sur la moquette couleur taupe, jouait avec une figurine du Chat botté.

— Rien, ma puce.

— Oh. On va encore rester longtemps ? J'ai faim.

— Pas très longtemps. Pour l'instant, le Dr Roloff s'occupe de personnes qui sont vraiment malades. Tu as vu Sammy Chan entrer... Il a le bras cassé.

Alison se rembrunit.

— Tu n'as rien, hein ?

— Bien sûr que non. C'est mon rendez-vous annuel. Tu m'accompagnes chaque fois.

— Oui.

Alison se remit à jouer.

Quelques minutes plus tard, la secrétaire, Monica Lundberg, passa la tête dans la salle d'attente. Comme toujours, elle était très jolie, cette fois-ci en pâle robe bain de soleil blanc cassé.

— Le Dr Roloff va vous recevoir.

Claire regarda Alison.

— Tu ne bouges pas, ma puce. Je reviens tout de suite.

— Je la surveille, proposa Monica. Installez-vous dans la cabine quatre.

— Merci.

Claire suivit un couloir et entra dans la dernière pièce à gauche.

— Bonjour, Claire. Comment se passent les préparatifs du mariage ?

Claire sourit à Bess, l'infirmière qui avait toujours travaillé pour le Dr Roloff, pour autant qu'elle s'en souvienne.

— Très bien. Nous faisons quelque chose de simple.

— Bien sûr.

Bess prit la tension et la température de Claire.

— Parfait, jeune fille. Vous devez vivre sainement.

Elle lui fit une prise de sang, puis farfouilla dans le placard au-dessus du lavabo et en retira un flacon en plastique.

— Vous connaissez le topo. Laissez un échantillon d'urine près de la porte des toilettes. Le Dr Roloff arrive dès que possible.

— Merci, Bess.

Bess fit un clin d'œil à Claire.

— À demain. Au revoir.

Claire traversa le couloir à la hâte et se rendit aux toilettes, avant de retourner dans la salle d'examen. Elle enfila la blouse d'hôpital et grimpa sur la table recouverte de papier.

Quelques instants plus tard, le Dr Roloff entra. Cet homme élancé au regard sévère mais au sourire facile était le médecin traitant de Claire depuis son enfance. Il avait suivi ses otites, son acné et sa grossesse, et comptait désormais Alison et Sam parmi ses patients.

Il s'assit sur un tabouret à roulettes et se rapprocha.

— Ça s'organise bien ?

— Impeccable. Est-ce que Tina et vous pourrez venir ?

— Je ne raterais ça pour rien au monde.

Le Dr Roloff s'interrompit, baissant les yeux une seconde. Claire savait qu'il pensait à la fille qu'il avait perdue.

— Diana aurait adoré être là.

Claire avala sa salive avec difficulté. C'était vrai. L'absence de Diana constituait une des difficultés majeures de ce mariage. Les Bleues avaient toujours tout fait ensemble.

— Elle prétendait que je me réservais pour une tête couronnée.

Le Dr Roloff finit par chercher à nouveau le regard de Claire, avec un sourire où la lassitude était plus que visible.

— Tu es au courant, pour Joe ? Il est de retour.

— Je sais. Comment va-t-il ?

Le médecin poussa un soupir à fendre l'âme.

— Aucune idée. Il n'est pas venu nous voir, Tina et moi.

Le Dr Roloff paraissait blessé.

— Je suis sûre qu'il va le faire.

— Oui, moi aussi.

Rajustant ses lunettes plus haut sur son nez, le médecin se redressa.

— Allez. Assez parlé de ça.

Il ouvrit le dossier de Claire et l'étudia.

— Tout va bien ?

— Oui.

— Tu ne devais pas revenir me voir avant deux mois. Pourquoi as-tu avancé ta visite ? D'habitude, on doit t'envoyer trois rappels et te passer un coup de fil pour t'attirer jusqu'ici.

— Je souhaite prendre la pilule, répondit Claire en sentant ses joues se mettre à chauffer.

C'était ridicule : à trente-cinq ans, elle n'avait aucune raison d'être embarrassée. Pourtant, elle l'était.

— Je veux attendre un peu avant de me lancer dans une grossesse.

Se replongeant dans le dossier, le Dr Roloff opina du chef.

— Je n'aimerais pas que ça dure trop longtemps, mais pour le moment, c'est bon. Je vais te prescrire une minipilule.

— Très bien.

Le médecin reposa le dossier de Claire.

— On va faire ton frottis de dépistage.

Le prélèvement terminé, Claire se rassit.

— Ton père m'a dit que tu avais eu la migraine, la semaine dernière, reprit le Dr Roloff en enlevant ses gants. Et que tu t'étais tordu la cheville gauche.

La vie dans une petite ville ! Claire soupira. Aussi loin que remontaient ses souvenirs, elle revoyait son père courir chez le Dr Roloff à la moindre égratignure qu'elle se faisait ou quand une de ses dents bougeait. Le passage de Claire à l'âge adulte n'avait rien changé.

— L'an passé, il a cru que j'avais la maladie de Ménière, parce que j'ai été prise de vertiges après un tour sur la grande roue.

L'anecdote amusa le Dr Roloff.

— Sam est vigilant quand il s'agit de ta santé. Tu aurais dû le voir quand tu étais petite. Il m'appelait trois fois par semaine pour me demander si telle ou telle chose était normale. Il suffisait que tu éternues à deux reprises pour qu'il démarre au quart de tour. Néanmoins, ça ne fait pas de lui un idiot. Est-ce que les maux de tête semblent liés à tes cycles ?

— J'ai trente-cinq ans, répondit Claire avec un rire gêné. J'ai l'impression d'être constamment en train d'ovuler ou d'avoir mes règles. Alors, oui, peut-être.

— Est-ce que tu t'es enfin mise à faire de l'exercice ?

— Quand ça ? La troisième a été une bonne année, pour moi. Je courais et je jouais au volley-ball.

Le Dr Roloff nota quelque chose sur son dossier. Probablement « s'abrutit devant la télévision ».

— Est-ce que tu dors bien ?

— Comme un bébé. Depuis que j'ai rencontré Bobby...

Claire s'empourpra encore.

— Vous savez... Je dors comme une souche.

— Ravi de l'apprendre. Stressée ?

— Je suis une mère célibataire sur le point de se marier. Ma sœur, que je connais à peine, organise la fête et, en plus, ma mère risque de venir. Donc, oui, je suis stressée.

— D'accord. Tu peux annoncer à ton père que j'ai dit que tout allait bien. Pas d'inquiétude. Mais fais du sport. C'est le meilleur traitement contre le stress. Tu es aussi à nouveau un peu anémique. Ça peut provoquer des maux de tête. Alors, on commence une cure de fer, hein ?

— Pas de problème.

— Il ne te reste plus qu'à ramener ta superbe petite fille à la maison et à te faire belle pour le mariage. La ville entière a hâte d'y assister.

— Voilà ce qui arrive quand on se marie quinze ans après toute sa classe.

— Tu étais à deux doigts de décrocher le titre de vieille fille de Hayden. Je ne sais pas pour qui Bess et Tina vont se faire du souci, désormais.

320

Les yeux du Dr Roloff brillaient derrière ses lunettes rondes.

— Merci, docteur.

Il donna une légère tape sur l'épaule de Claire.

— Je suis content pour toi, Claire. Nous le sommes tous.

18

L'après-midi, le temps fraîchit et la grisaille fit son apparition. La pluie tombait en petites bourrasques saccadées quasiment invisibles à l'œil nu. Claire faisait semblant de travailler.

— Rentre à la maison, Claire, lui enjoignait Sam chaque fois que son regard se posait sur elle quand il passait dans le bureau.

— J'ai du travail, répondait-elle en riant.

— Oui... Tu es une aide précieuse, aujourd'hui. Va prendre un bain. Te faire les ongles.

Claire se sentait trop nerveuse pour ce genre de futilités. Trente-cinq ans, c'était ridicule pour un premier mariage. Comment pouvait-elle avoir pris la bonne décision ?

Submergée par l'angoisse, elle alla au coin de la pièce et ouvrit la porte pour voir Bobby. Il avait fini de peindre la barrière autour de la buanderie et nettoyait les canoës. Il leva les yeux.

— Coucou, mon chou, dit-il en souriant. Je t'aime.

Ces quelques mots précieux suffirent à Claire pour respirer à nouveau correctement, jusqu'à ce que le doute recommence à l'envahir.

À quinze heures, elle déclara forfait et rentra chez elle. Le jardin était parsemé de jouets éparpillés dans l'herbe : une Barbie à moitié nue, un seau en plastique rose et sa pelle, une ferme Fisher-Price rouge avec ses animaux. Ramassant le tout, Claire se dirigea vers la maison.

— Tiens, tu es là, constata Meghann à son arrivée.

— Bonjour, lâcha Claire avec un soupir en allant se délester de son fardeau dans le coffre à jouets.

— Ça va ?

— Très bien.

Elle n'avait aucune envie de discuter de son angoisse avec Madame contrat de mariage.

Meghann se leva. Claire sentait qu'elle l'observait à la manière pénétrante d'une avocate. Très loin de son expression réservée aux conversations entre sœurs.

— J'allais prendre un thé glacé. Tu en veux un ?

— Je préférerais un margarita.

— Parfait. Assieds-toi.

Claire se laissa choir sur le canapé, les pieds posés sur la table basse jonchée de magazines.

Meghann fut de retour en un temps record, les deux boissons à la main.

— Et voilà.

S'emparant du verre, Claire en goûta le contenu.

— C'est délicieux. Merci.

Meghann s'assit dans le fauteuil à bascule en bois moulé près de la cheminée.

— Tu as peur, dit-elle avec douceur.

Claire sursauta comme si on lui avait crié après.

— Ce serait pareil pour n'importe qui.

Elle but une nouvelle gorgée en évitant le regard de Meghann, devant qui elle se sentait comme un écureuil face à un cobra.

Meghann s'installa sur le canapé à côté d'elle.

— Crois-moi, c'est normal. Si tu n'avais pas la trouille, en ce moment, je prendrais ton pouls pour voir si tout va bien.

— Tu trouves que je devrais avoir peur ?

— Je me souviens du jour où Élisabeth et Jack se sont mariés. Ils étaient plus amoureux que tous les couples que j'aie jamais vus. Malgré tout, elle a eu besoin de deux martinis pour marcher jusqu'à l'autel. Seule une imbécile n'aurait pas la frousse, Claire. Ce n'est pas un hasard si les mariages ont lieu à l'église. Chacun d'entre eux est un acte de foi.

— J'aime Bobby.

— Je sais.

— Mais je devrais faire établir un contrat, pour préserver mes biens au cas où l'on divorcerait.

— Je suis avocate. Protéger les gens est mon métier.

— D'accord, quand il s'agit d'étrangers ; pour les membres de ta famille, c'est autre chose.

Contrite, Meghann regarda le fond de son verre avant de répondre :

— Sans doute.

Claire aurait voulu effacer cette petite phrase cruelle. Qu'y avait-il dans leur passé qui les poussait à se blesser aussi systématiquement l'une l'autre ?

— Je sais que tu essaies de m'aider, mais comment le pourrais-tu ? Tu ne crois pas à l'amour. Ni au mariage.

Meghann mit un moment à répliquer et, quand elle reprit la parole, sa voix était ténue.

— Je n'ai jamais vu de bébé corbeau.

— Quoi ?

— Sur le chemin du bureau, je vois des corbeaux massés le long des lignes téléphoniques dans le parc au bord du bras de mer. Et je me doute qu'à chaque printemps il y a des nids quelque part, remplis d'oisillons.

— Meg, tu te sens bien ?

— Je veux dire que je sais que certaines choses existent alors qu'elles m'échappent. L'amour est sûrement l'une d'elles. J'essaie d'y croire pour toi.

Claire réalisa combien il avait dû en coûter à sa sœur de formuler une chose pareille. Croire à l'amour était difficile pour quiconque ayant grandi dans l'ombre de leur mère. Le fait que Meghann s'y efforce pour le bien de sa cadette signifiait quelque chose.

— Merci. Merci d'avoir organisé le mariage, aussi. Même si tu gardes les moindres détails secrets.

— C'était plus amusant que je ne l'aurais cru. Comme de participer au comité pour l'organisation du bal du lycée... Bien que je n'aurais jamais voulu le faire, à ce moment-là...

— J'ai été la reine du bal du lycée.

Claire ponctua sa déclaration d'un grand sourire.

— Sans blague, et aussi princesse des rhododendrons, pendant les Journées de l'alpinisme.

Meghann rit à cette idée, ravie du tour plus léger que prenait la conversation.

— Qu'est-ce que devait faire la princesse ?

— Rester assise à l'arrière d'un pick-up Ford 1953 vêtue d'une robe rose fluo en saluant la foule. Le club des éleveurs de chèvres marchait derrière nous dans le défilé. Il pleuvait si fort que j'ai fini par ressembler à Tim Curry dans les dernières scènes du *Rocky Horror Picture Show*. Papa a pris une trentaine de photos, qu'il a collées dans un album.

Meghann piqua à nouveau du nez dans son verre et mit un peu de temps à se remettre à parler.

— C'est un joli souvenir.

Claire regretta sa remarque. Elle n'avait fait que mettre l'accent sur l'absence de père de Meghann.

— Je suis désolée.

— Tu as eu de la chance d'avoir Sam. De même qu'Ali a de la chance de t'avoir. Tu es une mère formidable.

— Tu regrettes ? Je veux dire, de ne pas avoir eu d'enfants.

L'intimité de la question les surprit toutes les deux.

— Mon métier m'a rendue stérile.

— Meghann…, dit Claire d'un ton égal.

Meghann se décida à la regarder.

— Je ne crois pas que je serais une mère très douée. Disons que c'est ça.

— Tu as été une mère pour moi. Pendant un temps.

— Le problème, c'est le « pendant un temps ».

Claire se pencha vers sa sœur.

— J'aimerais que tu gardes Alison, la semaine prochaine. Quand Bobby et moi partirons pour notre lune de miel.

— Je croyais qu'il n'y en aurait pas.

— Papa a insisté pour nous offrir un voyage à Kauai en cadeau de mariage.

— Et tu veux que je m'occupe d'Alison ?

Claire confirma d'un sourire.

— Ça me ferait très plaisir. Alison a besoin de mieux te connaître.

Émue, Meghann expira longuement. Elle paraissait nerveuse.

— Tu me ferais confiance ?

— Bien sûr.

Meghann se renfonça dans le canapé, un sourire tremblotant aux lèvres.

— D'accord.

Claire sourit de plus belle.

— Pas de leçons de tir ni de saut à l'élastique.

— Alors, je ne peux pas l'emmener apprendre à sauter en chute libre. Et un tour de poney, c'est autorisé ?

Elles riaient encore quand Sam poussa la porte et pénétra dans le salon. Il était déjà habillé pour la répétition, en pantalon noir repassé de frais et chemise en jean bleu pâle, marquée du sigle du village-club sur la poche. Ses cheveux, récemment coupés, étaient ramenés en arrière et dégageaient son front. Pour un peu, Claire aurait dit qu'il avait mis du gel.

— Tu as fière allure, papa.

— Merci.

Il eut un bref sourire crispé en direction de Meghann.

— Meg.

— Sam, répondit froidement Meghann en se levant. Il faut que je m'habille. Au revoir.

Une fois que Meghann eut disparu à l'étage, Sam soupira, incrédule.

— J'ai l'impression de mesurer moins d'un mètre quand elle me parle.

— Je connais ça. Que se passe-t-il, papa ? Je dois me changer.

Le regard de Claire alla se poser plus loin.

— Je croyais que tu jouais aux dames avec Ali.

— Bobby essaie de lui faire une tresse.

Riant à cette idée, Claire se dirigea vers les escaliers.

— Je la referai juste avant de partir, ajouta-t-elle. Tu veux passer me prendre dans trois quarts d'heure ?

— D'abord, il faut que je te parle. Je ne savais pas si je devais inclure Bobby dans la discussion...

Claire sourit.

— J'espère que ce n'est pas un discours d'éducation sexuelle à retardement.

— J'ai déjà abordé ce point-là.

— Dire « pas question de coucher avec les garçons » n'est pas une manière de traiter le sujet.

— Petite maligne.

Sam désigna le canapé du menton.

— Assieds-toi. Et pas d'insolence. Ça ne prendra qu'une seconde.

Sam s'installa sur la table basse.

— Déjà aux margaritas ? dit-il en avisant le verre de Meghann.

— J'étais angoissée.

— Ça me rappelle quand j'ai épousé ta mère.

— Laisse-moi deviner, elle avait bu toute la journée comme un trou pour se donner du courage ?

— Moi aussi.

Sam avait un sourire triste, qui excluait Claire sans qu'elle sache pourquoi. Après un court silence, il fouilla dans sa poche, en tira un écrin noir et l'ouvrit. À l'intérieur se trouvait un diamant jonquille de taille marquise, monté sur un large anneau de platine.

— C'est celui de grand-mère Myrtle. Elle voulait qu'il te revienne.

La bague déclencha une avalanche de tendres souvenirs chez Claire. Chaque fois que sa grand-mère distribuait les cartes, la pierre à son doigt projetait de minuscules reflets multicolores sur les murs.

Sam tendit la main pour prendre celle de Claire.

— Je ne pouvais pas laisser mon bébé se marier avec une bague en alu.

Claire glissa le bijou à son annulaire. Il lui allait comme s'il avait été fait pour elle. Elle se pencha pour attirer son père dans ses bras.

— Merci, papa.

Comme toujours, il sentait la fumée de feu de bois et l'après-rasage. Alors que Claire le tenait serré contre elle, le visage pressé contre sa joue, elle fut assaillie par une foule d'images d'enfance. Les soirs où ils allaient au bowling avant de dîner au drive-in de Chez Zeke... La façon dont les lumières de la véranda s'allumaient en clignotant dix secondes après que le petit ami du moment de Claire avait garé sa voiture dans l'allée... Les histoires que Sam lui racontait avant qu'elle s'endorme quand elle avait peur et qu'elle se sentait seule, tant sa grande sœur lui manquait...

Demain, elle serait une femme mariée. Un autre homme occuperait le centre de son univers, un autre bras la soutiendrait. À partir de ce jour-là, elle serait l'épouse de Bobby et non plus la petite fille de Sam Cavenaugh.

Quand celui-ci se dégagea, ses yeux étaient pleins de larmes et Claire sut qu'il avait pensé la même chose qu'elle.

— Toujours, murmura-t-elle.

D'un signe de tête, il lui signifia qu'il comprenait.

— Toujours, confirma-t-il.

19

Meghann regrettait amèrement d'avoir accepté de laisser Gina organiser le dîner de répétition chez elle. Elle vivait un véritable enfer de tous les instants.

— Vous êtes venue seule ?

— Où est votre mari ?

— Vous n'avez pas d'enfants. Quelle chance pour vous ! Parfois, j'ai envie de donner les miens à quelqu'un d'autre.

Cette dernière réplique avait été suivie d'un rire gêné.

— Pas de mari, hein ? Ce doit être génial d'être si indépendante.

Une variante, qui était toujours accompagnée d'un froncement de sourcils.

Meghann savait que les amis de Claire essayaient de lui faire la conversation, mais qu'ils n'avaient rien à lui dire. Comment auraient-ils pu ?

Les femmes parlaient sans discontinuer de leur famille. Les dates de début des camps de vacances d'été étaient un thème populaire, de même que les hôtels-clubs autour du lac de Chelan et sur la côte de l'Oregon, où les enfants étaient les bienvenus. Meghann n'avait aucune idée de ce que cette notion recouvrait : sans doute servait-on du ketchup à chaque repas.

Tous les participants à la soirée s'efforçaient de l'inclure, en particulier les Bleues, mais plus ils tentaient de l'intégrer au groupe, plus elle se sentait exclue. Elle pouvait parler d'un tas de choses : la géopolitique, la situation au Moyen-Orient, les boutiques où faire les meilleures affaires sur les vêtements griffés, le marché de l'immobilier, Wall Street. En revanche, elle était incapable de discuter des sujets touchant à la famille. Aux enfants.

Debout près de la cheminée de la maison superbement décorée de Gina, elle sirotait son deuxième margarita. Comme le précédent, son verre se vidait rapidement. Les invités, qui avaient envahi la terrasse, le salon, la salle à manger, bavardaient et riaient entre eux. De l'autre côté de la pièce, Claire se tenait près du comptoir de la cuisine qui faisait office de bar, mangeant des chips et plaisantant avec Gina. Sous le regard de Meghann, Bobby approcha Claire par-derrière et lui glissa quelque chose à l'oreille. Elle se tourna pour le prendre dans ses bras. Ils semblaient en parfaite harmonie et se complétaient comme les pièces d'un puzzle, et quand Claire leva les yeux vers Bobby, son visage rayonnait. L'amour... Il était bien là, dans toute sa splendeur fugace.

Pour la première fois depuis des années, Meghann se surprit à prier : S'il vous plaît, mon Dieu, faites que ce soit vrai.

— OK, tout le monde, clama Gina en entrant dans la pièce. Il est temps de commencer la seconde partie de la soirée.

Le silence se fit. Les regards se levèrent à l'unisson.

— Hector ouvre le bowling rien que pour nous ! On part dans un quart d'heure.

Le bowling. Ses chaussures d'emprunt. Ses chemises en polyester. Et la répartition des joueurs en équipes.

Meghann s'éloigna du mur contre lequel elle s'appuyait. Elle essaya de boire une gorgée de son cocktail et se rendit compte que son verre était vide.

— Zut !

— On n'a pas encore eu l'occasion de faire vraiment connaissance. Je suis Harold Banner. Le mari de Karen.

Meghann sursauta en constatant la présence de Harold. Elle ne l'avait pas entendu approcher.

— Bonsoir, Harold.

Il était grand et mince, avec des sourcils noirs touffus et un sourire un peu large, comme s'il avait quelques dents en trop...

— Il paraît que vous êtes avocate.

— Oui.

— Alors, est-ce que je peux vous demander...

Meghann réprima un gémissement. Harold explosa d'un rire qui se rapprochait du braiment.

— Je plaisante. Je suis médecin. Il m'arrive constamment la même chose. Tous les gens que je rencontre me racontent qu'ils ont mal quelque part.

Quel casse-pieds ! songea Meghann. Elle eut un vague signe de tête approbateur en fixant le fond de son verre vide.

— J'imagine que vous avez laissé votre mari à la maison, hein ? Le veinard. Karen m'oblige à l'accompagner.

— Je suis célibataire.

Meghann se retint de grincer des dents, mais c'était bien la dixième fois depuis le début de la soirée qu'elle était obligée de révéler ce fait capital.

— Ah. Sans attaches. Vous avez de la chance. Des enfants ?

Meghann savait que Harold cherchait juste à se montrer aimable et à lancer la conversation, mais elle s'en fichait. La soirée avait été rude. Une remarque de plus lui rappelant qu'elle était seule au monde et elle se mettrait à hurler. En temps normal, elle était fière de son indépendance, mais ce rassemblement de provinciaux lui donnait l'impression qu'il lui manquait quelque chose d'essentiel.

— Désolée, Harold, il faut que j'y aille.

— Et le bowling ?

— Je n'aime pas ça.

Claire se retourna. Elle avait l'air si heureuse à cet instant précis que Meghann en fut suffoquée. Claire rit en voyant l'expression de Meghann.

— Laisse-moi deviner. Le bowling, ce n'est pas ton truc.

— Mais non, j'adore ça. Vraiment, insista Meghann devant la mine sceptique de Claire. J'ai même ma propre boule.

Elle vit qu'elle était allée un peu loin.

— Ah bon ?

Claire s'appuya contre Bobby, qui parlait avec animation au mari de Charlotte.

— Malheureusement, il faut que je règle quelques détails de dernière minute pour demain. Je dois me lever tôt.

Claire acquiesça.

— Je comprends, Meg.

— Je me disais que j'allais rappeler maman une ultime fois.

L'expression joyeuse de Claire s'effaça.

— Tu crois qu'elle va venir ?

Meghann aurait aimé protéger Claire de leur mère.

— Je ferai de mon mieux pour la convaincre.

Claire approuva en silence.

— Eh bien, à demain. Je vais expliquer à Gina la raison de mon départ.

Un quart d'heure plus tard, Meghann roulait à toute allure sur la route de campagne qui menait à Hayden. Elle avait baissé la capote, et l'air frais de la nuit lui fouettait les cheveux.

Sans succès, elle essaya d'oublier le dîner et d'en gommer le souvenir pénible de son esprit. Les amis bien attentionnés de sa sœur avaient réussi à souligner le vide de sa vie.

Repérant l'enseigne de Chez Mo, Meghann écrasa la pédale de frein. C'était une mauvaise idée d'entrer dans la taverne, elle le savait. Il n'y avait rien que des ennuis, là-dedans. Et pourtant...

Elle gara la Porsche, en descendit et pénétra dans le bar enfumé. Il était bondé. Bien sûr. On était vendredi.

Il y avait des hommes assis sur tous les tabourets, à toutes les tables. Quelques femmes, aussi, éparpillées dans la foule.

Meghann se fraya un chemin à travers la salle, détaillant chaque client, et récolta assez de sourires pour s'assurer qu'elle trouverait sans problème un compagnon sur place, ce soir-là.

Après avoir fait le tour de l'établissement, elle ne comprit la véritable raison de sa présence qu'au moment où elle se retrouva près de la porte d'entrée.

— Joe, murmura-t-elle, surprise.

Elle n'était pas consciente que c'était de lui qu'elle avait envie. Voilà qui n'allait pas du tout.

Une fois sortie du bar, elle inspira le bon air de la montagne. Elle ne couchait jamais deux fois avec le même partenaire. Ou rarement, en tout cas. Comme son amie Elisabeth le lui avait fait remarquer un jour, au Nouvel An, elle prenait parfois la résolution de renoncer aux hommes jeunes et sortait ensuite avec des chauves pendant une semaine ou deux, mais sa vie sentimentale s'arrêtait à peu près là.

Le plus étonnant, c'est qu'elle n'avait pas envie d'explorer les possibilités offertes par l'endroit et de ramener un étranger chez elle.

Elle voulait...

Joe.

Debout à côté de la Porsche, elle regarda en direction du chalet, au bout de la rue. De la lumière brillait derrière les fenêtres.

— Non, se défendit-elle tout haut.

Il ne fallait pas qu'elle y aille. Pourtant, elle était déjà en train de traverser la rue, de pénétrer dans le jardin qui sentait le chèvrefeuille et le jasmin. Devant la porte, elle s'arrêta en se demandant ce qu'elle était en train de faire.

Elle frappa. Il y eut un long silence. Tournant la poignée, elle entra. Le lieu était sombre, silencieux. L'unique lampe diffusait une lumière tamisée et le feu crépitait dans l'âtre.

— Joe ?

Pas de réponse.

Prudemment, Meghann fit un pas en avant. Un frisson s'insinua le long de sa colonne vertébrale. Elle sentait que Joe était là, tout près, tapi dans l'ombre comme un animal blessé, à l'espionner. Non. Elle était ridicule. Il n'était pas chez lui. Et elle n'aurait pas dû entrer.

Elle s'apprêtait à regagner la porte quand elle aperçut les photos. Il y en avait partout : sur la table basse, les appuis de fenêtre, la cheminée. Perplexe, elle parcourut la pièce en regardant les clichés. Ils représentaient la même femme, une adorable blonde à l'élégance digne de Grace Kelly. Quelque chose en elle était familier à Meghann. Elle saisit un des portraits et caressa du doigt la surface lisse en plexiglas. Dans celui-ci, la jeune femme faisait de la pâte à tarte, en mettant de la farine partout. Elle portait un tablier sur lequel se détachait une inscription : « Embrassez la cuisinière. » Son sourire était communicatif. Meghann ne put s'empêcher de l'imiter.

— C'est ton habitude d'entrer par effraction chez les gens et de tripoter leurs affaires ?

Meghann recula d'un bond. Sa main se crispa, juste une seconde, mais c'était suffisant. La photo alla s'écraser sur le sol. Meghann fit volte-face.

— Joe ? C'est moi, Meg.

— Je sais.

Il était prostré dans un coin de la pièce, une jambe repliée sous lui, l'autre étendue. Le feu illuminait sa chevelure et la moitié de son visage. Meghann ignorait si c'était l'effet de la faible lumière, mais l'empreinte profonde des rides autour de ses yeux était nettement visible. Il respirait tant la tristesse que Meghann se demanda s'il ne venait pas de pleurer.

— Je n'aurais pas dû entrer. Ni venir ici, d'ailleurs, s'excusa-t-elle, mal à l'aise. Je suis désolée.

Elle se retourna pour regagner la porte.

— Prends un verre avec moi.

Meghann soupira, réalisant l'intensité avec laquelle elle avait désiré que Joe la prie de rester. Elle fit demi-tour.

— Qu'est-ce que tu bois ?

— Un martini ?

Joe s'esclaffa, mais le son qu'il produisit rappelait plutôt un bruissement sec et n'avait aucune ressemblance avec le rire.

— J'ai du scotch. Et du scotch.

Meghann se faufila derrière la table basse pour s'asseoir sur le canapé en cuir fatigué.

— Un scotch, alors.

Joe se leva et traversa lourdement la pièce. Maintenant, Meghann comprenait pourquoi elle ne l'avait pas remarqué : il portait un jean noir usé et un tee-shirt de la même couleur.

Elle entendit le bruit du liquide qui coulait puis le tintement des glaçons. Pendant que Joe préparait son verre, elle jeta un regard circulaire autour d'elle. Les photos lui donnaient un sentiment de malaise. Elles n'étaient pas là pour décorer ; il s'agissait d'une obsession, sans fard et sans honte. Meghann tenta, infructueusement, de se rappeler où elle avait pu voir cette femme.

— Tiens.

Meghann releva la tête.

Joe était debout devant elle, les deux boutons du haut de son jean défaits et le tee-shirt déchiré à l'encolure, dévoilant une touffe de poils sombres sur sa poitrine.

— Merci, souffla Meghann.

Joe but une gorgée à même la bouteille, s'essuyant la bouche du revers de la main.

— De rien.

Joe ne reculait pas et restait planté sur place, tenant à peine sur ses jambes et dévisageant Meghann.

— Tu es saoul, commenta-t-elle, comprenant enfin ce qui se passait.

— On est le 22 juin.

Joe sourit – ou plutôt essaya –, mais la tristesse de ses yeux rendait la chose impossible.

— Tu as quelque chose contre cette date ?

Joe eut un regard de biais en direction de la table couverte de clichés. Rapidement, il détourna les yeux vers Meghann.

— Tu es venue, l'autre jour. Tu n'es pas entrée.

Il l'avait donc vue, cet après-midi-là, quand elle surveillait sa maison depuis la rue. Comme elle n'arrivait pas à trouver de réponse valable, elle termina son verre. Il s'assit derrière elle. Elle se contorsionna pour lui faire face, se rendant compte, un instant trop tard, à quel point il était proche. Sentant son haleine sur ses lèvres, elle eut un imperceptible mouvement de recul. Il tendit la main et lui agrippa le poignet.

— Ne pars pas.

— Je devrais peut-être.

Il la lâcha d'un coup.

— Peut-être.

Il but une autre gorgée au goulot.

— Qui est-ce, Joe ?

Meghann avait parlé d'une voix douce, mais qui paraissait trop forte, trop intime dans la pièce silencieuse. Elle tressaillit, regrettant d'avoir posé la question, mais surprise d'y attacher de l'importance.

— Ma femme, Diana.

— Tu es marié ?

— Plus maintenant. Elle… m'a quitté.

— Le vingt-deux juin.

— Comment tu le sais ?

— Je m'y connais en divorces. Les dates anniversaires peuvent être un calvaire.

Meghann se perdit un moment dans le regard accablé de Joe en essayant de se blinder. C'était mieux comme ça, plus sûr. Mais, assise à côté de lui, assez près pour qu'il la prenne dans ses bras, elle se sentait en manque d'affection. Sans doute, même, désespérée. Elle eut soudain envie que Joe lui donne quelque chose… en plus du sexe.

— Je devrais y aller. On dirait que tu as envie d'être seul.

— Je l'ai déjà été.

La solitude effective qui perçait dans la voix de Joe rapprocha Meghann de lui.

— Moi aussi.

Tendant la main vers elle, il lui effleura le visage.

— Je ne peux rien t'offrir, Meghann.

À la façon qu'il avait de prononcer son nom, avec cette intonation si mélancolique, si sombre mais si douce, elle fut parcourue de frissons. Elle aurait voulu lui dire qu'elle n'espérait rien de lui à part une nuit dans son lit mais ne trouvait pas les mots.

— Ça ne fait rien.

— Tu devrais attendre plus de moi.

— Toi aussi.

Soudain, elle se sentit fragile, comme si ce parfait inconnu avait le pouvoir de lui briser le cœur.

— On parle trop, Joe. Embrasse-moi.

Dans la cheminée, une bûche s'écroula avec un bruit sourd. La pièce fut envahie d'étincelles.

Avec un gémissement, Joe attira Meghann à lui.

20

Le lendemain matin, il faisait un temps idéal à Hayden. Un soleil éclatant était déjà haut dans le ciel bleu pervenche et sans nuages. Une brise rafraîchissante bruissait à travers les arbres, jouant une petite musique sur les feuilles d'érable vert foncé. Dès cinq heures, Claire était prête à s'habiller. Pourtant, elle n'arrivait pas à s'y mettre.

Derrière elle, on frappa à la porte.

— Entrez, répondit-elle, ravie de cette diversion.

Meghann se tenait sur le seuil, une pile de robes enveloppées de housses en plastique dans les bras. Elle semblait angoissée et étrangement peu sûre d'elle.

— J'ai pensé qu'on pourrait se préparer ensemble.

Comme Claire ne répondait pas, Meghann ajouta :

— Tu trouves l'idée stupide.

Elle sortit de la chambre à reculons.

— Arrête. Ce serait génial.

— Ah, bon ?

— Oui. Il faut juste que je me douche.

— Moi aussi. Je te retrouve ici dans dix minutes.

Chose promise, chose due, dix minutes plus tard, Meghann revenait, enroulée dans une serviette. À peine entrée dans la pièce, elle avait enfilé un soutien-gorge et une culotte et s'était séché les cheveux, qu'elle avait rassemblés en un ravissant chignon.

— C'est superbe, la complimenta Claire.

— Je peux m'occuper de ta coiffure, si tu veux.

— Vraiment ?

— Bien sûr. Je te coiffais tout le temps, quand tu étais petite.

Claire n'en avait aucun souvenir, pourtant, elle alla s'asseoir sur une chaise. Meghann s'installa derrière elle et se mit à lui brosser les cheveux en fredonnant. Claire ferma les yeux. C'était si agréable… La berceuse que sa sœur chantonnait la transporta dans le passé :

« Tu seras la plus jolie petite fille de la maternelle de Barstow, Clarinette. Je vais entrelacer ce ruban rose dans tes nattes et il te protégera.

— Comme un lien magique ?

— Oui. Maintenant, arrête de bouger et laisse-moi finir. »

— C'est vrai que tu me coiffais, quand j'étais petite.

La brosse interrompit son manège, puis le reprit.

— Oui.

— J'aimerais me rappeler davantage ces années-là.

— Moi, c'est le contraire.

Ne sachant que répondre, Claire changea de sujet.

— Tu as eu des nouvelles de maman ?

— Non. J'ai laissé trois messages hier. Son « domestique » m'a répondu qu'elle rappellerait quand ça l'arrangerait.

343

— Ça ne sert à rien de s'énerver. Elle est comme elle est.

— Oui. Une actrice sur le retour et une mère qui n'en a jamais été une.

Claire rit aux éclats.

— Elle contesterait « actrice sur le retour ».

— C'est vrai. Après tout, elle a joué Shakespeare à Cleveland. Voilà, c'est terminé.

Claire se leva et se dirigea vers la salle de bains.

— Attends.

Meghann la ramena vers le siège.

— Assieds-toi. Personne ne devrait avoir à s'occuper de son propre maquillage le jour de son mariage.

Meghann alla jusqu'à sa chambre et revint chargée d'une mallette aussi grosse qu'une musette de pêcheur.

Claire se rassit d'un air un peu méfiant.

— N'en mets pas trop. Je ne veux pas ressembler à Tammy Faye.

— Ah bon ? J'aurais cru que si.

Meghann ouvrit la mallette. L'intérieur était rempli de dizaines de boîtiers noirs et brillants marqués des deux C entrecroisés de la marque Chanel.

Claire sourit, moqueuse.

— Je crois que tu passes trop de temps chez Nordstrom.

— Ferme les yeux.

Claire obtempéra. Des pinceaux doux comme des caresses effleurèrent ses paupières et ses pommettes.

« Des baisers de fée. Voilà comment je les appelle. »

Halloween. L'année où elles habitaient Medford, dans l'Oregon. Leur mère était serveuse le jour et danseuse dans une boîte de strip-tease le soir.

« Tu peux me faire ressembler à une princesse, Meggy ? avait demandé Claire, couvant du regard le fruit défendu, la trousse de maquillage maternelle.

— Bien sûr, grosse nouille. Ferme les yeux. »

— Voilà. C'est bon.

Quand Claire se leva, elle eut du mal à retrouver son équilibre. À la vue de Meghann, à genoux, elle redevint l'espace d'une fraction de seconde une princesse de six ans, la main serrée dans celle de sa sœur le soir d'Halloween.

— Va voir.

Dans la salle de bains, Claire vérifia son reflet dans le miroir. Ses cheveux blonds avaient été relevés et torsadés en un élégant chignon. Sa coiffure mettait ses pommettes en valeur et agrandissait ses yeux. Elle n'avait jamais paru aussi jolie. Jamais.

— Oh, parvint-elle juste à articuler.

— Tu n'aimes pas. Je vais recommencer. Viens ici.

Claire se tourna vers Meghann. Elles passaient leur temps à réagir de cette façon, interprétant tout de travers, imaginant le pire. Pas étonnant qu'elles sortent tour à tour meurtries de ces conversations.

— J'adore, s'exclama Claire.

Le visage de Meghann s'éclaira.

— C'est vrai ?

Claire fit un pas vers Meghann.

— Qu'est-ce qui nous est arrivé, Meg ?

Le sourire de Meghann pâlit.

— Tu le sais. S'il te plaît, ne parlons pas de ça aujourd'hui.

— Ça fait des années qu'on dit « pas aujourd'hui ». Je ne crois pas que cette stratégie ait porté ses fruits, et toi ?

Meghann poussa un soupir.

— Certaines choses sont trop douloureuses pour qu'on en discute.

Claire le savait. C'était la règle de base de leur relation. Malheureusement, elle les avait rendues étrangères l'une à l'autre.

— Parfois, c'est le silence qui fait le plus de mal.

Elle perçut la souffrance dans sa voix : il n'y avait pas moyen de la dissimuler.

— Je crois qu'on est la preuve vivante de cet axiome.

Elles se dévisagèrent.

Soudain la porte s'ouvrit d'un grand coup.

— M'man !

Alison débôula dans la chambre, déjà vêtue de sa belle robe de demoiselle d'honneur en soie bleu glacier.

— Vite, m'man, viens voir.

Agrippant la main de sa mère, elle la tira vers la porte.

— Une seconde, ma puce.

Claire jeta un peignoir à Meghann avant de passer une chemise de nuit pour suivre Alison au rez-de-chaussée.

Dehors, dans l'allée, Sam, Bobby et Alison entouraient une décapotable rouge vif, telle une pomme d'amour. Claire s'en approcha, le front plissé. Alors seulement, elle remarqua le ruban rose sur la capote.

— Bon sang, qu'est-ce que c'est que cette histoire ?

Sam lui tendit une carte, qui disait :

Chère Claire, cher Bobby,
Tous mes vœux pour le grand jour. J'espère pou-
voir m'arranger pour venir. Bisous.
Maman

Claire resta en arrêt devant la voiture. Elle savait ce que signifiait le cadeau : sa mère n'assisterait pas au mariage. Sans doute avait-elle opté pour son rendez-vous avec ce coiffeur si demandé.

Meghann se posta derrière sa sœur et lui posa la main sur l'épaule.

— Laisse-moi deviner : le présent de maman ?

Claire soupira.

— Tu peux lui faire confiance pour m'offrir une voiture à deux places. Je dois faire courir Alison derrière, ou quoi ?

Elle n'eut pas d'autre choix que d'en rire.

Claire attendait dans la sacristie de l'église épiscopale, sur Front Street. L'heure précédente avait été plus que bien remplie. Meghann et elle n'avaient pas trouvé cinq minutes pour parler.

Les Bleues n'avaient fait qu'entrer et sortir de la pièce toutes les deux minutes en poussant des oh ! et des ah ! émerveillés devant la robe, tandis que Meghann vérifiait tous les détails, bloc-notes en main. Alison avait demandé au moins dix fois de quel pied elle devait commencer à marcher.

Par bonheur, le lieu était redevenu très calme. Devant le miroir, Claire avait du mal à réaliser que la femme qu'elle voyait n'était autre que son reflet.

La robe lui allait parfaitement, tombant sur le sol en une cascade de soie blanche, et le voile lui donnait l'allure d'une princesse.

Le jour de son mariage.

Elle n'arrivait pas à y croire. Depuis qu'elle avait rencontré Bobby, elle s'était endormie, chaque soir, en se demandant s'il serait encore là le matin suivant. Au lever du soleil, elle s'ébahissait en silence de le retrouver à côté d'elle. Encore un charmant héritage de son enfance, sans doute ! Mais bientôt elle serait Mme Robert Jackson Austin.

On frappa à la porte.

C'était Meghann.

— Tu es prête ?

Claire avala sa salive.

— Oui.

Meghann prit le bras de sa sœur et la conduisit derrière les portes closes de l'église. Sam l'y attendait déjà avec Alison.

— Ali Kat, tu es magnifique, s'attendrit Claire en s'agenouillant pour embrasser sa fille.

Alison eut un rire ravi et tourna sur elle-même.

— J'adore ma robe, m'man.

Derrière le portail, la musique s'éleva. C'était l'heure.

Meghann se pencha vers Alison.

— Tu es prête, ma chérie ? Prends ton temps, comme à la répétition, d'accord ?

Alison sautillait d'excitation.

— Oui.

Meghann entrebâilla un battant. Alison se faufila et disparut.

Sam se tourna vers Claire. Ses yeux se remplirent de larmes.

— Je crois bien que tu n'es plus ma petite fille.

Une seconde plus tard, l'orgue attaqua la marche nuptiale, au moment où Meghann ouvrait les vantaux.

Claire glissa son bras dans celui de son père tandis qu'ils remontaient l'allée centrale. Bobby l'attendait au bout, en costume noir. Son frère, Tommy Clinton, était à côté de lui. Tous deux arboraient un large sourire.

Sam marqua un temps d'arrêt et se tourna vers Claire. Il releva son voile, l'embrassa sur la joue, puis s'éloigna à petits pas. Soudain, Bobby apparut près de Claire, lui prit le bras et la conduisit à l'autel. Elle ressentit pour lui un élan d'amour si intense qu'elle en fut effrayée. C'était dangereux d'aimer quelqu'un à ce point...

« N'aie pas peur », articula Bobby en silence en lui serrant fort la main. Elle se concentra sur la sensation que lui procurait la pression de ses doigts et sur le sentiment de stabilité que lui donnait sa présence.

Le père Tim n'en finissait pas de parler, mais Claire n'entendait que les battements de son cœur. Quand vint le moment, pour elle, de s'engager, elle fut prise de panique à l'idée de ne pas pouvoir parler. Mais elle y parvint :

— Je le veux, dit-elle.

Elle eut l'impression que son cœur gonflait dans sa poitrine. Alors, devant ses amis et sa famille, les yeux plantés dans le regard bleu de Bobby, elle se mit à pleurer.

Le père Tim leur sourit avec bienveillance et proclama :

— Je vous déclare unis par les liens du...

Les portes de l'église s'ouvrirent avec fracas.

Sous le porche se tenait une femme, les bras écartés, une cigarette à la main. Elle portait une robe en lamé argenté qui mettait ses courbes en évidence. Derrière elle se pressaient au moins dix personnes : gardes du corps, journalistes et photographes.

— J'peux pas croire que vous ayez commencé sans moi.

Un murmure excité parcourut la foule au fur à mesure qu'on la reconnaissait. Quelqu'un commenta à voix basse :

— C'est *elle*.

Claire s'essuya les yeux avec un soupir.

— Bobby, tu es sur le point de faire la connaissance de maman.

— Je vais la tuer.

Séchant les larmes pour le moins inattendues qui lui obscurcissaient la vue, Meghann se leva.

— Excusez-moi, marmonna-t-elle aux invités, médusés, à côté d'elle.

Elle se faufila hors du banc et s'engagea dans la travée centrale.

— Voici mon autre fille.

Eliana ouvrit grand les bras. Les flashs projetèrent des salves de lumière aveuglante.

Meghann agrippa sa mère par l'épaule et la traîna de force à l'extérieur. Pendant un instant, celle-ci oscilla sur ses talons ridiculement hauts, faisant craindre à Meghann un carambolage de corps sur le tapis rouge de l'allée. Elle parvint à éviter le désastre en resserrant sa pression. Les paparazzis leur avaient emboîté le pas et parlaient tous en même temps.

À travers le portail à nouveau clos, Meghann entendit le père Tim déclarer Bobby et Claire mari et femme d'un ton hésitant. Un tonnerre d'applaudissements retentit alors dans l'église.

Meghann attira sa mère dans la sacristie et ferma la porte derrière elles.

— Quoi ? pleurnicha Eliana.

Elle tentait de plisser le front, sans toutefois y parvenir. Trop d'injections de Botox, sans doute.

Un chien aboya. Eliana jeta un regard protecteur à un petit sac de voyage de marque brodé de perles.

— Du calme, poussin. Meggy fait une montagne d'une taupinière.

— Tu n'as quand même pas amené ton chien ?

Eliana posa une main sur son ample poitrine.

— Tu sais bien qu'Elvis a horreur qu'on le laisse seul.

— Maman, tu n'as pas été seule depuis des années. En oubliant l'imbécile de service avec qui tu couches en ce moment, tu emploies trois jardiniers, deux gouvernantes, une secrétaire et un domestique. L'un d'entre eux aurait sûrement pu garder Elvis.

— J'ai pas besoin que t'approuves mon mode de vie, Miss Meggy. Maintenant, pourquoi diable m'as-tu chassée de la cérémonie de mariage d'ma propre fille ?

Meghann fut saisie d'un accès de colère impuissante. C'était comme discuter avec un enfant. Il n'y

351

avait aucun moyen de faire comprendre à sa mère ce qu'elle avait fait de mal.

— Tu es en retard.

Eliana fit un geste désinvolte de la main.

— Chérie, j'suis une célébrité. On est toujours en retard, nous autres.

— Aujourd'hui, la star, c'est Claire. Tu comprends ça, maman ? C'est son jour. Néanmoins, tu as réussi à tirer la couverture à toi. Qu'est-ce que tu attendais, derrière ? Tu guettais l'instant idéal pour faire ton entrée ?

Eliana détourna les yeux une seconde, ce qui suffit à confirmer les soupçons de Meghann. Sa mère avait bel et bien calculé son arrivée.

— Maman ! lâcha-t-elle, accablée. C'est un nouveau record de bassesse. Même pour toi. Et qui sont tous ces gens ? Tu crois vraiment que tu as besoin de gardes du corps, à Hayden ?

— Tu dénigres toujours ma carrière, mais mes fans sont partout. Parfois, ils me font peur.

Meghann ricana.

— Garde ton numéro pour *People Magazine*, maman.

— T'as vu l'article ? J'étais bien, non ?

Eliana se précipita vers le miroir et entreprit de vérifier son maquillage.

— Dès que l'église se sera vidée, j'irai parler à ton escorte. Les uns et les autres sont arrivés en voiture, ils peuvent donc attendre dedans jusqu'à ce qu'il soit l'heure de partir. Je te protégerai de tes hordes d'admirateurs.

— Bonté divine, Meggy, qui va prendre mes photos pour le mariage ? Une femme de mon âge a besoin de filtres.

Fourrageant dans son sac du soir à sequins, Eliana en retira un tube noir de rouge à lèvres et se rapprocha de la glace.

— Maman, avertit Meghann, Claire a attendu longtemps cette journée.

— Ça, c'est sûr. J'commençais à croire que ses amies et elle étaient lesbiennes.

Souriant à son reflet, Eliana referma le bâton de rouge d'un coup sec.

— Ce que je veux dire, c'est que Claire doit être le centre d'attention, aujourd'hui. Ses besoins aussi.

— Mais c'est blessant. Quand donc est-ce que j'ai fait passer mes besoins avant ceux d'mes enfants ?

Meghann resta sans voix, confrontée à ce moment de pure science-fiction. Pourtant, Eliana était sincère. Meghann se força à sourire.

— Écoute, maman, je ne veux pas me disputer avec toi un jour pareil. Nous allons nous rendre ensemble à la réception et dire à Claire que nous sommes contentes pour elle.

— Mais j'suis contente pour elle. Le mariage est le plus formidable événement au monde. Tu vois, j'me rappelle que quand j'ai épousé ton papa, j'me suis sentie emportée très loin.

Ça t'est arrivé un peu trop souvent, pensa Meghann, qui resta néanmoins bouche cousue, un sourire de façade plaqué sur le visage. Elle se garda de rappeler à sa mère que son union avec Sam avait tenu moins de six mois et qu'elle l'avait quitté comme une voleuse au milieu de la nuit après l'avoir envoyé à la supérette lui acheter des tampons. Des années durant, Meghann s'était représenté Sam le soir de pluie où il s'était retrouvé sur le terrain réservé aux caravanes de Chief Sealth, à Concrete, dans l'État de Washington, debout devant l'emplacement vide, son achat à la main. Pendant presque dix ans – jusqu'au coup de fil de Meghann –, il avait ignoré qu'Eliana avait eu une fille de lui.

— C'est bien, maman, continue. Mais...

Meghann se rapprocha et leva les yeux vers le visage de sa mère, dépourvu de rides.

— ... tu peux amener un photographe. Un seul. Ni gardes du corps ni chien. Ce n'est pas négociable.

— T'es la reine des casse-pieds, Meggy.

L'accent maternel devenait si prononcé que seule une oreille experte pouvait le comprendre.

— Pas étonnant que t'arrives pas à garder un homme.

— Et c'est dans la bouche de la femme qui s'est mariée... six fois que j'entends ça ? Bientôt, tu seras obligée d'échanger tes maris avec Élisabeth Taylor, au risque de ne plus en trouver.

— T'es vraiment pas une romantique.

— Je me demande bien pourquoi, moi qui ai grandi entourée de tant d'amour.

Immobiles à quelques centimètres l'une de l'autre, la mère et la fille se toisèrent. Puis Eliana eut un subit accès de gaieté. Cette fois, il s'agissait d'un authentique rire d'enfant, au son puissant et populaire, loin du miaulement sexy qu'elle pratiquait à Hollywood.

— Meggy chérie, tu m'as toujours donné un mal de chien. Tu m'as fait un doigt d'honneur à huit mois, j't'e l'ai déjà raconté ?

Meghann ne put se retenir de sourire. Leurs disputes se terminaient toujours de cette façon. Comment pouvait-on rester en colère contre une femme aussi superficielle que sa mère ? Quelquefois, le mieux était de rire et passer à autre chose.

— Je ne crois pas, maman.

Eliana entoura Meghann de ses bras et l'attira contre elle, lui rappelant de nombreux moments de son enfance et de son adolescence. Toutes deux avaient toujours été comme chien et chat, mais leurs disputes se terminaient invariablement dans l'hilarité. Probablement parce que cette solution était préférable aux larmes.

— Mais si. T'as levé les yeux droit vers moi en souriant et t'as fait le geste. Bonté divine, c'était la chose la plus drôle que j'aie jamais vue.

— Depuis, je l'ai refait quelquefois.

— J'imagine. C'est naturel. Tu le saurais, si t'avais eu des enfants.

— Ne t'aventure pas dans cette direction, maman.

— Taratata ! T'as pas à contrôler ce que je dis ou ce que je fais, Meggy. Il faut du cran pour être mère. Tu l'as pas, c'est tout. Regarde la façon dont tu t'es débarrassée de ta sœur. Y a de quoi avoir honte.

— Maman, je ne crois pas que tu puisses me donner des leçons en matière de maternité. Je pourrais te rappeler quelques petites choses que tu prétends avoir oubliées. Comme le fait que c'était à toi d'élever Claire, pas à moi.

— Alors, on y va à cette fête, ou quoi ? Mon vol de retour est à minuit. Mais t'inquiète pas, pour les stars comme moi, pas besoin d'arriver trop à l'avance. J'dois être à l'aéroport de Seattle à vingt-trois heures.

— Ce qui veut dire que tu devras partir à vingt heures trente environ. Allons-y. Maman, n'oublie pas : tiens-toi bien.

— Enfin, chérie, tu sais que les manières n'ont jamais eu de secret pour nous autres, les filles du Sud.

— S'il te plaît ! Tu n'es pas plus du Sud que Tony Soprano.

Eliana renifla.

— J'aurais dû te laisser sur le bord de la route, à Wheeling, en Virginie du Sud, j'te jure.

— Mais c'est le cas.

— T'as toujours été dure et rancunière. C'est une tare, Meggy. Vraiment. J'ai mal compté mes enfants. Et alors ? Ça arrive. Mon erreur, ça a été d'revenir te chercher.

Meghann soupira. Il était impossible d'avoir le dernier mot avec sa mère.

— Viens, maman. Claire doit se dire que je t'ai tuée pour de bon.

21

Claire refusait de penser à l'arrivée désastreuse de sa mère. Pendue au bras de Bobby, elle se laissait aller. Elle était au centre des conversations, des rires et des félicitations de l'assistance. Jamais elle ne s'était sentie si entourée, si aimée. Presque toute la ville était venue à son mariage et chaque personne présente s'arrêtait pour lui dire qu'elle était la plus jolie des mariées.

Tant d'attention avait de quoi vous monter directement à la tête. Une mère célibataire à l'existence bien remplie tendait à oublier l'effet que cela faisait d'être la reine du jour.

Bobby glissa son bras autour de la taille de Claire et resserra son étreinte.

— Est-ce que je t'ai dit à quel point tu étais belle ?

S'arrêtant net, elle se tourna vers lui, laissant son corps se fondre dans le sien.

— Mais oui.

— Quand tu es arrivée dans la travée, tu m'as coupé le souffle. Je t'aime, madame Austin.

Claire sentit les larmes lui monter aux yeux. Rien de bien étonnant : elle avait eu envie de pleurer toute la journée.

Se tenant enlacés, Bobby et elle suivirent la foule d'un pas tranquille.

— Je ne vois pas pourquoi tout le monde a dû garer son véhicule à Riverfront Park. D'habitude, il y a de la place devant l'église. On peut partager les voitures jusqu'au village-club.

Bobby haussa les épaules.

— Je suis le flot. Gina m'a dit que la limousine nous attendrait devant le parc.

Claire rit sous cape.

— Fais confiance à Meghann pour louer une limousine même pour faire dix kilomètres.

Pourtant, Claire ne pouvait pas nier qu'elle était excitée. Elle n'avait jamais pris place dans un pareil engin.

Devant Bobby et elle, l'assistance s'arrêta, comme si elle obéissait à un signal, et se sépara, formant une haie sombre.

— Venez, cria Gina en faisant signe aux mariés d'avancer.

Ils obtempérèrent. Autour d'eux, les invités applaudissaient et les acclamaient. Une pluie de riz sembla tomber du ciel, ruisselant sur les cheveux des mariés et craquant sous leurs pieds.

Ils atteignirent la fin de l'assemblée.

— Mon Dieu !

Claire se retourna et chercha à repérer Meghann dans la foule, mais elle n'était pas en vue.

Claire n'en croyait pas ses yeux. Riverfront Park, l'endroit où elle avait passé son enfance, où elle s'était cassé la cheville en jouant au pêcheur, où elle avait vécu son premier baiser, avait été transformé. Avec la nuit, l'épais gazon paraissait noir de jais. En arrière-plan, sur la droite, la rivière ressemblait à un ruban d'argent terni qui accrochait la lumière de la lune.

Une immense tente blanche avait été montée. Des milliers de lumignons de Noël étaient entrelacés autour des poteaux et le long des plafonds improvisés. Même de là où Claire se trouvait, elle apercevait les tables drapées d'une nappe argentée. Des lanternes chinoises découpaient des formes variées dans la lumière, constellant les parois de toile et le sol d'étoiles et de croissants de lune.

Claire fit un pas en avant. Le parfum sucré des roses embaumait l'air nocturne. Sur chaque table trônait un arrangement floral central, une simple coupe de verre remplie de roses blanches. Le long d'un côté courait un gigantesque buffet, chargé d'élégants réchauds en métal argenté et de plateaux couverts de victuailles. Dans un angle, un trio masculin en smoking blanc jouait une chanson d'amour datant de la Seconde Guerre mondiale aux accents doux et entêtants.

— Génial ! s'émerveilla Bobby en rejoignant Claire.

L'orchestre attaqua une très belle interprétation de « Isn't It Romantic », d'Ella Fitzgerald.

— Voulez-vous danser, madame Austin ?

Claire laissa Bobby l'entraîner dans ses bras en direction de la piste. Devant ses amis et sa famille, elle dansa avec son mari.

Quand la chanson, fort longue, se termina, Claire aperçut Meghann. Elle suivait de près leur mère, qui semblait d'humeur mondaine.

— Viens, demanda Claire à Bobby en lui prenant la main.

Il lui sembla qu'ils mettaient des heures à franchir le barrage d'invités attendant pour les féliciter et qui semblaient tous avoir un petit mot à leur dire. Finalement, Claire et Bobby atteignirent le bar, où Eliana régalait son auditoire, subjugué, d'anecdotes sur la vie à bord de l'*USS Star Seeker*. Voyant les mariés arriver, elle s'interrompit au beau milieu d'une phrase. Un authentique sourire se peignit sur ses lèvres.

— Claire ! s'écria-t-elle en tendant les deux bras vers elle. Désolée d'être en retard, chérie. La vie d'une star est régentée par les autres. Mais t'étais la plus jolie mariée que j'aie jamais vue.

Sa voix chevrota un peu.

— Vraiment, Claire, insista-t-elle, plus bas cette fois, à l'intention exclusive de sa fille. J'suis fière de toi.

Leurs regards se rencontrèrent. Au fond des yeux sombres de sa mère, Claire devina une joie sincère, qui la toucha.

— Et maintenant, où est mon nouveau gendre ?

— Me voici, madame Sullivan.

— Appelez-moi Ellie, comme toute ma famille.

Eliana se rapprocha de Bobby en sifflant doucement.

— Vous êtes assez beau pour faire carrière à Hollywood.

Dans la bouche d'Eliana, c'était le plus beau des compliments.

— Merci, madame.

Un éclair d'irritation traversa le visage d'Eliana, disparaissant aussi vite qu'il était apparu.

— Sérieusement. Appelez-moi Ellie. J'ai entendu dire que vous étiez chanteur. Meggy ne sait pas ce que vous valez.

— Je suis bon.

Eliana prit la main de Bobby.

— Si vos chansons sont à la hauteur de votre physique, vous ne tarderez pas à passer à la radio. Venez. Racontez-moi votre carrière pendant qu'on danse.

— Ce serait un honneur pour moi.

Bobby s'éloigna en décochant un bref sourire à Claire. Celle-ci se tourna vers Meghann, qui était restée debout en silence pendant toute la conversation.

— Ça va ?

— Maman a amené son chien. Je ne parle même pas de son aréopage de gardes du corps.

— Elle pourrait être assiégée par ses hordes « d'fans » à tout moment, railla Claire en prenant de son mieux l'accent du Sud.

Meghann partit d'un petit rire, mais redevint vite sérieuse.

— Il faut qu'elle parte à vingt heures trente.

— Manucure avec Rollo ?

— Probablement. Quoi qu'il en soit, je crois qu'on peut remercier le ciel.

L'orchestre enchaîna sur une version tendre et mélancolique de « As Time Goes By », la chanson du film *Casablanca*.

Claire regarda longuement sa sœur en essayant de trouver les mots pour exprimer ses émotions.

— Ce mariage…, commença-t-elle d'une voix fêlée.

Elle avala avec peine.

— J'ai fait quelque chose de travers, c'est ça ?

Claire eut le cœur serré en pensant à leur enfance envolée et aux années de séparation.

— Tu as dépensé une fortune, remarqua-t-elle.

— Non. Presque tout était en solde. Ce sont mes lumignons de Noël. La tente…

Claire effleura de la main les lèvres de Meghann pour la faire taire.

— J'essaie de te remercier.

— Oh…

— Je voudrais…

Elle ignorait comment formuler le désir soudain qui l'animait et qui semblait trop important pour être exprimé par un moyen aussi précaire que les mots.

— Je sais, la rassura Meghann avec douceur. Peut-être que les choses vont pouvoir changer, maintenant. Les moments que nous avons passés ensemble m'ont permis de me souvenir de nos relations d'avant.

— Tu étais ma meilleure amie, poursuivit Claire, s'essuyant précautionneusement les yeux, de peur d'abîmer son maquillage. Ça m'a manqué quand tu es…

« Partie ». Même aujourd'hui, Claire n'arrivait pas à prononcer ce mot si dur.

— Tu m'as manqué aussi.

— M'man, m'man, viens danser avec nous.

Claire pivota et aperçut Sam et Alison, quelques mètres plus loin.

— Je crois que, selon la coutume, la mariée doit danser avec son père, intervint Sam avec un sourire en tendant une main calleuse à Claire.

— Et sa fille ! Grand-père va me porter.

Tout excitée, Alison sautait sur place.

Claire confia sa flûte de champagne à Meghann, qui articula silencieusement « vas-y ». Elle se laissa conduire jusqu'à la piste. Comme Sam et elle traversaient la foule jusqu'au centre, il lui dit dans le creux de l'oreille :

— Un jour, Ali se mariera et tu sauras ce que ça fait, toutes les émotions que ça provoque à la fois.

— Porte-moi, grand-père !

Sam se pencha pour soulever Alison. Accrochés les uns aux autres, tous trois se balancèrent longuement au rythme de « The Very Thought of You », de Billie Holliday. Claire détourna les yeux avant qu'Alison ait le temps de lui demander pourquoi elle pleurait. À sa gauche, sa mère faisait tourner le pauvre Bobby comme une toupie. Claire rit, pensant qu'elle savait ce que son père avait voulu dire.

Toutes les émotions à la fois. Exactement ce qu'elle ressentait. Elle se souviendrait toujours de cette soirée et se rappellerait combien sa vie était belle, combien elle avait aimé et été aimée en retour.

C'était le cadeau que Meghann lui avait fait.

Meghann fixait rêveusement la surface sombre et veloutée du gazon de l'Edgard Peabody Riverfront Park. De l'autre côté de la rue, le baraquement en tôle se dressait, baigné par le clair de lune. Derrière

Meghann, l'orchestre démontait son matériel, sous le regard des quelques invités irréductibles encore présents. Eliana était partie plusieurs heures plus tôt, ainsi que Sam et Alison. Le reste de l'assistance, y compris les mariés, s'était éclipsé autour de minuit. Meghann était restée plus tard pour superviser le nettoyage, à présent terminé.

Sirotant du champagne, elle laissa errer son regard. Sa Porsche était garée devant chez Joe. Meghann se demanda si elle avait choisi l'emplacement consciemment.

Joe devait dormir.

Meghann savait que c'était ridicule, voire dangereux, d'aller le voir, mais ce soir-là, il y avait quelque chose dans l'air. Un mélange entêtant de romantisme et de magie, qui sentait la rose et incitait Meghann à croire que tout était possible. Pour ce soir, en tout cas.

Elle ne s'autorisa pas à réfléchir. Si elle le faisait, elle se traiterait d'idiote et ne bougerait pas. Alors elle reprit en fredonnant l'air de musique classique qui passait et s'engagea sur la chaussée gravillonnée. Une fois arrivée au ruban noir d'asphalte, elle tourna à droite.

Devant chez Joe, elle s'arrêta. La lumière était allumée.

Ce que Meghann était en train de faire lui ressemblait peu.

Repoussant cette pensée, elle s'approcha de la porte. Au bout d'une ou deux minutes d'hésitation, elle frappa. Joe ne tarda pas à ouvrir. Il était décoiffé, comme si Meghann l'avait réveillé, et ne portait qu'un jean noir. Il attendit qu'elle parle, mais sa voix l'avait abandonnée. Plantée là comme une imbécile, elle se contenta de fixer le torse nu de Joe.

— Tu comptes rester dehors ?

Elle leva la main droite, exhibant la bouteille de champagne qu'elle avait apportée.

Joe la regarda sans rien dire. Quand le silence devint pesant, il attrapa un tee-shirt sur le canapé et l'enfila avant de revenir sur le pas de la porte.

— Je suppose que tu désires t'envoyer en l'air. C'est pour ça que tu es ici, non ?

Meghann se raidit, envisagea de se mettre sur la pointe des pieds pour gifler Joe, mais cela aurait été de la comédie. Une femme comme elle, qui collectionnait les aventures avec les inconnus, avait perdu ce droit depuis belle lurette. Joe était honnête avec elle, mais il y avait autre chose. Comme s'il lui en voulait. Meghann se demandait pourquoi. Plus troublant, elle se rendit compte que cela lui importait.

— Non. Je pensais qu'on pourrait sortir.

— À une heure du matin ?

— Bien sûr. Pourquoi pas ?

— « Pourquoi ? » serait plus pertinent comme question.

Meghann leva la tête vers Joe. Quand leurs regards s'accrochèrent l'un à l'autre, elle sentit son pouls accélérer. Elle ne pouvait vraiment pas exprimer la réponse avec des mots et n'osait pas examiner de trop près les raisons de sa présence.

— Écoute, Joe, j'étais de bonne humeur. J'ai sans doute trop bu.

Elle bafouilla, empêtrée dans son désir de ne pas être seule. Humiliée, elle ferma les yeux.

— Désolée, je n'aurais pas dû venir.

Lorsqu'elle les rouvrit, elle constata que Joe s'était rapproché. Un pas de plus, et il était assez près pour l'embrasser.

— Je n'ai pas très envie de sortir.

— Oh.

— Mais si tu veux entrer, je ne suis pas contre.

Meghann sentit son visage se détendre.

— Fantastique.

— Ce qui me gêne, continua Joe, c'est de me réveiller seul. Si tu ne veux pas passer la nuit ici, ce n'est pas un problème, mais ne file pas en douce.

C'était donc cela.

— Pardonne-moi.

Le sourire de Joe illuminait son visage et le rajeunissait de dix ans.

— D'accord. Entre.

Meghann lui toucha le bras.

— C'est la première fois que je te vois sourire.

— Oui, répondit-il tout bas, un peu tristement peut-être. Ça fait un bail.

Meghann dormit d'une traite. Quand l'aube pointa à travers les fenêtres du chalet, elle se réveilla en sursaut. Elle ne se sentait ni nerveuse ni de mauvaise humeur, ce qui était en général le cas après une nuit courte, mais reposée et relaxée. Elle n'arrivait pas à se rappeler la dernière fois où le réveil avait été si agréable.

La jambe de Joe pesait sur la sienne. Son bras l'entourait, la clouant sur place. Même dans le sommeil, son index effleurait sa peau. Il fallait qu'elle s'éloigne. Elle avait perfectionné la manœuvre au fil des ans : le roulé-boulé permettant d'échapper à l'intimité, l'atterrissage silencieux sur le sol, le rhabillage discret qui précédait la sortie furtive.

« Ce qui me gêne, c'est de me réveiller seul », avait avoué Joe. Meghann ne pouvait pas filer à l'anglaise. Le plus surprenant, c'était qu'elle n'en avait pas envie, pas vraiment. Elle sentait qu'elle devait le faire ou, du moins, c'était ce que lui suggérait son instinct de conservation ; mais en fin de compte, c'était agréable d'être à nouveau en compagnie d'un homme. Allongée à écouter la respiration lente et régulière de Joe, appréciant la sensation de son bras autour d'elle, Meghann réalisait qu'elle avait peu connu l'intimité au cours de sa vie. Elle contrôlait toujours tant la situation, avançant sans relâche sur le chemin qu'elle s'était tracé, qu'elle n'avait jamais assez ralenti pour arriver à ressentir quoi que ce soit. Bien sûr, l'intimité qu'elle partageait avec Joe n'était pas réelle. Ils ne se connaissaient pas, ne tenaient pas profondément l'un à l'autre, mais pour Meghann, cette approximation était plus forte que tous ses sentiments de ces dernières années réunis.

De plus, cette fois, le sexe avait été différent. Plus tendre, plus doux. Au lieu de se livrer à une sorte de course contre la montre, Joe avait pris son temps. Ses longs baisers langoureux avaient rendu Meghann folle de désir. Ce n'était pas simplement qu'elle était excitée ; en tout cas, c'est ce qu'elle s'était dit en se laissant emporter. Elle avait imaginé qu'entre eux c'était plus que sexuel.

Voilà ce qui l'inquiétait. La dépendance était un sentiment qu'elle comprenait et acceptait. D'un noir d'encre dans un monde gris. Mais l'émotion était une autre affaire. Même si elle ne débouchait pas sur l'amour, elle était synonyme de problèmes. Avoir des sentiments pour quelqu'un était la dernière chose que souhaitait Meghann. Et pourtant...

Elle n'était pas du genre à se raconter des histoires, mais à ce moment-là, allongée nue dans les bras de Joe, elle se devait d'admettre qu'il se passait quelque chose. Pas de l'amour, mais *quelque chose*. Quand Joe l'embrassait, elle avait l'impression qu'il s'agissait de son premier baiser.

Elle voyait venir les choses, aussi précisément que les couleurs de l'aube qui pointait : c'était le prélude au mal d'amour. Le commencement. C'était arrivé insidieusement. Meghann avait ouvert une porte marquée « rencontre d'un soir » et se retrouvait debout dans une pièce remplie de possibilités inattendues, susceptibles de lui briser le cœur.

Si elle abandonnait l'affaire maintenant, Joe deviendrait progressivement un joli souvenir, une blessure douloureuse, peut-être, mais aussi douce-amère, presque agréable. Préférable au genre de peine sentimentale qui ne manquerait pas de suivre, si elle essayait de croire que sa relation avec Joe ne se limitait pas au sexe. Il fallait qu'elle mette fin à cette histoire avant qu'elle ne la marque.

L'idée l'attrista, accentuant son sentiment de solitude. Elle ne put s'empêcher de se pencher pour embrasser Joe. « Fais-moi l'amour », avait-elle envie de lui murmurer, mais elle savait que sa voix la trahirait. Alors elle ferma les yeux et fit semblant de dormir. Un effort inutile, car elle ne pensait qu'à une chose : l'instant où, plus tard, elle quitterait Joe.

Elle ne lui dirait pas au revoir.

Joe se réveilla avec Meghann dans les bras, leurs corps nus enchevêtrés. Émoustillé par le souvenir de la nuit précédente, il se sentait étourdi. Plus que tout, il voulait se rappeler le ton rauque de Meghann quand elle avait crié son nom.

Il se déplaça un peu, assez pour pouvoir la regarder. Sa chevelure noire était en bataille. Joe se souvenait d'avoir passé les mains dedans, puis d'avoir caressé Meghann en s'endormant. Ses joues pâles paraissaient encore plus blanches contre l'oreiller de coton grisâtre. Même dans son sommeil, une sorte de tristesse lui marquait le coin des yeux et de la bouche, comme si elle ruminait ses soucis nuit et jour.

Quel couple ils formaient ! Ils avaient passé presque trois nuits ensemble et n'avaient pratiquement divulgué aucun de leurs secrets respectifs. L'incroyable, c'était que Joe avait à nouveau envie d'elle. Et pas que de son corps. Il voulait la connaître, et ce simple désir lui donnait l'impression d'avoir changé. Comme si la lumière s'était allumée dans une pièce jusqu'alors froide et sombre.

Et malgré tout, il avait peur. La culpabilité faisait partie de lui. Ces dernières années, elle l'avait envahi corps et âme. Pendant plus de nuits qu'il ne voulait l'admettre, elle avait été sa force, le seul sentiment qui l'aidait à rester debout, la première chose dont il se souvenait le matin et la dernière à laquelle il songeait en s'endormant. S'il l'abandonnait – pas totalement, bien sûr, mais assez pour arriver à vivre une autre vie, avec une autre femme –, perdrait-il ses souvenirs, par la même occasion ? Diana était-elle si étroitement liée à ses regrets qu'il ne parviendrait pas à avoir l'une sans les autres ? Et si c'était le cas, arriverait-il à bâtir une existence où la femme qu'il avait tant aimée n'aurait pas sa place ?

Il l'ignorait. Mais pour l'instant, le spectacle de Meghann endormie et la caresse imperceptible de sa respiration sur sa peau lui donnaient envie d'essayer. Il tendit la main pour écarter une mèche de cheveux soyeux du visage de Meghann, un geste qu'il n'avait pas fait depuis des années.

Meghann se réveilla en battant des paupières.

— Bonjour, dit-elle d'une voix éraillée.

Il l'embrassa tendrement.

— Bonjour, chuchota-t-il à son tour.

Elle se dégagea trop vite et se détourna.

— Il faut que j'y aille. Je dois passer prendre ma nièce à neuf heures.

Écartant les couvertures, elle sortit du lit et attrapa un oreiller à la hâte pour cacher sa nudité, avant de filer dans la salle de bains. Quand elle en ressortit, vêtue de sa coûteuse robe en soie couleur lavande, Joe était habillé.

Meghann ramassa d'une main ses sandales et drapa son collant sur une de ses épaules.

— Je dois vraiment partir.

Lorgnant en direction de la porte d'entrée, elle amorça sa sortie.

Joe voulait l'arrêter sans savoir comment s'y prendre.

— Je suis content que tu sois venue, hier soir.

— Moi aussi. J'ai eu du plaisir deux fois, dit Meghann en riant.

— Arrête, lui demanda Joe en se rapprochant d'elle.

Il n'avait aucune idée de ce qu'il y avait entre eux – si tant est qu'il y eût quelque chose –, mais il savait que ce n'était pas de la blague.

Le regard de Meghann alla de la porte à Joe.

— Je ne peux pas rester, Joe.

— À plus tard, alors. Au revoir.

Il attendit une réponse qui ne vint pas. Elle l'embrassa. Avec violence. Il était à bout de souffle quand elle se dégagea en murmurant :

— Tu es un type bien, Joe.

Et elle fila.

Il alla à la fenêtre observer son départ. Elle courut presque jusqu'à sa voiture, mais une fois devant, elle s'arrêta pour regarder en arrière, vers le chalet. De loin, elle avait l'air triste. Cela rappela à Joe qu'il la connaissait peu.

Il voulait y remédier et se dire qu'après tout, il avait un avenir. Peut-être avec elle. Mais il devait cesser de s'accrocher au passé.

Il ignorait comment s'y prendre pour recommencer sa vie et croire à des lendemains différents, mais il savait comment faire le premier pas : en rendant visite aux parents de Diana.

22

Meghann gara la Porsche et en descendit. Un bref coup d'œil en direction de la maison lui apprit qu'il n'y avait personne. Les lumières étaient éteintes. Fourrant son collant dans son sac, elle traversa le gazon pieds nus en courant, avant de se glisser en silence dans la pénombre, à l'intérieur.

Une demi-heure plus tard, elle s'était douchée, avait enfilé un jean et un tee-shirt et fait ses bagages. Avant de partir, elle s'arrêta pour écrire un mot à Claire, qu'elle laissa sur le comptoir de la cuisine :

Claire et Bobby,
Bienvenue chez vous.
Avec toute mon affection.
Meg

Elle fit un croquis amusant représentant deux verres de martini à côté de son nom, s'arrêtant un instant pour examiner une dernière fois cette maison qui ressemblait tant à un vrai foyer. Contre toute attente, le départ lui sembla difficile. Son appartement était si froid et vide, en comparaison.

Elle remonta dans sa voiture et traversa le camping au ralenti. Si tôt le dimanche matin, l'endroit était très calme. Pas d'enfants dans la piscine ni de campeurs en promenade. Seuls deux pêcheurs, le père et le fils, vraisemblablement, se tenaient près de la rivière, jetant leur ligne dans l'eau.

Arrivée à la limite de la propriété, Meghann tourna sur une route de campagne pleine d'ornières. Dans ce coin-là, les arbres poussaient plus près les uns des autres et leurs branches imposantes ne laissaient passer que les plus vigoureux des rayons du soleil matinal. Meghann atteignit la clairière, un jardin en forme de fer à cheval rempli de rhododendrons géants et d'énormes fougères. Un mobile home gris à l'avant, prolongé par une jolie terrasse en cèdre, y était installé, juché sur des blocs de ciment. Il y avait des pots de géraniums rouges et de pétunias violets partout.

Meghann gara la Porsche et s'en éloigna sans hâte. Comme toujours, elle appréhendait de rencontrer Sam et sentait son estomac se contracter. Elle devait faire un sérieux effort pour le regarder sans se remémorer le passé. Sam l'avait chassée de l'existence de Claire.

Agrippant la lanière de son sac, elle remonta l'allée de gravier jusqu'à la véranda, qui embaumait le chèvrefeuille et le jasmin.

Elle frappa, trop discrètement d'abord. Comme personne ne répondait, elle recommença. Plus fort, cette fois.

La porte s'ouvrit dans un craquement de gonds et Sam apparut, en salopette râpée et tee-shirt bleu pâle au sigle du village-club. Il était presque aussi échevelé qu'Albert Einstein.

— Meg, la salua-t-il avec un sourire contraint en reculant. Entre.

Meghann se faufila devant lui à l'intérieur pour se retrouver dans un salon étonnamment cosy.

— Bonjour, Sam. Je viens chercher Alison.

— Oui. Tu es sûre de la prendre cette semaine ? Je serais ravi de la garder.

— Je ne doute pas que tu serais enchanté de t'en occuper, répliqua Meghann, piquée au vif.

Voilà qui lui rappelait trop le passé.

— Je ne voulais pas te vexer.

— Évidemment.

— Je sais que tu es débordée.

Meghann regarda Sam en face.

— Tu crois encore que j'exerce une mauvaise influence, c'est ça ?

Sam fit un pas vers elle puis s'arrêta, indécis.

— Je n'aurais jamais dû penser une chose pareille. Claire m'a raconté ton immense gentillesse à son égard. Je n'y connaissais rien aux enfants, à l'époque, et je ne savais pas comment m'y prendre avec une adolescente qui…

— S'il te plaît, ne finis pas ta phrase. Tu m'as préparé une liste ? Allergies. Médicaments. Tout ce que je dois savoir ?

— Ali se couche à vingt heures et elle aime qu'on lui lise une histoire. Sa préférée, c'est *La Petite Sirène*.

— Parfait.

Meghann fixa l'extrémité du couloir.

— Est-ce qu'elle est prête ?

374

— Oui. Elle dit juste au revoir à son chat.

Meghann attendit. Quelque part dans le mobile home, elle entendit une horloge marquer le passage d'une minute, puis d'une autre.

— Samedi, Ali est invitée à une fête d'anniversaire. Si tu la ramènes avant midi, elle pourra y aller, conclut Sam. Comme ça, elle sera à la maison pour le retour de Claire et Bobby, dimanche.

Meghann connaissait le programme.

— Elle sera là à l'heure. Est-ce que je dois l'emmener acheter un cadeau ?

— Si ça ne te dérange pas.

— Pas du tout.

— Rien de trop cher.

— Je crois que je saurai me débrouiller.

Un autre silence s'installa, ponctué par l'horloge qui égrenait le temps. Meghann se creusait la tête à la recherche d'une phrase anodine quand Alison déboucha dans le couloir à toute allure, portant un chat noir dont le corps s'étirait presque jusqu'au sol.

— Éclair veut venir avec moi, grand-père. Il me l'a miaulé. Je peux l'emmener, tante Meg, dis ?

Meghann ignorait si les animaux domestiques étaient autorisés dans son immeuble. Avant qu'elle ait eu le temps de répondre, Sam s'était agenouillé devant sa petite-fille et lui avait enlevé le chat des bras.

— Éclair doit rester ici, ma chérie. Tu sais qu'il aime jouer avec ses amis et chasser les souris dans les bois. C'est un chat des champs. Il ne se plairait pas en ville.

Les yeux d'Alison paraissaient immenses au milieu de son visage en forme de cœur.

— Mais je ne suis pas une fille des villes, moi non plus, protesta-t-elle en gonflant la lèvre inférieure.

— Non, répondit Sam du tac au tac, mais tu es une aventurière. Comme Mulan ou la princesse Jasmine. Tu crois qu'elles auraient peur de faire un voyage dans une grande cité ?

Alison fit non de la tête.

Sam l'attira à lui et la serra fort. Quand il la lâcha, il se releva à contrecœur avant de chercher le regard de Meghann.

— Prends bien soin de ma petite-fille.

C'était assez similaire à ce qu'elle avait dit à Sam des années auparavant, avant de partir pour de bon : « Prends soin de ma sœur. » La seule différence était qu'à l'époque, elle avait pleuré.

— Pas de problème.

Alison s'empara de son sac à dos et de sa valise.

— Je suis prête, tante Meg.

— D'accord. Allons-y.

Prenant le bagage de sa nièce, Meghann se dirigea vers la porte.

La voiture remontait l'allée quand Alison se mit soudain à hurler :

— Arrête !

Meghann écrasa la pédale de frein.

— Qu'est-ce qui ne va pas ?

S'arrachant à son siège, Alison ouvrit la portière et courut jusqu'au mobile home. Un instant plus tard, elle était de retour, serrant une couverture rose miteuse contre sa poitrine. Ses yeux brillaient de larmes.

— Je ne peux pas partir à l'aventure sans mon lulu.

Claire se souviendrait toujours de sa première vision de Kauai.

Alors que le jet virait sur l'aile gauche et amorçait sa descente, elle entrevit l'eau bleu turquoise bordant les plages de sable blanc. Sous la surface, les récifs scintillaient de toute leur noirceur.

— Oh, Bobby, s'extasia Claire en se tournant vers lui.

Elle voulait lui expliquer ce que signifiait ce moment pour une fille qui avait grandi dans une caravane en rêvant de palmiers. Mais les mots qui lui venaient étaient trop banals.

Une heure plus tard, installés dans leur voiture de location, un cabriolet Mustang, Claire et Bobby roulaient vers le nord. C'était incroyable de constater qu'à chaque kilomètre supplémentaire, l'île devenait plus verte et plus luxuriante. Une fois qu'ils eurent atteint le célèbre pont Hanalei, surplombant un immense patchwork de champs de taro niché contre les montagnes imposantes, ils se retrouvèrent transportés dans un monde complètement différent. D'un côté de la route à deux voies, les paysans, debout dans l'eau, s'occupaient de leur récolte. Aucun chemin, aucune maison n'était visible à l'horizon pendant des kilomètres. Sur la droite, la sinueuse rivière Hanalei, bordée par une épaisse végétation fleurie, portait les amateurs de kayak sur ses flots. En toile de fond, le relief sombre contrastait avec le ciel bleu : quelques nuages diaphanes laissaient présager de la pluie pour le lendemain, mais pour l'instant, le temps était parfait.

— Ici ! Tourne ici, enjoignit Claire à Bobby, une rue après l'église.

Les maisons qui bordaient la route de la plage étaient bâties sur de vastes parcelles en bord de mer. Claire s'était préparée à découvrir des demeures dignes du quartier de Bel-Air, à Los Angeles. Elle n'aurait pas dû s'inquiéter : la plupart des bâtiments étaient d'époque, mais sans prétention. Bobby tourna encore au niveau du parc et la location retenue par Sam apparut enfin.

Elle était blottie dans une impasse à une rue de la mer. Elle aurait pu paraître ordinaire, mais c'était tout le contraire. Peinte en bleu vif avec une bordure d'un blanc brillant, elle ressemblait à une boîte à bijoux cachée dans un paysage tropical. Une épaisse haie verte longeait trois côtés de la propriété, la protégeant du voisinage.

À l'intérieur, les murs étaient blancs, le parquet en pin et les meubles, hawaiiens, très gais. À l'étage, la chambre, lumineuse, donnait sur un balcon qui surplombait les pics. Claire y resta debout à admirer la vue, contemplant les quelques chutes d'eau qui s'accrochaient çà et là aux parois rocheuses, et écoutant le bruit distant des vagues.

Bobby l'enlaça par-derrière.

— Peut-être qu'un jour je percerai et qu'on pourra vivre ici.

Claire se laissa aller contre lui. Elle aussi avait aspiré à la réussite pendant des années, mais ce fantasme avait perdu de son acuité.

— Ça m'est égal qu'on ne devienne pas riches. Ce qu'on a aujourd'hui, ce sont ces vacances, et elles dépassent mes rêves les plus fous.

Bobby fit pivoter Claire pour se retrouver face à elle. Ses yeux étaient emplis d'une tristesse inhabituelle.

— Je ne te quitterai pas, Claire. Comment peux-tu encore ne pas en être sûre ?

Claire aurait aimé effacer ces mots d'un sourire.

— Je le sais.

— Non. Pas encore. Je t'aime, Claire. J'imagine que tout ce que je peux faire, c'est continuer à te le dire. Je n'ai pas l'intention de partir où que ce soit.

— Et si on profitait de la plage ?

Main dans la main, ils se mirent en route vers le bord de mer. À l'une des nombreuses entrées publiques, sous le kiosque, un groupe d'Hawaiiens célébrait une fête de famille. Des enfants aux cheveux sombres et à la peau cuivrée, en maillot de bain bariolé, se poursuivaient sur l'herbe pendant que les adultes installaient le buffet un peu plus loin. Quelque part, quelqu'un jouait du ukulélé.

La baie de Hanalei s'étalait des deux côtés d'une plage de sable blanc d'un kilomètre et demi en forme de fer à cheval géant. Au nord se dressaient les montagnes, rosies par le soleil couchant.

De petites vagues frangées de blanc roulaient sur la grève, ramenant vers le sable des enfants rieurs. Plus loin, des adolescents étaient allongés sur d'immenses planches de surf. Leur professeur, un athlète coiffé d'un chapeau de paille, donnait à chacun une petite poussée à l'arrivée d'une vague prometteuse.

Claire et Bobby passèrent le reste de la journée sur le sable chaud et contemplèrent le coucher de soleil en parlant. Quand, gagnée par la pénombre, la plage se fit silencieuse et que les étoiles se mirent à scintiller sur l'eau noire, ils se décidèrent à regagner la maison. Ils préparèrent le dîner, qu'ils prirent sur une table d'appoint sous la véranda, à l'arrière, éclairés par des lanternes et des bougies censées écarter les moustiques. Sitôt la vaisselle terminée, ils eurent un mal fou à s'empêcher de se jeter l'un sur l'autre.

Bobby souleva Claire dans ses bras et l'emmena à l'étage. Elle rit en s'accrochant à lui et ne le lâcha que quand il la laissa tomber sur le lit. Presque aussitôt, elle se mit à genoux pour le regarder.

— Tu es si belle, s'étonna-t-il en glissant un doigt sous sa bretelle de maillot.

Au contact de la main de Bobby sur sa peau froide, marquée par la chair de poule, Claire respira par à-coups.

Bobby se pencha pour retirer son propre caleçon de bain, puis se redressa. Le spectacle de son corps nu, musclé et excité, fit frissonner Claire. Elle lui tendit les bras.

Bobby s'approcha du lit. Claire sentait le tremblement impatient de ses mains pendant qu'il la déshabillait et lui caressait les seins. Enfin, il l'embrassa sur la bouche, les paupières, le menton. Claire l'étreignit et l'attira sur elle. La main de Bobby se glissa entre ses cuisses. Avec un gémissement, Claire s'ouvrit à lui. Il la recouvrit de son corps, elle enfonça ses doigts dans son dos ferme et se cambra

380

pour aller à sa rencontre. Ils jouirent en même temps, criant chacun le nom de l'autre.

Claire se lova contre son mari et s'endormit, bercée par la régularité de sa respiration et le bourdonnement continu du ventilateur au plafond.

Meghann avait entraîné Alison dans une étourdissante visite de Seattle. Elles allèrent à l'aquarium voir le repas des loutres et des phoques. Meghann remonta même les manches de son chemisier pour plonger les mains dans le bassin d'exploration, où, en compagnie d'un bus entier d'enfants venus de tout l'État, Alison et elle touchèrent des anémones, des moules et des étoiles de mer.

Plus tard, elles achetèrent des hot-dogs dans une cahute et déambulèrent sur le quai. À la boutique de souvenirs à l'ancienne, elles admirèrent des têtes réduites, des momies égyptiennes et des souvenirs bon marché. (Meghann se garda de faire remarquer à Alison le pénis de baleine solidifié de deux mètres cinquante suspendu au plafond, n'ayant aucun mal à imaginer ce que la fillette raconterait à ses amis à ce sujet.) Elles dînèrent au Red Robin Hamburger Emporium et finirent la journée devant un film de Disney au cinéma de Pacific Place.

Quand elles rentrèrent enfin à l'appartement, Meghann était épuisée, mais Alison avait de l'énergie à revendre. Elle courait d'une pièce à l'autre, soulevant les objets, les examinant et hurlant un ouah ! appréciatif devant les gadgets les plus simples, telle une brosse à dents électrique.

Meghann était affalée sur le canapé, les orteils en éventail sur la table basse, quand Alison entra dans le salon en dérapant, la coupe Lalique de l'entrée à la main.

— Tu as vu ça, tante Meg ? Ces filles n'ont pas d'habits.

Elle pouffa.

— Ce sont des anges.

— Elles sont nues. Billy dit que son père a des magazines avec des filles nues dedans. C'est dégoûtant.

Meghann se leva et prit en douceur la coupe des mains d'Alison.

— C'est plutôt ceux qui choisissent de les regarder qui sont dégoûtants.

Elle reposa l'objet à sa place. Quand elle revint auprès d'Alison, celle-ci avait le front plissé.

— Pourquoi ils font ça ? Et le père de Billy ?

Meghann était trop fatiguée pour trouver une réponse percutante.

— Je l'ignore.

Elle s'effondra à nouveau sur le canapé. Comment avait-elle réussi à garder des enfants quand elle était adolescente ?

— Tu savais que les bébés aigles mangent ce que recrachent leurs parents ?

— Sans blague. Même ma cuisine est meilleure que ça.

Alison gloussa.

— Maman est bonne cuisinière.

À l'instant où elle prononça cette phrase, sa lèvre inférieure se mit à trembloter et ses yeux verts s'embuèrent. Debout dans le salon, au bord des larmes, elle ressemblait tant à Claire que Meghann en eut le souffle coupé. Elle fut projetée en arrière, vers toutes ces nuits où elle avait consolé sa sœur en la serrant contre elle, en lui promettant que les choses s'arrangeraient et que leur mère reviendrait à la maison.

— Viens ici, Ali, dit-elle, la gorge nouée.

Alison hésita à peine une seconde, mais sa réaction rappela à Meghann combien sa nièce et elle se connaissaient peu.

La fillette s'assit à distance sur le canapé.

— Tu veux appeler ta maman ? Elle devait le faire à dix-huit heures, mais...

— Oui ! cria Alison en sautant avec enthousiasme sur un des coussins.

Meghann se mit en quête du téléphone, qu'elle dénicha sur sa table de nuit. Elle consulta son agenda et composa le numéro direct de la maison de Kauai, avant de passer le combiné à Alison.

— M'man ? fit celle-ci au bout de quelques secondes. Bonjour, m'man, c'est moi, Ali Kat.

Le sourire aux lèvres, Meghann alla dans la cuisine pour déballer les provisions et les friandises qu'elle avait rapportées. Des choses qu'elle n'avait pas achetées depuis des années – Frosties, tartelettes à la confiture, cookies au chocolat – et d'autres qu'elle n'avait encore jamais vues, telles les gourdes de jus de fruit en plastique argenté et les boissons au yaourt. Son achat le plus important consistait en un livre d'activités pour enfants. Elle avait l'intention de faire en sorte que sa nièce garde un souvenir inoubliable de cette semaine.

— M'man veut te parler, tante Meg, annonça Alison en pénétrant dans la cuisine.

— Merci. Allô, dit Meghann en s'emparant du téléphone.

— Salut, grande sœur, comment ça va ? Ali est un moulin à paroles ?

Meghann approuva d'un rire.

— Même pendant les repas.

— C'est bien mon Ali.

Alison tira Meghann par la jambe de son pantalon.

— M'man dit que le sable est comme du sucre. Du sucre ! Je peux prendre des cookies ?

Meghann lui en tendit un.

— Un seul avant de te coucher. J'ai besoin d'un margarita, ajouta-t-elle à l'intention de Claire.

— Tu vas très bien te débrouiller.

— Je sais. Ça me fait penser…

— À quoi ? demanda Claire plus bas.

— À nous. Quelquefois, je regarde Ali et je nous vois, toi et moi.

— Alors, Ali va t'aimer, Meg.

Meghann ferma les yeux. C'était si bon que Claire et elle conversent de cette façon, comme deux sœurs qui avaient plus de points communs que leur seule enfance sordide.

— Tu manques à ta fille.

— Le moment du coucher sera sans doute difficile. Tu devras lire une histoire. Je te préviens qu'Ali peut se concentrer longtemps.

— J'essaierai *Moby Dick*. Il faut le vouloir pour rester éveillé en écoutant ce récit.

Alison se pendit à nouveau au pantalon de sa tante.

— Je crois que je vais être…

Elle vomit sur les chaussures de Meghann.

384

— Il faut que je te laisse, Claire. Passe un bon séjour. On se parle demain.

Meghann raccrocha et posa le téléphone sur le comptoir.

Alison leva les yeux vers elle en riant.

— Oh là là !

— C'était sûrement une mauvaise idée, ce double banana split.

Meghann enleva ses chaussures et souleva Alison dans ses bras pour l'emmener jusqu'à la salle de bains.

Sa nièce paraissait minuscule dans la grande baignoire en marbre.

— C'est comme une piscine, s'extasia-t-elle en emplissant sa bouche d'eau avant de la recracher sur le mur carrelé.

— Alison, on n'avale pas l'eau du bain ! C'est l'une des choses qui nous distinguent des primates les moins évolués, tels les hommes.

— Avec grand-père, j'ai le droit.

— C'est ce que je disais. Viens par ici, je vais te laver les cheveux.

Meghann attrapa le flacon tout neuf de shampooing pour bébé. Son parfum la fit sourire.

— Autrefois, je lavais les cheveux de ta maman avec ce produit.

— Tu m'en mets dans les yeux.

— C'est ce qu'elle disait aussi.

Meghann souriait encore en rinçant la tête d'Alison et en l'aidant à sortir de la baignoire. Elle la sécha, lui passa son pyjama de flanelle rose et la porta jusqu'à la chambre d'amis.

— C'est un grand lit, fit remarquer Alison, inquiète.

— C'est parce qu'il est réservé aux princesses.

— Alors, je suis une princesse ?

— Oui, répliqua Meghann en faisant la révérence. Milady, poursuivit-elle solennellement, quels sont vos ordres ?

Avec un rire enchanté, Alison se glissa sous les couvertures.

— Lis-moi une histoire. Je veux... *Il y a un alligator sous mon lit.*

Fourrageant parmi les albums et les jouets dont la valise regorgeait, Meghann trouva le récit en question et se mit à lire.

— Il faut que tu sois sur le lit, expliqua Alison.

— Oh.

Meghann s'exécuta et s'installa confortablement. Alison se blottit contre elle, la joue collée à son précieux lulu. Meghann reprit la lecture.

Une heure et six histoires plus tard, Alison s'était enfin endormie. Meghann posa un baiser sur sa joue rose et appétissante avant de quitter la pièce en laissant la porte ouverte.

Comme elle craignait de réveiller Alison si elle allumait la télévision ou la chaîne hi-fi, elle feuilleta un magazine. Dès qu'elle sentit le sommeil venir, elle gagna sa chambre à pas de loup, enfila sa chemise de nuit, se brossa les dents et se coucha.

Les yeux fermés, elle récapitula le programme qu'elle avait prévu pour Alison le lendemain. Non, vraiment, elle n'arriverait pas à s'endormir avec de telles pensées : « Visiter le zoo de Woodland Park ; voir la pièce de Roald Dahl, *Le Bon Gros Géant*, au Children's Theatre ; aller au bar de jeux Game-

Works ; passer au magasin de jouets F.A.O. Schwartz ; faire un tour au parc d'attractions Fun Forest, au Seattle Center. »

L'esprit de Meghann associa Fun Forest à National Forest, puis à Hayden et enfin à Joe.

Joe...

Il l'avait embrassée si tendrement pour lui dire au revoir, le matin d'après leur dernière rencontre, qu'elle s'en était sentie inexplicablement vulnérable. Elle avait envie de le voir. Et pas que pour le sexe. Alors, pour quoi faire ?

Au départ, elle l'avait choisi parce qu'il ne semblait pas disponible. Quels étaient les premiers mots, ou presque, qu'il lui avait adressés ? « Je ne vais pas vous ramener. » Ou quelque chose de ce genre. De but en blanc, il lui avait signifié qu'il n'était pas libre. C'était ce qui l'avait attirée. Mais quel chemin pouvaient-ils prendre, en dehors de celui de la chambre à coucher ? Joe n'était qu'un simple mécanicien dans une petite ville et il n'avait pas fini de pleurer sur son divorce. Meghann et lui n'avaient pas d'avenir commun.

Et pourtant... Quand elle fermait les yeux, il était là, dans la pénombre de son esprit, prêt à l'embrasser.

— Tante Meg ?

Meghann se rassit d'un bond et alluma la lumière.

— Qu'est-ce qu'il y a ?

Alison se tenait devant elle, cramponnée à son lulu, le visage mouillé de larmes, les yeux rouges, incroyablement petite dans l'embrasure de la porte.

— Je ne peux pas dormir.

Elle ressemblait tant à Claire...

— Viens, ma chérie. Couche-toi près de moi. Je te protégerai.

Traversant la pièce d'un trait, la petite grimpa sur le lit et se lova contre sa tante, qui la serra très fort.

— Tu savais que ta maman faisait pareil, quand elle avait peur ?

Le pouce fourré dans la bouche, Alison sombra presque sur-le-champ dans le sommeil.

Meghann raffolait de son odeur fruitée d'enfant et de shampooing pour bébé. Elle se blottit près d'elle et ferma les yeux, s'attendant à se remettre à ruminer ses plans du lendemain. Mais, si incroyable que cela puisse paraître, elle ne résista pas une minute au sommeil.

La sonnerie du téléphone réveilla Claire en sursaut. Elle se redressa en un clin d'œil.

— Quelle heure est-il ?

Elle regarda autour d'elle à la recherche du réveil. Cinq heures quarante-cinq du matin. Seigneur !

— Bobby, le téléphone...

Claire enjamba presque son mari pour décrocher.

— Allô ? Meghann ? Il y a un problème avec Ali ?

— Hé, chérie, comment tu vas ?

Claire sortit du lit en expirant profondément.

— Très bien, maman. Il est cinq heures quarante-cinq, à Kauai.

— Ah bon ? J'croyais que vous étiez sur le même fuseau horaire que la Californie, vous autres.

— On est à mi-chemin entre l'Amérique et l'Asie, maman.

— T'as toujours eu le don de tout exagérer, Claire. J'ai une raison valable d'appeler, tu sais.

Attrapant son peignoir dans le placard, Claire l'enfila avant de passer sur le balcon. Dehors, le ciel commençait à virer au rose. Dans le jardin, un coq se pavanait sur le gazon, des poules caquetantes dans son sillage. Le petit matin sentait bon les fleurs tropicales et l'air marin.

— Qu'est-ce que c'est ?

— J'sais que tu penses que comme mère, j'vaux pas grand-chose.

— Pas du tout.

Claire bâilla en se demandant si elle avait une chance de se rendormir. À travers la vitre, elle regarda Bobby, assis dans le lit, l'air inquiet.

— Mais si. Miss Meggy et toi, vous me rappelez constamment que j'ai pas été à la hauteur pour vous élever. Le moins qu'on puisse dire, c'est que j'vous trouve ingrates, mais être mère signifie qu'on a parfois une croix à porter, comme tu le sais, et la mienne, c'est d'être incomprise.

— Il est un peu tôt pour les psychodrames, maman. Peut-être que tu pourrais...

— Y a des choses que j'fais mal, d'autres bien. Pour ça, j'suis comme les gens normaux.

Claire soupira.

— Oui, maman.

— J'veux juste que tu t'en souviennes. Et que tu le répètes à ta sœur. Quoi que vous vous rappeliez, vous autres, ou que vous pensiez que vous vous rappelez, la vérité, c'est que j'vous aime. J'vous ai toujours aimées.

— Je sais, maman.

Souriant à Bobby, Claire articula silencieusement « café ».

— Maintenant, passe-moi ton mari.

— Pardon ?

— T'as bien un homme dans ton lit, en ce moment ?

Claire eut un rire bon enfant.

— Oui.

— Passe-le-moi.

— Pourquoi ?

Eliana poussa un soupir théâtral.

— Une des autres croix que j'ai à porter, c'est d'avoir hérité de filles méfiantes. C'est au sujet de mon cadeau de mariage, si tu veux savoir. J'ai entendu dire que vous autres avez pas aimé la voiture.

— Il n'y a pas de place pour Alison.

— Il faut vraiment qu'elle vous accompagne partout ?

— Maman...

— Passe-moi Bobby. Le cadeau est pour lui, puisque t'es ingrate.

— D'accord, maman. Comme tu veux. Une seconde.

Claire rentra dans la chambre.

— Maman veut te parler.

Bobby se redressa.

— C'est mauvais signe, murmura-t-il en prenant le téléphone des mains de Claire. Comment va la plus sexy des belles-mères ? enchaîna-t-il.

Bientôt, son sourire s'effaça.

— Vous vous moquez de moi ? Comment avez-vous fait ?

Claire, qui s'était approchée, posa la main sur l'épaule de son mari.

— Qu'est-ce qui se passe ?

— C'est incroyable, Ellie. Vraiment. Je ne sais pas comment vous remercier. Quand ?

Bobby s'assombrit.

— Vous savez qu'on est ici... Oh. D'accord. Je comprends. Au comptoir d'achat des billets. Oui. D'accord. Bien sûr qu'on appellera tout de suite. Et merci. Je ne sais pas comment vous dire à quel point je suis touché. Oui. Au revoir.

— Qu'est-ce que maman a fait ? demanda Claire dès que Bobby eut raccroché.

Le visage de Bobby était ridé, tant il souriait.

— Ta mère m'a obtenu une audition avec Kent Ames, de la maison de disques Down Home Records. Je n'en crois pas mes oreilles. Ça fait dix ans que je joue dans des bastringues en attendant une occasion comme celle-ci.

Claire se jeta sur Bobby et le serra fort, se réprimandant mentalement d'avoir eu peur. Pourtant, ses mains tremblaient encore, une réaction qu'elle mit sur le compte des trop nombreuses mauvaises années passées en compagnie d'Eliana, qui l'avaient habituée à toujours envisager le pire.

— Tu vas le mettre K.-O.

Bobby fit tournoyer Claire jusqu'à ce qu'ils soient tous les deux hilares.

— Ça y est, Claire !

Il riait toujours en la reposant par terre.

— Mais..., balbutia-t-il, soudain sérieux.

L'inquiétude revint en force.

— Quoi ?

391

— L'audition a lieu jeudi. Ensuite, Kent part pendant un mois.

— Ce jeudi ?

— À Nashville.

Claire leva les yeux vers Bobby, dont le regard dévoilait les sentiments. Elle savait que si elle disait non, si elle se hasardait à objecter que leur lune de miel ne serait pas encore finie, Bobby l'embrasserait en répondant : « D'accord, on peut rappeler ta mère pour lui demander s'il est possible de reporter l'audition d'un mois. » Dans ces conditions, la réponse de Claire coulait de source :

— J'ai toujours voulu aller visiter le parc d'Opryland.

Bobby la prit dans ses bras en la dévorant des yeux.

— Je n'y croyais plus, admit-il d'une voix étouffée.

— Que ça te serve de leçon, rétorqua Claire. Maintenant, passe-moi le téléphone. Il vaut mieux que j'appelle Meghann et papa pour leur annoncer que notre voyage durera un jour ou deux de plus.

Les journées avec Alison s'étaient installées dans une confortable routine. Dès le troisième après-midi, Meghann avait mis en veilleuse son besoin obsessionnel de montrer à sa nièce tout ce que la ville comptait d'attractions pour enfants. À la place, elles faisaient des choses simples : louer des films, confectionner des cookies et jouer au Cluedo junior jusqu'à ce que Meghann demande grâce.

Chaque soir, Meghann dormait avec Alison serrée dans ses bras et, chaque matin, elle se réveillait avec un sentiment d'anticipation inattendu. Elle souriait et riait plus volontiers. Elle redécouvrait le plaisir de s'occuper de quelqu'un.

Quand Claire avait appelé pour annoncer qu'elle prolongeait sa lune de miel, Meghann avait compris qu'elle la stupéfiait en offrant, de bon cœur, de garder Alison quelques jours de plus. Malheureusement, la fête d'anniversaire, événement de la plus haute importance, lui avait interdit cette option.

Quand le samedi arriva, Meghann fut surprise de la violence de ses émotions. Durant tout le trajet pour Hayden, elle dut faire un effort pour rester souriante, tandis qu'Alison bavardait sans interruption en s'agitant sur son siège. Chez Sam, elle se jeta dans les bras de son grand-père et entreprit de lui raconter la semaine. Meghann l'embrassa pour lui dire au revoir et quitta le mobile home en quatrième vitesse. La nuit suivante, elle dormit à peine. Elle n'arrivait pas à échapper à la solitude.

Le lundi d'après, elle retourna travailler.

Les heures s'enchaînaient avec lenteur, plus pesamment que d'habitude. Dès le début d'après-midi, Meghann était si fatiguée qu'elle arrivait à peine à réfléchir.

Elle espérait que Harriet ne le remarquerait pas. Un souhait vain, bien sûr.

— Vous avez mauvaise mine, constata celle-ci tandis que Meghann s'effondrait dans son fauteuil attitré.

— Merci.

— Comment s'est passé le mariage ?

— C'était réussi, répondit Meghann en regardant ses mains. Même maman n'est pas parvenue à tout gâcher. J'ai organisé la fête, vous savez.

— Vous ?

— N'ayez pas l'air si choquée. J'ai suivi votre conseil et je suis restée bouche cousue. Claire et moi... on a rétabli le contact. J'ai même gardé ma nièce pendant la lune de miel. Mais maintenant...

— Eh bien ?

Meghann haussa les épaules.

— C'est le retour à la réalité. Mon appartement est très calme. Je ne l'avais jamais remarqué avant.

— Votre nièce faisait du bruit ?

— Elle ne se taisait que la nuit.

Meghann sentit sa poitrine se comprimer. Elle regrettait de ne plus dormir avec Alison, de ne plus s'occuper d'une petite fille.

— Ça vous a rappelé Claire ?

— Ces derniers temps, tout me rappelle cette époque.

— Pourquoi ?

— On était chacune la meilleure amie de l'autre.

— Et aujourd'hui ?

Meghann soupira.

— Claire est mariée. Elle a une famille. C'est redevenu comme avant. Je n'aurai sans doute pas de ses nouvelles avant mon anniversaire.

— Le téléphone marche dans les deux sens.

— Oui.

Meghann consulta sa montre. Elle n'avait pas envie de continuer la discussion. C'était trop douloureux.

— Il faut que j'y aille, Harriet. Au revoir.

Meghann fixait sa cliente, espérant que le sourire qu'elle avait réussi à plaquer sur son visage n'était pas aussi artificiel qu'elle le craignait.

Robin O'Houlihan faisait les cent pas près de la fenêtre. Maigre comme un clou et plus maquillée que Terence Stamp dans *Priscilla, folle du désert*, elle était un parfait spécimen d'épouse de Hollywood. Trop mince, trop avide, trop tout. Meghann se demandait pourquoi les femmes de son genre ne prenaient pas conscience qu'au-delà d'un certain âge, elles n'étaient plus fines mais décharnées. Plus elles perdaient du poids, moins leur visage était séduisant. Quant aux cheveux de Robin, ils avaient été teints en blond si souvent et depuis si longtemps qu'on aurait dit une perruque en paille.

— Ce n'est pas assez. Point final.

— Robin, répliqua Meghann, s'efforçant d'adopter un ton calme et égal. Votre mari vous offre vingt mille dollars par mois, la maison sur le lac Washington et l'appartement à la Jolla. Franchement, pour neuf ans de mariage sans enfants, je trouve...

— Mais des enfants, j'en voulais.

C'était presque comme si Robin jetait ces mots à la tête de Meghann.

— C'est lui qui n'en voulait pas. Il devrait payer pour ça aussi. Il m'a pris les années de ma vie où j'étais le plus féconde.

— Robin, vous avez quarante-neuf ans...

— Est-ce que vous êtes en train d'insinuer que je suis trop vieille pour être mère ?

Eh bien ! non. Mais vous avez été mariée six fois et, honnêtement, vous avez la stabilité mentale et émotionnelle d'une gamine. Croyez-moi, les enfants que vous n'avez pas conçus vous remercient, songea Meghann.

— Bien sûr que non, Robin. Je suggère juste qu'approcher le problème sous cet angle ne nous aidera pas. Rappelez-vous que dans l'État de Washington, il n'est pas nécessaire que l'une des parties ait commis une faute pour obtenir le divorce. Les pourquoi n'ont pas d'importance.

— Je veux les chiens.

— Nous en avons déjà parlé. Ils étaient à votre mari avant qu'il vous ait épousée. Il semble donc raisonnable...

— C'était moi qui rappelais à Lupe de les nourrir et de leur donner à boire. Sans moi, ces bêtes seraient mortes au bord de la piscine. Je les veux. Et vous devriez arrêter de me contredire. Vous êtes mon avocate, pas la sienne. Je survivrai tout juste avec vingt mille dollars par mois. Il garde le jet, le chalet à Aspen, la maison sur la plage à Malibu et tous nos amis.

La voix de Robin se mit à chevroter et, l'espace d'une seconde, Meghann entrevit la femme que sa cliente avait dû être un jour. Une fille de Snohomish jadis ordinaire, aujourd'hui terrifiée, qui avait cru parvenir au sommet de l'échelle sociale grâce au mariage.

Meghann aurait aimé être douce, trouver des mots réconfortants. Au bon vieux temps, c'était facile. Mais cette période était révolue, réduite à néant par le piétinement des talons aiguilles d'une centaine d'épouses en colère allergiques au travail et qui n'envisageaient pas de vivre avec vingt mille dollars par mois.

Meghann ferma les yeux, attendant que son esprit cesse de se rebeller. Mais au lieu de trouver le noir et le silence, elle eut un flash de M. O'Houlihan, assis dans la salle de réunion, les mains jointes posées sur la table. Il avait répondu à ses questions avec une sincérité surprenante :

« Pas de contrat de mariage, non. Je croyais que notre couple durerait toujours. »

« Ma première épouse est morte. J'ai rencontré Robin dix ans plus tard. Je l'aimais. »

« Je voulais d'autres enfants. Pas Robin. »

L'entrevue avait été un de ces moments inconfortables qui mettaient de temps en temps les avocats face à leurs limites. Une écœurante prise de conscience d'avoir choisi le mauvais camp. Pour dire les choses simplement, Meghann avait cru M. O'Houlihan. Et ce n'était pas bon signe.

— Hé ! Je vous parle.

Robin tira une cigarette de son sac Chanel matelassé. Se rappelant soudain qu'il était interdit de fumer, elle la remit brutalement dedans.

— Alors, comment va-t-on faire pour obtenir le chalet d'Aspen ? Et les chiens ?

Meghann fit rouler son stylo entre le pouce et l'index en réfléchissant. De temps à autre, il tombait avec un bruit mat sur la chemise cartonnée ouverte devant elle, un son qui rappelait vaguement le roulement d'un tambour de guerre.

— Je vais appeler Graham pour discuter de tout ça avec lui. Votre mari paraît disposé à être très généreux, mais faites-moi confiance sur ce point,

Robin. Les gens s'énervent parfois pour bien moins que leur caniche adoré. Si vous voulez sortir l'artillerie lourde pour garder Zig et Puce, préparez-vous à renoncer à un tas de choses en contrepartie. Votre mari peut retirer les maisons de la négociation en une seconde. Vous feriez mieux de décider à quel point ces chiens sont importants pour vous.

— Je souhaite juste lui faire de la peine.

Meghann songea à l'homme dont elle avait pris la déposition un mois plus tôt. Il avait paru triste, usé, même.

— Je crois que c'est déjà fait, si ça peut vous consoler.

Robin tapota ses dents d'un ongle laqué de rouge vif en regardant au loin, en direction de Bainbridge Island.

— Je n'aurais pas dû coucher avec le gars qui nettoyait la piscine.

Ni le livreur du boucher, ni le dentiste qui vous blanchissait les dents, compléta Meghann dans sa tête.

— Les fautes de chacun n'ont pas d'importance, je vous l'ai dit.

— Je ne parle pas du divorce, mais du mariage.

— Oh.

Voilà que la personne authentique, que dissimulait le coûteux masque de maquillage, faisait à nouveau une apparition éclair.

— C'est facile de revenir en arrière sur sa vie. Dommage qu'on ne la vive pas à l'envers. Je crois que c'est de Kierkegaard.

— Vraiment ?

Robin n'avait pas l'air passionnée par la question.

— Je réfléchis au sujet des chiens et je vous tiens au courant.

— Faites vite. Graham a précisé que cette offre n'était valable que trente-six heures. Passé ce délai, on monte sur le ring pour le premier round.

D'un signe de tête, Robin indiqua qu'elle comprenait.

— Vous semblez très timide pour quelqu'un qu'on surnomme la Garce de Belltown.

— Je ne suis pas timide, j'ai les pieds sur terre. Mais si vous préférez vous faire représenter par quelqu'un d'autre...

— Non.

Robin mit son sac en bandoulière en gagnant la porte. En l'ouvrant, elle conclut :

— Je vous appelle demain.

Elle sortit sans se retourner. Le battant se referma avec un bruit sec.

Meghann laissa échapper un énorme soupir. Elle avait l'impression de s'être fait piétiner et d'avoir rétréci de plusieurs centimètres.

Mettant le dossier de côté, elle repensa au visage triste de M. O'Houlihan. « Pas de contrat de mariage, non. Je croyais que notre couple durerait toujours. » Ce divorce allait lui arracher le cœur. Le lui briser ne suffirait pas. Non. Meghann et Robin iraient beaucoup plus loin et lui montreraient le vrai visage de la femme qu'il avait épousée. Il trouverait presque impossible de se laisser aller à ses sentiments, la prochaine fois.

Meghann vérifia ses rendez-vous en soupirant de plus belle. Robin était le dernier. Dieu merci. Elle ne se sentait pas en état de supporter une autre sordide histoire d'échec sentimental, ce jour-là.

Ses papiers remballés, elle attrapa son attaché-case, son sac et quitta le bureau.

Dehors l'attendait une douce soirée de début d'été. C'était l'heure de pointe et les rues étaient congestionnées par le tohu-bohu de la circulation. Au marché, il y avait encore des touristes attroupés autour de l'étal du poissonnier. Les vendeurs, en tablier blanc, se passaient des saumons de quinze kilos en les jetant en l'air ; à chaque lancer, les badauds prenaient des photos.

Meghann remarqua à peine ce spectacle familier. Elle arrivait au niveau des légumes quand elle se rendit compte du chemin qu'elle avait choisi.

La porte la plus proche était celle de l'Athenian.

Elle s'arrêta devant, humant les odeurs âcres de fumée de cigarette et de graisse frite, écoutant le bourdonnement des sempiternelles conversations qui revenaient, en définitive, à la même question : « Vous êtes venue seule ? »

Seule.

C'était certainement l'adjectif le plus approprié en ce qui la concernait. Encore plus maintenant qu'Alison était partie. Le vide que sa nièce avait laissé derrière elle était gigantesque.

Meghann ne voulait pas entrer à l'Athenian, draguer un inconnu et le ramener chez elle. Elle voulait... Joe.

L'évocation de son prénom ne fit que déclencher une vague de mélancolie et amplifier son sentiment de solitude. Elle se força à tourner le dos au bar et prit la direction de son appartement.

Dans le hall de l'immeuble, elle salua d'un signe de la main le portier, qui tenta de lui dire quelque chose. Meghann l'ignora et entra dans l'ascenseur. Dès que la cabine tinta pour annoncer l'étage du penthouse, elle en sortit. La porte de chez elle était ouverte. Surprise, Meghann se demanda si elle avait pu ne pas la fermer ce matin-là. Non.

Elle était sur le point de battre en retraite vers l'ascenseur quand une main tenant une bouteille de tequila apparut dans l'ouverture. Élisabeth Shore émergea du couloir.

— J'ai reçu ton appel au secours transatlantique et j'ai apporté le tranquillisant préféré des dévergondées sur le retour que nous sommes.

À sa plus grande honte, Meghann éclata en sanglots.

23

Joe avait presque fini sa journée. C'était tant mieux, parce que, pour une fois, il avait un endroit où aller et des gens à voir.

Il trouvait agréable d'avoir hâte de faire quelque chose, même si ladite chose allait, en fin de compte, le faire souffrir. Il était seul et à la dérive depuis si longtemps que le simple fait d'avoir un itinéraire à respecter exerçait un effet apaisant sur lui.

Pour l'instant, allongé sur le dos, il inspectait le dessous sale d'une vieille Impala.

— Bonjour.

Joe se crispa. Il pensait avoir entendu du bruit, mais c'était difficile d'en être sûr, car le volume de la radio posée sur l'établi était poussé à fond. Willie Nelson avertissait les mamans que leurs bébés pouvaient devenir des cow-boys en grandissant.

Et puis quelqu'un donna un coup de pied dans une des bottes de Joe.

Il sortit de sous la voiture en roulant sur lui-même.

La frimousse au-dessus de lui était souriante et constellée de taches de rousseur. Un regard vert et sérieux l'étudiait. La fillette plissa un peu les yeux, assez pour que Joe se demande si elle avait besoin de lunettes, quand il s'aperçut qu'elle était aveuglée par sa lampe de poche. Il l'éteignit.

— Smitty est dans le bureau, dit-il.

— C'est toujours là qu'il est... Tu savais qu'à Hawaii, le sable est comme du sucre ? Smitty me laisse jouer avec les outils. Tu es qui ?

Joe se releva, s'essuyant les mains sur sa salopette.

— Je m'appelle Joe. Maintenant, file.

— Moi, c'est Alison. Ma maman m'appelle surtout Ali. Comme l'alligator.

— Ravi de t'avoir rencontrée, Ali.

Joe consulta l'horloge murale. Seize heures. Il était temps qu'il arrête.

— Brittani Henshaw me surnomme Ali Gator. Tu as compris ?

— Oui, oui. Maintenant...

— Ma maman dit que je n'ai pas le droit de parler aux inconnus, mais toi, tu es Joe.

Alison fit une grimace en le dévisageant.

— Comment ça se fait que tes cheveux soient aussi longs ? On dirait ceux d'une fille.

— Je les aime comme ça.

Joe s'approcha de l'évier pour enlever le cambouis qu'il avait sur les mains.

— Il y a Ariel sur mon sac à dos. Tu veux voir ?

Sans attendre la réponse, Alison sortit du garage en galopant.

— Ne pars pas, hurla-t-elle à l'intention de Joe.

Il était à mi-distance du chalet quand Alison le rattrapa d'une glissade.

— Tu vois Ariel, là ? C'est une princesse de ce côté et une sirène de l'autre.

Joe faillit se casser la figure mais continua à avancer.

— Je vais chez moi. Il vaut mieux que tu me laisses.

— Tu as envie d'aller au petit coin ?

Joe éclata de rire, surpris.

— Non.

— De toute façon, tu ne me le dirais pas.

— Ça, c'est sûr. Je dois me préparer pour me rendre quelque part. Mais j'ai été content de te rencontrer.

Joe ne ralentit pas.

Alison se mit à marcher au même rythme, parlant avec animation d'une de ses amies nommée Moolan, qui avait coupé ses cheveux et joué avec des couteaux.

— Il y a des conseillers d'éducation pour les enfants qui ont ce genre de comportement.

Alison rit et se remit à parler de plus belle.

Joe monta les marches de la véranda et ouvrit sa porte.

— Eh bien, Alison, c'est ici que...

Passant à côté de lui comme une flèche, elle se faufila à l'intérieur.

— Alison, l'avertit Joe sévèrement, il faut que tu partes. Ce n'est pas convenable de...

— Ta maison sent un peu bizarre.

La fillette s'assit sur le canapé et fit de petits bonds sur les coussins.

— Qui c'est la dame sur les photos ?

Il lui tourna le dos une seconde ; quand il la regarda à nouveau, elle se tenait près de l'appui de la fenêtre et tripotait les cadres.

— Pose-les, ordonna-t-il plus durement que nécessaire.

Elle s'exécuta d'un air sombre.

— Je n'aime pas partager mes affaires non plus.

Elle examina la rangée de clichés. Il y en avait trois le long de la fenêtre du séjour et deux sur la cheminée. Même un enfant était capable de reconnaître une obsession quand il en voyait une.

— Cette dame, c'est ma femme. Diana.

Prononcer son prénom faisait mal à Joe. Il n'avait pas encore appris à parler d'elle avec détachement.

— Elle est jolie.

Il regarda longuement le montage encadré posé sur la table la plus proche. Gina avait immortalisé une soirée de réveillon.

— Oui.

Il se racla la gorge. Il était déjà seize heures quinze et il prenait du retard.

— Tu ne dois pas aller quelque part, toi aussi ?

— Si, soupira Alison. Il faut que je donne ma Barbie à Marybeth.

— Pourquoi ?

— J'ai cassé la tête de la sienne. Grand-père dit que je dois m'excuser et, en plus, lui offrir ma poupée. Comme ça, il paraît que je me sentirai mieux.

Joe s'accroupit pour être au niveau des yeux d'Alison.

— Tu vois, Ali Gator, je crois qu'on a un point commun, en fin de compte. J'ai... cassé quelque chose de très spécial et, aujourd'hui, il faut que j'aille m'excuser.

Alison poussa un soupir découragé.

— Dommage.

Posant les mains à plat sur ses cuisses, Joe se remit debout.

— Allez, je dois vraiment me dépêcher.

— D'accord, Joe.

Arrivée à la porte, elle l'ouvrit et se tourna vers lui.

— Tu crois que Marybeth jouera encore avec moi, si je m'excuse ?

— Je l'espère, répondit-il.

— Au revoir, Joe.

— Ne perds pas le nord, Ali Gator.

Alison détala en riant de la plaisanterie.

Joe resta pétrifié sur place une minute en fixant la porte fermée. Il finit par se détourner pour gagner le couloir. Pendant l'heure qui suivit, tandis qu'il se rasait, se douchait et revêtait ses vêtements de travail les plus propres, il tenta de composer les phrases dont il aurait besoin. Il testa de jolis mots – « La mort de Diana a brisé quelque chose en moi » – et d'autres, brutaux – « J'ai eu tort » – ou douloureux – « Je ne supportais pas de la regarder mourir ». Mais aucune formule ne lui permettait d'exprimer ses véritables émotions.

Quand il bifurqua dans la rue où habitaient les parents de Diana, il n'avait toujours pas décidé de ce qu'il allait dire, pas plus que quelques minutes plus tard, quand il atteignit leur boîte aux lettres. « Dr et Mme Roloff ».

Joe ne put s'empêcher d'effleurer le contour des lettres dorées peintes sur le côté du bout des doigts. À Bainbridge, la boîte, identique, était marquée « Dr et Mme Joe Wyatt ».

Il y avait une éternité de cela.

Joe observa la maison de ses anciens beaux-parents. Longtemps auparavant, un autre jour de juin, Diana et lui s'étaient mariés dans le jardin, entourés de leur famille et de leurs amis.

Joe faillit céder à la panique et tourner les talons. Cependant, fuir n'arrangerait rien. Il avait opté pour cette solution, mais se retrouvait ici, devant cette demeure où vivaient des personnes qu'il avait jadis tant aimées, auxquelles il devait une explication...

« Je suis désolé. » Voilà ce qu'il dirait. Simplement.

Il remonta l'allée en brique aux motifs compliqués jusqu'à l'édifice à colonnades blanches. Mme Roloff l'avait conçu pour qu'il ressemble à la propriété d'*Autant en emporte le vent*, Tara. Le bâtiment était entouré de roses et de haies soigneusement taillées au parfum sucré et un peu écœurant. De chaque côté de l'entrée trônait un lion en fonte.

Joe ne se laissa pas le temps de marquer une pause ni de réfléchir. Il tendit le bras et sonna.

Quelques instants plus tard, la porte s'ouvrit. Henry Roloff se tenait devant lui, la pipe à la main, en col roulé et pantalon kaki.

— Je peux... ?

Son sourire s'affaissa quand il reconnut Joe.

— Joey, dit-il, tremblant. Nous avons appris que tu étais revenu.

Joe s'efforça de faire bonne figure.

— Qui est-ce ? cria Tina quelque part à l'intérieur.

— Tu ne vas pas le croire, répondit Henry d'une voix à peine plus forte qu'un murmure.

— Henry, hurla à nouveau Tina. Qui est-ce ?

Henry fit un pas en arrière. Un pâle sourire détendit ses traits et lui rida les joues.

— Joey est rentré à la maison, s'égosilla-t-il. Il est rentré, reprit-il plus bas, les yeux remplis de larmes.

— Tu es sûre que c'est de la tequila ? Ça a le goût d'essence à briquet.

Meghann nota que l'alcool rendait sa voix pâteuse et traînante. Elle avait déjà pas mal bu et ne tarderait pas à être ivre. C'était agréable.

— C'est de la tequila haut de gamme. Pour toi, j'ai choisi la meilleure.

Élisabeth se contorsionna pour attraper une part de pizza. Comme elle l'approchait de sa bouche, le fromage et les condiments glissèrent et allèrent former un petit tas gluant sur la terrasse en béton.

— Oh !

— Ne t'en fais pas pour ça.

Ramassant les saletés, Meghann les jeta par-dessus la rambarde.

— J'ai probablement tué un touriste...

— Tu plaisantes ? Il est vingt-deux heures. Seattle est désert.

— C'est vrai.

Élisabeth mordit dans la pâte de la pizza.

— Alors, quel est le problème, fillette ? Tu avais l'air déprimée dans tes messages. Et en général, tu ne pleures pas quand j'arrive.

— Voyons voir. Je déteste mon boulot. Le mari d'une cliente a essayé de me tuer parce que je l'avais ruiné. Ma sœur a épousé un chanteur de country qui a déjà été marié trois fois. Je continue ?

— S'il te plaît.

— J'ai gardé ma nièce quand Claire est partie en lune de miel et maintenant mon appartement est si vide que c'en est obscène. Et puis j'ai rencontré ce type...

Élisabeth reposa sa pizza.

Emportée par une soudaine vague de vulnérabilité, Meghann regarda son amie. Elle se risqua à chuchoter :

— Il y a quelque chose qui ne va pas chez moi, Birdie. Parfois, je me réveille au milieu de la nuit et mes joues sont trempées. Mais je ne sais pas pourquoi je suis dans cet état.

— Tu commences à te sentir seule ?

— Comment ça, « commences » ?

— Allez, Meg. On se connaît depuis plus de vingt ans. Je me souviens de toi quand tu étais une discrète et bien trop jeune étudiante à l'université. Un de ces enfants prodiges dont tout le monde est persuadé qu'ils vont soit se suicider, soit trouver un vaccin contre le cancer. Tu pleurais chaque nuit, à cette période. Mon lit était près du tien dans la chambre véranda[1], tu te rappelles ? Ça me faisait mal au cœur, que tu sanglotes en silence.

— Est-ce que c'est pour ça que tu t'es mise à faire le chemin avec moi pour aller en cours ?

— Je voulais m'occuper de toi ; c'est ce qu'on fait, nous autres femmes du Sud, tu ne savais pas ? J'ai attendu des années que tu m'expliques pourquoi tu pleurais.

— Quand est-ce que j'ai arrêté ?

---

1. *Sleeping porch* : véranda où l'on installe des lits où dormir par temps chaud. (*N.d.T.*)

— En troisième année. Mais c'était trop tard pour poser la question. Quand tu as épousé Éric, j'ai pensé – j'ai espéré – que tu trouverais enfin le bonheur.

— C'était il y a longtemps.

— J'ai souhaité que tu rencontres quelqu'un d'autre, que tu retentes l'expérience.

Meghann leur versa deux autres verres de tequila pure. Après avoir bu le sien cul sec, elle s'adossa à la balustrade. L'air frais de la nuit ébouriffait les cheveux fins autour de son visage. Le bruit de la circulation lui parvenait, étouffé.

— J'ai… rencontré quelqu'un.

— Comment s'appelle-t-il ?

— Joe. Je ne connais même pas son nom de famille. Ce n'est pas pathétique, ça ?

— Je croyais que tu aimais coucher avec des inconnus.

Meghann se rendit compte qu'Élisabeth faisait des efforts pour ne pas avoir l'air de la juger.

— J'aime contrôler les événements, me réveiller seule et avoir une vie conforme à mes attentes.

— Où est le problème ?

Meghann sentit monter une nouvelle vague de vulnérabilité, qui lui donna le sentiment d'être tirée vers le fond par un courant puissant.

— Contrôler les événements… me réveiller seule et avoir une vie conforme à mes attentes.

— Alors, ce Joe a réussi à te faire ressentir quelque chose.

— Peut-être.

— Je suppose que tu ne l'as pas revu, depuis que tu t'en es aperçue.

— Je suis si prévisible que ça ?

Élisabeth rit aux éclats.

— Juste un peu. Ce Joe t'a fait peur, du coup tu es partie en courant. Je me trompe ?

— Tu es une garce, ça te va ?

— Une garce qui a mis dans le mille.

— Oui. Ce genre de garce-là. Le pire.

— Tu te souviens de mon anniversaire de l'an dernier ?

— De tout jusqu'au troisième martini. Après, ça devient flou.

— Je t'ai raconté que je ne savais plus si j'aimais encore Jack. Tu m'as conseillé de rester avec lui. Sans quoi, je risquais de tout perdre et de le voir se remarier avec une serveuse à gros seins.

Meghann leva les yeux au ciel.

— Un autre brillant exemple de mon humanité. Tu parles d'amour, je te réponds argent. Je suis si fière de moi.

— Ce que je veux dire, c'est que j'étais en train de mourir à petit feu dans ce mariage. Tous les mensonges dont je m'étais bercée pendant des années ne tenaient plus qu'à un fil. La surface craquait et j'étais constamment blessée.

— Mais vous avez réglé tout ça. Jack et toi, vous êtes redevenus comme des jeunes mariés. Ça m'écœure.

— Tu sais comment je suis retombée amoureuse de lui ?

— En prenant des médicaments ?

— J'ai fait ce qui me terrifiait le plus.

— Tu l'as quitté.

411

— Je n'avais jamais vécu seule, Meg. Je redoutais tant d'être sans Jack qu'au début, je pouvais à peine respirer. Mais j'ai réussi... Et tu étais là pour m'aider. Le soir où tu es venue me voir dans notre maison sur la plage, tu m'as sauvé la vie.

— Tu as toujours été plus forte que tu ne le pensais.

Élisabeth regarda Meghann, l'air de dire « toi aussi ».

— Tu dois arrêter d'avoir peur de l'amour. Tu pourrais commencer avec ce Joe.

— Ce n'est pas du tout l'homme qu'il me faut. Je ne passe jamais la nuit avec un type qui a quelque chose à offrir.

— Tu ne « passes jamais la nuit entière » avec un homme, point final.

— Revoilà la garce.

— Qu'est-ce qui ne va pas chez Joe ?

— Il est mécanicien à Hayden et habite le bungalow décrépit accolé au garage. Il se coupe les cheveux avec un couteau de poche. Fais ton choix. Oh, et bien qu'il ne soit pas un as de la déco, il s'est quand même débrouillé pour remplir son domicile de photos de la femme dont il est divorcé.

Élisabeth regarda Meghann en silence.

— D'accord. À vrai dire, tout ça n'a pas d'importance pour moi. Le coup des photos, ça donne un peu la chair de poule, mais je me fiche de son travail. Et j'aime plutôt bien Hayden. C'est une ville sympa, mais...

— Mais ?

Meghann lut la compréhension dans les yeux tristes d'Élisabeth et se sentit rassérénée.

— J'ai quitté Hayden sans un mot. Pas même un au revoir. Ce n'est pas si facile d'effacer ça.

— Tu n'as jamais choisi la facilité.

— Sauf quand il s'agissait de sexe.

— Je ne considère pas que coucher avec des inconnus soit facile.

— Ça ne l'est pas, dit Meghann tout bas.

— Alors, téléphone à Joe. Raconte-lui que tu as été obligée de filer à cause d'une affaire.

— Je n'ai pas son numéro.

— Et le garage ?

— L'appeler à son travail ? Je ne sais pas. Ça paraît un peu personnel.

— Meg, tu as couché avec ce Joe, mais tu voudrais me faire croire qu'un coup de fil, c'est trop personnel ?

L'observation dérida Meghann, qui fut obligée d'admettre que sa réaction était bizarre.

— Je parle comme une cinglée.

— Oui. Meg, voici ce qu'on va faire. Et je suis sérieuse. Toi et moi, on va se laisser dorloter au Salish Lodge, où j'ai pris rendez-vous pour des soins de beauté. On va parler, boire, se détendre et mettre un plan sur pied. Avant de commencer à te plaindre, sache que j'ai déjà appelé Julie pour la prévenir que tu ne viendrais pas au bureau. Quand je devrai partir, tu me déposeras à l'aéroport, puis tu prendras la route du nord. Tu ne t'arrêteras pas tant que tu ne seras pas arrivée devant la porte de Joe. Est-ce clair ?

— Je ne sais pas si j'aurai le cran.

— Tu veux que je t'accompagne ? J'en suis capable...

413

— C'est donc la raison pour laquelle on raconte que vous avez une main de fer dans un gant de velours, vous autres, les femmes du Sud.

Élisabeth rit de bon cœur.

— Chérie, tu as intérêt à le croire. Pas question de dire à une fille du Sud que tu renonces à un homme séduisant.

— Je t'aime, tu sais.

Élisabeth attrapa le reste de pizza.

— Souviens-toi simplement de cette formule, Meg. Tôt ou tard, elle te servira à nouveau. Maintenant, parle-moi un peu du mariage de Claire. Je n'en reviens pas qu'elle t'ait laissée l'organiser.

24

— Voici la boîte où Garth Brooks a été découvert.

Claire sourit patiemment à Kent Ames, le grand manitou de Down Home Records, à Nashville, et à son assistant, Ryan Turner. Durant l'heure qui venait de s'écouler, ils lui avaient tous deux livré cette information cruciale trois fois. Claire ignorait si leur mémoire était déficiente ou s'ils pensaient qu'elle n'avait pas compris du premier coup.

Il y avait deux jours que Bobby et elle étaient à Nashville. Le séjour avait tout pour être parfait. Leur chambre à l'hôtel Loews était fabuleuse. Ils avaient fait des folies en s'offrant des dîners romantiques au restaurant, pris le petit déjeuner au lit, visité Opryland et le Country Music Hall of Fame. Mais surtout, Bobby avait brillé au cours des quatre auditions qu'il avait passées. La première avait eu lieu dans un bureau froid et humide sans fenêtre, devant un sous-fifre. Bobby était rentré déprimé en se plaignant qu'il avait tout donné devant un jeunot couvert d'acné qui ignorait ce qu'était la classe. Ce soir-là, Claire et lui avaient bu du champagne en essayant de faire comme si de rien n'était. Elle avait serré son mari dans ses bras en lui répétant qu'elle l'aimait.

Un coup de téléphone à huit heures quarante-cinq le matin suivant leur avait annoncé le verdict et, depuis, la roue de la fortune n'avait cessé de tourner. Bobby avait chanté ses chansons devant les divers responsables, jusqu'à ce qu'il se retrouve dans le grand bureau d'angle qui surplombait Music Row, l'avenue dont rêvaient les musiciens country western, où étaient regroupés les studios de Nashville. Chaque cadre avait présenté sa « découverte » à son supérieur hiérarchique.

En vingt-quatre heures, la vie de Bobby avait basculé. Il était devenu « quelqu'un ». Un type qui « avait de l'avenir ».

À présent, Claire, Bobby et les gros bonnets de Down Home Records étaient assis à une table dans une boîte de nuit sans prétention. En moins d'une heure, le passage de Bobby sur scène avait été programmé. C'était l'occasion, pour lui, de montrer « ce qu'il savait faire en concert » aux dirigeants du label.

Bobby était à l'aise quand il leur parlait et il y avait rarement des blancs dans la conversation. Ils évoquaient des personnes et des sujets dont Claire ignorait tout : disques de démo, temps d'enregistrement, montant des droits d'auteur, provisions contractuelles. Elle avait envie de suivre la discussion. Dans ses rêves, elle n'était pas que l'épouse de Bobby, mais aussi sa partenaire ; pourtant, elle n'arrivait pas à se concentrer. L'interminable vol de Kauai à Nashville, via Oahu, Seattle et Memphis, l'avait laissée en proie à un mal de tête rampant et

416

tenace. Qui plus est, elle ne parvenait pas à oublier l'ampleur de la déception d'Alison quand celle-ci avait appris que sa maman ne rentrerait pas à la maison à la date prévue.

La fumée qui emplissait les lieux n'arrangeait rien. Pas plus que le martèlement sourd de la musique et le vacarme des conversations. Accrochée à la main de Bobby, Claire acquiesçait quand un de ses interlocuteurs lui parlait, espérant que son sourire n'était pas aussi fragile qu'elle le pensait.

Kent Ames lui souriait, justement.

— Bobby passe dans trois quarts d'heure. D'habitude, il faut des années pour obtenir un créneau sur cette scène.

Claire fit un signe de tête approbateur en souriant de plus belle.

— C'est ici que Garth Brooks a été découvert, vous savez. Et pas par moi, hélas !

Claire eut une bizarre sensation de picotements dans la main droite. Il lui fallut deux essais successifs pour réussir à attraper son margarita. Une fois son verre en main, elle le vida d'un trait, dans l'espoir d'atténuer son mal de tête. En vain. Non seulement l'alcool ne fit pas disparaître sa migraine, mais il lui donna la nausée. Claire descendit du tabouret de bar et resta immobile, surprise de constater qu'elle ne tenait pas sur ses jambes. Elle avait dû boire un verre de trop.

— Je suis désolée.

Elle se rendit compte qu'elle avait interrompu la conversation quand les regards des convives se levèrent vers elle.

— Claire ?

417

Bobby se leva.

Elle tenta un sourire, qu'elle sentit faiblard et dissymétrique.

— Excuse-moi, Bobby. Mon mal de tête a empiré. Je crois qu'il faut que je m'allonge.

Elle l'embrassa sur la joue, l'encourageant d'un murmure :

— Mets-leur-en plein la vue, chéri.

Il l'entoura de ses bras, la serra fort.

— Je vais la raccompagner à l'hôtel.

Le front de Ryan Turner se fit soucieux.

— Mais ta scène...

— On m'a accordé une faveur, en te programmant ce soir, coupa Kent Ames d'un ton glacial.

— Je reviendrai à temps, promit Bobby.

Serrant Claire de près, il la manœuvra vers la sortie, puis jusqu'à la rue animée et bruyante.

— Vraiment, Bobby, tu n'as pas besoin de me ramener.

— Tu comptes plus que tout. Ce n'est pas plus mal que ces gens-là connaissent mes priorités d'entrée de jeu.

— On dirait que quelqu'un est en train de devenir un tout petit peu trop sûr de lui.

Claire s'appuya sur son mari tandis qu'ils remontaient la rue.

— La chance est de mon côté, ces derniers temps. Depuis que je suis monté sur scène chez Cow-Boy Bob.

Ils traversèrent le hall à la hâte et prirent l'ascenseur jusqu'à leur étage. Une fois dans la chambre, Bobby déshabilla Claire, la mit au lit et s'assura qu'elle avait de l'eau et de l'aspirine sur la table de nuit.

— Dors, mon amour, chuchota-t-il en l'embrassant sur le front.

— Bonne chance, chéri, je t'aime.

— C'est pour ça que je n'ai pas besoin de chance.

Bobby partit. La porte se ferma avec un clic. La pièce sembla froide et vide à Claire. Elle prit sur elle et appela la maison. Elle s'efforça de paraître optimiste en racontant à Alison et Sam l'excitation de la journée, et leur confirma qu'elle serait rentrée deux jours plus tard. Après avoir raccroché, elle soupira et ferma les yeux.

Quand elle se réveilla, le lendemain matin, la migraine avait disparu. Elle se sentait léthargique et fatiguée, mais elle n'eut pas de mal à sourire en écoutant Bobby lui raconter la soirée.

— Je les ai bluffés, Claire. Sans blague. Kent Ames salivait en pensant à mon avenir. Il m'a proposé un contrat. Tu te rends compte ?

Claire et Bobby étaient blottis l'un contre l'autre sur la banquette le long de la fenêtre de leur suite, vêtus des peignoirs douillets fournis par l'hôtel. La lumière du matin entrait à flots par la fenêtre. Bobby était si beau que Claire n'en croyait pas ses yeux.

— Bien sûr que oui. Je t'ai entendu chanter. Tu mérites de devenir une superstar. Alors, comment ça va se passer ?

— Kent Ames pense qu'on en a pour à peu près un mois à Nashville. Il faut trouver le matériel, constituer un groupe pour m'accompagner, ce genre de

419

choses. Selon Kent, ce n'est pas inhabituel de devoir passer trois mille chansons en revue avant de trouver la bonne. Une fois qu'on aura fait la démo, la promotion démarrera. Kent veut que je parte en tournée en septembre et octobre. Alan Jackson a besoin de quelqu'un en première partie. Alan Jackson ! Mais ne t'inquiète pas. J'ai annoncé qu'il faudrait que le programme mis au point soit compatible avec notre vie.

À cet instant précis, Claire déborda d'amour pour Bobby ; elle n'aurait jamais cru que cela fût possible. Attrapant son mari par le peignoir, elle l'attira contre elle.

— Dans le car de la tournée, il n'y aura que des hommes ou alors des femmes, mais laides. J'ai vu des films là-dessus.

Bobby l'embrassa longuement, d'un baiser à la fois lent et intense. Quand il recula, Claire avait le vertige.

— Qu'est-ce que j'ai fait dans ma vie pour te mériter, Claire ?

— Tu m'as aimée, répondit-elle en effleurant la poitrine de Bobby. Porte-moi jusqu'au lit et fais-moi l'amour.

La journée à l'institut de beauté n'avait pas détendu Meghann. Entre les massages, les soins du visage et les passages dans le jacuzzi, Élisabeth et elle avaient parlé sans relâche. Meghann avait tenté de contrôler la direction de leurs discussions à de nombreuses reprises, mais un seul sujet l'obsédait : Joe.

Élisabeth avait été implacable. Pour la première fois, Meghann comprenait ce qu'on ressentait quand quelqu'un d'autre vous assenait ses opinions. « Arrête de faire ta poule mouillée. » Cela avait été formulé de dizaines de manières et répété une centaine de fois, pour aboutir à une conclusion : « Appelle-le. »

Si bien que Meghann était ravie quand le moment de déposer Élisabeth à l'aéroport fut arrivé. Le silence lui procura d'abord un soulagement appréciable. Mais en regagnant son appartement, elle constata que la voix d'Élisabeth ne la lâchait pas. Elle tenta de s'occuper. Pour dîner, elle se contenta d'une part de pizza, qu'elle mangea en déambulant le long de la jetée et en faisant du lèche-vitrine, comme le flot ininterrompu de touristes qui débarquaient des ferrys et se répandaient le long des rues en pente autour du marché couvert.

Elle fut de retour chez elle à vingt heures trente.

Une fois encore, le silence lui servit de comité d'accueil.

— Il faut que je prenne un chat, réfléchit-elle tout haut en jetant son sac à main sur le canapé.

Elle regarda la série « Sex and the City », puis une rediffusion de « The Practice », où Bobby Donnell pleurait, une fois de plus. Oui. Les avocats de la défense ne sont qu'une bande de mauviettes, songea-t-elle. Dégoûtée, elle éteignit la télévision et alla se coucher. Elle resta allongée, les yeux grands ouverts, toute la nuit.

Appelle-le, espèce de trouillarde, se réprimanda-t-elle en elle-même.

À six heures le matin suivant, elle roula hors du lit, prit une douche et enfila un tailleur noir et un petit haut en soie couleur lavande. Son reflet dans le miroir lui rappela qu'elle n'avait pas dormi plus de deux heures. Comme si elle avait besoin de remarquer ses rides pour s'en souvenir.

Dès sept heures, elle fut au bureau et se plongea dans la déposition Pernod, soulignant les points essentiels au feutre.

Chaque quart d'heure, elle jetait un regard furtif au téléphone. Appelle-le.

Finalement, à dix heures, elle se déclara vaincue et sonna sa secrétaire.

— Maître Dontess ?

— J'ai besoin du numéro d'un garage à Hayden, dans l'État de Washington.

— Quel garage ?

— Je ne connais ni le nom ni l'adresse. Mais c'est de l'autre côté de la rue qui borde Riverfront Park. Sur Front Street.

— Je vais avoir besoin...

— ... d'un peu d'astuce. C'est une petite ville. Tout le monde connaît tout le monde.

— Mais...

— Merci.

Meghann raccrocha.

Dix longues minutes passèrent. Finalement, Rhona rappela sur la une.

— Voici les coordonnées. Ça s'appelle Chez Smitty.

Meghann nota le numéro et le considéra longuement. Son cœur battait la chamade.

— C'est ridicule, marmonna-t-elle.

422

Elle s'empara du téléphone et composa les quelques chiffres. À chaque sonnerie, elle devait se retenir de ne pas raccrocher.

— Garage Smitty.

Meghann avala sa salive à grand-peine.

— Est-ce que Joe est là ?

— Une seconde. Joe !

Meghann perçut le bruit métallique du combiné qu'on reposait, puis quelqu'un reprit l'appareil.

— Joe ? C'est Meghann.

Il y eut un grand blanc.

— Je ne pensais pas avoir de tes nouvelles.

— Ça ne va pas être si facile de te débarrasser de moi, j'imagine.

La plaisanterie se heurta à un silence de mort.

— Je... euh... J'ai une déposition dans le comté de Snohomish, vendredi après-midi. Je ne sais pas si tu veux... Je n'aurais pas dû appeler, mais j'ai pensé que tu aimerais peut-être qu'on se retrouve pour dîner.

Joe ne répondit pas.

— Oublie ça. Je suis une imbécile. Je vais raccrocher.

— Je pourrais passer acheter deux steaks et emprunter le barbecue de Smitty.

— Tu es sérieux ?

Joe eut un rire étouffé et Meghann sentit régresser la douleur qui lui crispait le cou.

— Pourquoi pas ?

— Je serai là vers dix-huit heures. Ça ira ?

— Parfait.

— J'apporte le vin et le dessert.

Meghann souriait en raccrochant. Dix minutes plus tard, Rhona l'appela à nouveau à l'interphone.

— Maître Dontess, j'ai votre sœur sur la ligne deux. Elle dit que c'est urgent.

— Merci.

Meghann ajusta son casque et enfonça le bouton.

— Hé, Claire. Bienvenue au pays. Ton vol était à l'heure, à ce que je vois. Comment s'est...

— Je suis à l'aéroport. Je ne savais pas qui appeler.

La voix de Claire chevrotait ; on aurait dit qu'elle pleurait.

— Qu'est-ce qui se passe, Claire ?

— Je ne me souviens pas du vol depuis Nashville. Ni d'avoir récupéré mes bagages, bien qu'ils soient à côté de moi. Je ne me rappelle pas non plus avoir sorti mes clés ni traversé le parking, mais je suis assise dans ma voiture.

— Je ne comprends pas.

— Moi non plus.

Claire, qui avait crié la dernière phrase, éclata en sanglots.

— Je ne me souviens plus du chemin de la maison.

— Mon Dieu !

Au lieu de paniquer, Meghann prit les choses en main.

— Est-ce que tu as un papier ?

— Oui, juste là.

— Un stylo ?

— Oui.

Claire se calma.

— J'ai peur, Meg.

— Écris sous ma dictée : 829, Post Alley. Tu as compris ?

— J'ai le papier à la main.

— Bien. Maintenant, sors de ta voiture et marche vers le terminal.

— J'ai peur.

— Je reste en ligne.

Meghann entendit Claire claquer la portière. Le bruit sourd de sa valise à roulettes résonnait derrière elle.

— Attends. Je ne sais pas de quel côté...

— Y a-t-il un passage couvert devant toi, avec la liste des compagnies aériennes au-dessus ?

— Oui. Alaska et Horizon.

— Va dans cette direction. Je suis là, Claire. Je ne bouge pas. Tu vas prendre l'escalator jusqu'à l'étage au-dessous. Tu le vois ?

— Oui.

Claire avait l'air si faible que l'angoisse envahit Meghann.

— Va dehors. Décroche le téléphone marqué « Taxi ». Quel est le numéro qui surmonte la porte que tu viens de passer ?

— Douze.

— Dis au chauffeur de venir te prendre porte douze pour te conduire dans le centre de Seattle.

— Ne quitte pas.

Meghann entendit Claire parler.

— D'accord, reprit celle-ci.

Elle s'était remise à pleurer.

— Tout va bien se passer, Claire.

— Qui est à l'appareil ?

Glacée, Meghann sentit la peur resserrer son étau.

— C'est Meg, ta sœur.

— Je ne me souviens pas de t'avoir appelée.

Oh, Seigneur ! Meghann ferma les yeux. Il lui fallut un suprême effort de volonté pour retrouver la parole.

— Est-ce qu'il y a un taxi devant toi ?

— Oui. Qu'est-ce qu'il fait ici ?

— C'est pour toi. Monte à l'arrière. Donne le papier que tu as dans la main au chauffeur.

— Mon Dieu, Meg ! Comment savais-tu que j'avais ce papier ? Qu'est-ce qui m'arrive ?

— Ça va, Claire. Je suis là. Prends le taxi. Il va te déposer devant mon immeuble. Je t'attendrai.

Le chauffeur ralentit le long du trottoir et s'arrêta. Avant même que Claire ait eu le temps de le remercier, la portière avant fut ouverte et presque aussitôt claquée. Dans l'intervalle, Meghann avait jeté une liasse de billets sur le siège passager.

Elle se pencha vers l'arrière et s'occupa de sa sœur.

— Claire, viens par ici.

Attrapant son sac, Claire sortit tant bien que mal du véhicule. Elle se sentait flageolante et désorientée.

— Où sont tes bagages ?

Claire regarda autour d'elle.

— J'ai dû les laisser dans ma voiture, à l'aéroport.

Elle s'esclaffa, tout en réalisant que son rire sonnait faux.

— Écoute, Meg, je me sens mieux. Je ne sais pas... J'ai dû perdre les pédales pendant une minute. Non seulement le trajet en avion a été atroce, mais, en plus, on m'a pratiquement fait subir une fouille au corps à Memphis. Bobby me manque déjà et il va rester là-bas au cours des prochaines semaines. Je

426

crois que j'ai eu une crise de panique ou quelque chose de ce genre. Emmène-moi juste boire un café dans un endroit tranquille. J'ai sans doute besoin de dormir.

Meghann regarda Claire comme si elle se trouvait confrontée à une expérience scientifique qui aurait dégénéré.

— Tu te fiches de moi ? Une crise de panique ? Crois-moi, Claire, je m'y connais dans ce domaine, et ces crises-là ne vous font pas oublier comment on rentre chez soi.

— Bien sûr ! Tu sais tout sur tout.

Le stress de son... aventure retomba d'un seul coup, laissant Claire épuisée.

— Je refuse de me disputer avec toi.

— Il n'en est pas question, d'ailleurs. On file, direction l'hôpital.

— Ça va. Vraiment. J'irai voir mon médecin à Hayden.

Meghann fit un pas vers Claire.

— Tu as le choix entre deux options : soit tu montes dans la voiture et on y va ; soit je fais une scène. Tu sais que j'en suis capable.

— Très bien. Emmène-moi à l'hôpital, où l'on va passer la journée entière et dépenser deux cents dollars pour découvrir que j'ai une sinusite qui s'est aggravée à cause de l'avion.

Meghann prit Claire par le bras pour la guider jusqu'à une Lincoln Town Car, à l'intérieur noir et douillet.

— Une limousine pour aller aux urgences. Comme c'est chic !

— Ce n'est pas une limousine. Tu es sûre que ça va mieux ?

Percevant l'inquiétude qui altérait la voix de sa sœur, Claire fut touchée. Elle se rappela soudain que Meghann montait sur ses grands chevaux quand elle avait la frousse. Il en était ainsi depuis leur enfance.

— Désolée de t'avoir fait peur.

Meghann finit par sourire. Se laissant aller contre la banquette, elle lâcha :

— Tu m'as fichu une sacrée trouille.

Les deux sœurs échangèrent un regard et Claire se détendit.

— Bobby a réussi les auditions. Les représentants du label lui ont proposé un gros contrat.

— Il ne le signera pas tant que je ne l'aurai pas lu, hein ?

— La réponse habituelle est plutôt : « Félicitations ».

Meghann eut la grâce de rougir.

— Félicitations. C'est vraiment quelque chose.

— Je crois que cette nouvelle a sa place dans *Le Grand Livre des records*, sous le titre « La bonne action d'Eliana Sullivan ».

— Une bonne action qui lui profitera. Avoir un gendre célèbre la projettera aussi sous les feux de la rampe, tu sais. Pense un peu aux possibilités d'interviews du style : « Je l'ai découvert et j'ai changé sa vie. »

Meghann posa la main sur son sein et déclama avec un accent du Sud forcé :

— J'ai si grand cœur en ce qui concerne ma famille.

Claire se mit à rire. Soudain, elle remarqua que les picotements dans sa main droite étaient revenus. En l'examinant, elle nota que ses doigts s'étaient recroquevillés pour former une sorte de crochet. Pendant une fraction de seconde, elle ne parvint pas à les déplier. S'il vous plaît, mon Dieu…, songea-t-elle. Le spasme prit fin.

La voiture les déposa devant l'hôpital.

À l'accueil des urgences, une jeune femme bien en chair à cheveux verts et piercing dans la narine leva les yeux vers elles.

— Je peux vous aider ?

— Je désire voir un médecin.

— Pour quel problème ?

— J'ai une migraine terrible.

Meghann se pencha au-dessus du bureau.

— Notez ça : mal de tête sévère ; perte de la mémoire à court terme.

— C'est vrai. J'avais oublié, confirma Claire avec un pâle sourire.

La réceptionniste prit l'air contrarié en entendant le commentaire et poussa sans ménagement un bloc vers Claire.

— Remplissez ça et donnez-moi votre carte d'assurance maladie.

Extirpant cette dernière de son portefeuille, Claire la tendit à la fille.

— Mon médecin de famille pense que je devrais faire plus de sport.

— Ils disent tous ça, ricana son interlocutrice. Asseyez-vous, on vous appellera.

Une heure plus tard, Claire et Meghann attendaient toujours. Meghann devenait enragée. Elle

429

s'en était prise trois fois de suite à la fille de l'accueil et avait répété fréquemment le mot procès durant les vingt dernières minutes.

— C'est un comble d'appeler ça les urgences.

— Vois les choses du bon côté. Ce doit être le signe qu'on ne m'estime pas très malade.

— Oublie le mal de tête. On sera toutes les deux mortes de vieillesse avant que quiconque se soit occupé de toi.

Meghann se leva comme une furie et se mit à faire les cent pas. Claire envisagea d'essayer de la calmer, mais elle n'en avait pas le courage. Sa migraine s'était aggravée, ce qu'elle se garda bien de révéler à Meghann.

— Claire Austin, appela une infirmière en blouse bleue.

— Eh bien ! ce n'est pas trop tôt.

Meghann interrompit ses allers et retours le temps d'aider Claire à se lever.

— Tu es vraiment réconfortante, Meg, dit Claire en s'appuyant sur elle.

— C'est un don, répliqua Meghann du tac au tac en la conduisant jusqu'à la jeune femme à tête d'oiseau qui les attendait devant les portes blanches à double battant des urgences.

Celle-ci leva les yeux.

— Claire Austin ?

— C'est moi.

À l'intention de Meghann, l'infirmière ajouta :

— Vous pouvez attendre ici.

— Non.

— Pardon ?

430

— J'accompagne ma sœur. Si le médecin me demande de partir au moment de l'examen, je le ferai.

Claire savait qu'elle aurait dû se mettre en colère. Meghann était fidèle à elle-même en s'imposant là où elle n'avait pas à être ; mais en réalité, Claire ne voulait pas être seule.

— Très bien.

Claire agrippa la main de Meghann tandis qu'elles pénétraient dans un univers blanc effrayant qui embaumait le désinfectant. Dans une petite salle d'examen, Claire passa une chemise d'hôpital, répondit aux quelques questions de l'infirmière, tendit son bras afin qu'on prenne sa tension et qu'on lui fasse une prise de sang.

Puis Meghann et elle attendirent encore.

— Si j'étais vraiment malade, un docteur se précipiterait pour s'occuper de moi, se rassura Claire au bout d'un moment. C'est bon signe qu'on patiente.

Meghann était debout, dos au mur. Elle avait les bras croisés, comme si elle avait peur de taper sur quelque chose si elle bougeait.

— Tu as raison. Quelle bande d'incapables, ajouta-t-elle entre ses dents.

— Tu as déjà envisagé de faire carrière dans le domaine médical ? Tu es plutôt gentille avec les malades. Dieu sait combien tu m'apaises…

— Je suis désolée. Tout le monde connaît ma patience légendaire.

Se laissant aller en arrière sur la table d'examen garnie de papier, Claire s'abîma dans la contemplation du plafond insonorisé.

Quelqu'un frappa finalement et la porte s'ouvrit. Un adolescent en blouse blanche entra.

— Bonjour, je suis le Dr Lannigan. Qu'est-ce qui vous arrive ?

Meghann gémit. Claire se rassit.

— Bonjour, docteur. Je suis sûre que je n'ai pas vraiment de raison d'être ici. J'ai mal à la tête et ma sœur pense qu'une migraine nécessite d'aller aux urgences. J'ai eu une sorte de crise de panique après un long voyage en avion.

— Pendant laquelle tu as oublié le chemin pour rentrer chez toi, compléta Meghann.

Le Dr Lannigan ne regarda ni Claire ni Meghann, tout à l'étude du dossier qu'il avait en main. Il demanda ensuite à Claire d'effectuer certains gestes – lever un bras, puis l'autre, tourner la tête, cligner des yeux – et de répondre à quelques questions faciles – « En quelle année sommes-nous ? Qui est le président ? » Ce genre de choses.

— Vous avez souvent des maux de tête ?

— Oui, quand je suis stressée. J'en ai eu davantage, ces derniers temps, c'est vrai, fut forcée d'admettre Claire.

— Est-ce qu'il y a eu de grands changements dans votre vie, récemment ?

Claire partit d'un rire contraint.

— Un tas. Je viens de me marier pour la première fois et mon époux va rester absent pendant un mois. Il est à Nashville, en train d'enregistrer un disque.

— Ah, dit le Dr Lannigan en souriant. Eh bien, madame Austin, les résultats de vos analyses de sang sont normaux, ainsi que votre pouls, votre ten-

432

sion et votre température. Je suis sûr que vos problèmes sont liés au stress. On pourrait faire des investigations coûteuses, mais je pense que c'est inutile. Je vais vous prescrire un médicament contre la migraine. Quand vous sentez que vous êtes sur le point d'en avoir une, prenez deux cachets avec beaucoup d'eau. Cependant, si le symptôme persiste, je vous recommande de consulter un neurologue.

Soulagée, Claire approuva d'un signe du menton.

— Merci, docteur.

— Ah non ! Non ! Et non !

Meghann s'éloigna du mur pour s'approcher du Dr Lannigan.

— Ce n'est pas suffisant.

Il la toisa en cillant furieusement, comme si elle venait d'envahir son espace vital.

— Je regarde « Urgences » à la télé. Ma sœur a au minimum besoin d'un scanner. Ou alors d'une IRM et d'un électrocardiogramme. Et le moins que vous puissiez faire, c'est de la montrer à un neurologue maintenant.

Le Dr Lannigan parut ennuyé.

— Ces examens coûtent cher. On ne soumet pas chaque patient qui se plaint de maux de tête à un scanner, mais si vous le souhaitez, je peux vous conseiller un neurologue et vous prendrez rendez-vous avec lui.

— Depuis combien de temps êtes-vous médecin ?

— C'est ma première année d'internat.

— Vous avez envie d'en faire une deuxième ?

— Bien sûr. Je ne vois pas...

— Appelez-moi votre responsable. On n'a pas passé trois heures ici pour qu'un pseudo-médecin nous confirme que Claire est stressée. Je le suis. Vous aussi. Pourtant, nous nous souvenons du chemin pour rentrer chez nous, vous et moi. Allez chercher un spécialiste pour qu'il examine ma sœur. Et sur-le-champ.

— Parfait.

Cramponné à son bloc, le Dr Lannigan sortit en vitesse.

Claire soupira.

— Tu es redevenue toi-même. Je suis sûre que je subis le contrecoup du stress.

— Je l'espère, moi aussi, mais je ne croirai pas le jeune docteur en culottes courtes sur parole.

Quelques instants plus tard, l'infirmière était de retour. Elle affichait un sourire forcé.

— Le Dr Kensington a revu votre dossier après le Dr Lannigan. Elle souhaite que vous passiez un scanner.

— Dieu merci, se félicita Meghann.

L'infirmière confirma d'un signe de tête.

— Venez avec moi, dit-elle à Claire.

Claire consulta Meghann du regard et lui prit le bras en souriant.

— Considère-nous liées comme les doigts de la main.

L'infirmière les précéda.

Claire ne lâcha pas Meghann. Le trajet lui sembla durer des heures. Elles empruntèrent un couloir, puis un autre, montèrent quelques étages en ascenseur et suivirent un corridor avant d'arriver enfin au service de médecine nucléaire.

Nucléaire...

Claire sentit que Meghann lui serrait la main plus fort.

— Nous y sommes.

L'infirmière marqua un temps d'arrêt devant la énième porte fermée. Elle se tourna vers Meghann.

— Il y a une chaise, là-bas ; vous ne pouvez pas entrer. Rassurez-vous, votre sœur a affaire à des personnes très compétentes.

Après une courte hésitation, Meghann acquiesça en silence.

— Je t'attends ici, Claire.

Suivant son guide, Claire passa la porte puis longea un corridor menant à une pièce presque exclusivement occupée par une énorme machine qui ressemblait à un beignet blanc. Claire se laissa installer sur le lit étroit situé à l'intersection avec le trou au milieu de l'appareil. Là, elle attendit. Et attendit. À intervalles réguliers, l'infirmière revenait, marmonnait quelque chose à propos du médecin et disparaissait à nouveau.

Claire commençait à avoir froid. La peur, qu'elle s'était efforcée de surmonter, réapparaissait insidieusement. Dans cet endroit, il était impossible de ne pas craindre le pire.

Un homme en blouse blanche finit par arriver.

— Désolé de vous avoir fait attendre. Il y a eu un imprévu. Je suis le Dr Cole, radiologue. Restez allongée sans bouger un cil et vous serez sortie d'ici en deux temps, trois mouvements.

Claire s'efforça de sourire. Elle refusa de penser au fait que tout le monde dans la pièce portait un tablier de plomb, alors qu'elle était couchée là, avec pour seule protection un mince drap en coton.

— C'est fini. Vous vous êtes très bien débrouillée, la complimenta le Dr Cole quand l'examen fut terminé.

Claire était si soulagée qu'elle en oublia presque sa migraine, qui avait empiré.

Dans le couloir, Meghann paraissait hors d'elle.

— Qu'est-ce qui s'est passé ? C'était censé prendre une heure.

— Il a fallu que l'infirmière parvienne à attraper le médecin.

— Quel scandale !

Claire eut un rire nerveux. Elle se sentait déjà mieux, maintenant qu'elle avait passé le scanner.

— Vous autres, les avocats, avez appris à user d'un langage précis.

— Crois-moi, il vaut mieux que tu ne m'entendes pas formuler précisément mon opinion sur cet endroit.

Meghann et Claire suivirent l'infirmière dans une nouvelle salle d'examen.

— Je peux me rhabiller ? demanda Claire.

— Pas encore. Le docteur va bientôt arriver.

— Tu parles, ironisa Meghann à voix basse.

Une demi-heure plus tard, la fille était de retour.

— Le médecin a demandé qu'on vous fasse une IRM. Suivez-moi.

— Qu'est-ce que c'est qu'une IRM ? interrogea Claire, à nouveau anxieuse.

— Imagerie par résonance magnétique. Ça nous permettra de voir plus clair dans ce qui vous arrive. Une procédure standard.

Encore un couloir et une longue marche vers une porte fermée. Meghann resta à l'extérieur.

Cette fois, Claire dut enlever son alliance, ses boucles d'oreilles, son collier et même sa barrette. Le manipulateur lui demanda si elle avait une prothèse métallique ou un pacemaker. Quand elle répondit par la négative et se hasarda à demander pourquoi, il plaisanta :

— Eh bien, on n'aimerait pas trop les voir exploser hors de vous quand la machine démarrera.

— Quelle charmante image, marmonna Claire. J'espère que mes plombages ne craignent rien.

L'opérateur l'aida en riant à s'installer dans l'engin, qui avait tout d'un cercueil. Claire avait du mal à respirer régulièrement. Le lit était dur et inconfortable à cause de son incurvation vers le haut, et Claire avait le haut du dos meurtri. On l'attacha.

— Il faut que vous restiez immobile.

Elle ferma les yeux. Bien qu'il fasse froid dans la pièce et qu'elle soit gelée, elle ne bougea pas.

L'appareil se mit en marche avec un bruit de marteau-piqueur attaquant le bitume. « Du calme, reste immobile, parfaitement immobile », se raisonna Claire en respirant à peine. Elle ne se rendit pas compte qu'elle pleurait jusqu'à ce qu'elle sente un liquide tiède couler sur sa tempe.

L'IRM prit deux heures au lieu d'une. La procédure fut interrompue pour que l'infirmière injecte un produit à Claire. L'aiguille lui piquait le bras tandis que la substance glaciale envahissait ses veines et son corps. Claire aurait juré qu'elle la sentait pénétrer son cerveau par à-coups. Enfin, on la libéra. Elle retourna, avec Meghann, dans une pièce située dans l'aile de la médecine nucléaire, où elle avait laissé ses vêtements. Puis on leur indiqua une salle d'attente.

— Évidemment, grommela Meghann.

Elles patientèrent une heure, jusqu'à l'arrivée d'une grande femme en blouse blanche à l'air fatigué.

— Claire Austin ?

Claire se leva si brutalement qu'elle faillit tomber. Meghann la retint.

Le médecin sourit.

— Je suis le Dr Sheri Kensington, chef du service de neurologie.

— Claire Austin. Voici ma sœur, Meghann.

— Ravie de vous rencontrer. Venez par ici.

Le Dr Kensington les précéda dans un couloir conduisant à un bureau tapissé de livres, de diplômes et de dessins d'enfants. Derrière elle, une série d'images qui ressemblaient à des radios luisait dans la vive lumière blanche des panneaux lumineux. Troublée, Claire les scruta en se demandant ce qu'on pouvait bien y voir.

Le Dr Kensington s'assit à sa table de travail et pria Claire et Meghann de prendre place de l'autre côté.

— Je suis désolée que vous ayez eu des problèmes avec le Dr Lannigan. Comme vous le savez, nous sommes un hôpital universitaire et, parfois, nos internes ne sont pas aussi minutieux qu'ils le devraient. Le fait que vous ayez exigé un niveau de soins plus élevé a constitué un rappel à l'ordre pour ce jeune homme.

Claire opina.

— Ma sœur est très forte pour obtenir ce qu'elle veut. Est-ce que j'ai une sinusite ?

— Non, Claire. Il y a une masse dans votre cerveau.

— Quoi ?

— Vous avez une masse. Une tumeur. Au cerveau.

Le Dr Kensington se leva posément, puis s'approcha des clichés et désigna un point blanc.

— Il semble qu'elle ait à peu près la taille d'une balle de golf et qu'elle soit placée dans le lobe frontal droit, à cheval sur la ligne médiane.

Tumeur...

Claire eut l'impression qu'on venait de la pousser hors d'un avion. Elle n'arrivait plus à respirer et c'était comme si le sol venait à sa rencontre à toute vitesse.

— Je suis désolée d'avoir à vous annoncer ça, continua le Dr Kensington. J'ai consulté un neurochirurgien. Nous pensons que c'est inopérable. Vous pouvez prendre un autre avis, bien sûr. Vous devrez aussi voir un oncologue.

Meghann s'était levée et s'appuyait sur le plateau de la table comme si elle allait sauter à la gorge du Dr Kensington.

— Vous dites que ma sœur a une tumeur au cerveau ?

— Oui.

Le Dr Kensington retourna s'asseoir.

— Et que vous ne pouvez rien y faire ?

— Nous pensons qu'elle est inopérable, c'est vrai, mais je n'ai pas dit qu'on ne pouvait rien faire.

— Meg, s'il te plaît.

439

Claire avait une peur absurde que Meghann n'aggrave les choses. Elle regarda le Dr Kensington, suppliante.

— Est-ce que ça signifie que... je vais mourir ?

— Il faudra faire des tests pour déterminer la nature de la tumeur, mais, étant donné sa taille et sa localisation, le pronostic n'est pas bon.

— Inopérable signifie que vous ne voulez pas opérer.

Meghann s'était exprimée dans un quasi-grondement, qui sous-entendait : « Ne plaisantez pas avec moi ! »

Le Dr Kensington parut surprise.

— Je ne pense pas que qui que ce soit accepte d'intervenir. J'ai pris l'avis de notre meilleur neurochirurgien. Il est d'accord avec mon diagnostic. La procédure serait trop dangereuse.

— Vraiment ? Ça pourrait tuer ma sœur, hein ?

Meghann avait l'air écœurée.

— Qui peut se charger de ce genre d'intervention ?

— Personne ici.

Elle ramassa son sac par terre.

— Viens, Claire. On n'est pas dans le bon hôpital.

Claire, impuissante, laissait aller son regard de Meghann au Dr Kensington.

— Meg, implora-t-elle, tu n'es pas omnisciente. S'il te plaît...

Meghann s'approcha d'elle et s'agenouilla.

— Je sais que je n'ai pas la science infuse, Claire, et que je suis une vantarde. Je sais même que je t'ai laissée tomber dans le passé, mais rien de tout ça n'a d'importance, maintenant. À partir de cette seconde, seule compte ta vie.

Claire s'aperçut qu'elle s'était mise à pleurer. Elle détestait se sentir aussi fragile, mais c'était indéniable. Soudain, elle fut dans la peau d'une femme sur le point de mourir.

— Appuie-toi sur moi, Claire.

Claire regarda intensément Meghann dans les yeux et se souvint de l'époque où elle était son univers. Elle fit un lent signe de tête affirmatif : elle avait besoin de sa grande sœur.

Meghann l'aida à se lever avant de se tourner vers le Dr Kensington.

— Allez donc apprendre au Dr Lannigan à lire un thermomètre. De notre côté, on va trouver un médecin qui sauvera ma sœur.

25

Quelques années plus tôt, Claire était passée par une phase durant laquelle elle se passionnait pour les films étrangers. Chaque samedi soir, elle confiait Alison à Sam et prenait sa voiture pour se rendre dans un petit cinéma d'époque joliment décoré, où elle se perdait dans les images en noir et blanc qui défilaient devant ses yeux.

À présent, elle se faisait l'effet d'un de ces personnages qui apparaissaient alors à l'écran, traversant un monde inconnu et terne. Les bruits de la ville lui semblaient assourdis et lointains. Tout ce qu'elle arrivait à entendre, c'était les battements sourds et réguliers de son cœur.

Comment une chose pareille avait-elle pu lui arriver ?

Une fois sortie de l'hôpital, elle fut assaillie par la brutalité du monde extérieur – sirènes, Klaxons et hurlements de freins – et dut lutter contre une irrépressible envie de se plaquer les mains sur les oreilles.

Meghann l'aida à monter dans la voiture. Le silence béni qui y régnait lui arracha un soupir.

— Est-ce que ça va ? demanda-t-elle.

Au son pointu et angoissé de sa voix, Claire eut l'impression que sa sœur avait posé la question plus d'une fois. Elle la regarda droit dans les yeux.

— J'ai un cancer ? C'est ça, une tumeur ?

— On ne sait pas ce que tu as. Ce qui est certain, c'est que ces imbéciles de médecins l'ignorent.

— Tu as vu la tache sur cette radio, Meg. Elle était énorme.

Claire se sentit soudain épuisée. Elle aurait aimé fermer les yeux et dormir. Sans doute verrait-elle les choses d'un autre œil le lendemain matin. Et peut-être découvrirait-elle que tout cela n'était qu'une erreur.

Meghann l'empoigna et la secoua comme un prunier.

— Écoute-moi, pour l'amour du ciel. Il faut que tu résistes. Il ne s'agit pas de se laisser aller ni de se résigner. Ce n'est pas comme la formation pour devenir esthéticienne ou l'université ; tu ne peux pas choisir la solution de facilité et partir en courant.

— J'ai une tumeur au cerveau et tu me jettes à la figure le fait que j'ai abandonné la fac... Tu es incroyable !

Claire aurait voulu se mettre en colère, mais ses émotions lui paraissaient lointaines. Elle avait du mal à réfléchir.

— Je ne me sens même pas malade. Tout le monde a des maux de tête, non ?

— Demain, on va commencer à consulter d'autres médecins pour avoir des avis différents. D'abord à

Johns Hopkins. Puis on essaiera Sloan-Kettering, à New York. Il doit bien exister un chirurgien digne de ce nom quelque part !

Les yeux de Meghann se remplirent de larmes et sa voix se mit à trembler. Constatant que sa sœur craquait, Claire s'abandonna à la terreur.

— Je vais m'en sortir, dit-elle comme une automate, car il était plus facile de rassurer autrui que de penser. Tu vas voir. Il faut juste qu'on reste positives.

— Avoir la foi. Oui, reprit Meghann après un long silence. Tu te débrouilles pour garder la foi et moi, je vais chercher tout ce qu'il faut savoir sur ta maladie. Comme ça, on aura couvert les domaines essentiels : Dieu et la science.

— Tu veux dire qu'on va faire équipe ?

— Quelqu'un doit t'aider à traverser ce cauchemar.

— Mais... Toi ?

À cet instant, l'enfance revint soudain s'interposer entre elles : les bons moments, mais surtout les mauvais.

Claire fixa Meghann avec intensité.

— Si tu me soutiens dans cette épreuve, il faudra que tu restes si ça tourne au vinaigre.

À travers la vitre, Meghann suivit du regard un motard qui passait.

— Tu peux compter sur moi.

Claire prit Meghann par le menton pour l'obliger à se tourner vers elle.

— Regarde-moi quand tu le dis.

Meghann s'exécuta.

— Fais-moi confiance.

— Je dois vraiment être proche de la mort pour accepter une chose pareille. Dieu me vienne en aide. Je ne veux annoncer la nouvelle à personne.

— Pourquoi dirions-nous quoi que ce soit avant d'en être sûres ?

— Ça n'aboutira qu'à inquiéter papa et à pousser Bobby à rentrer.

Claire déglutit avec peine.

— Je ne veux même pas imaginer l'effet que ça me ferait d'en parler à Alison.

— On va raconter à Sam, Bobby et Alison que je t'emmène dans un club de remise en forme pendant une semaine. Tu penses qu'ils vont nous croire ?

— Bobby, oui. Ali aussi. Papa... Je ne sais pas. Je prétexterai qu'on a besoin de passer un peu de temps ensemble. Il y a des années qu'il veut qu'on se réconcilie. Oui. Il marchera.

Un jour, Joe avait lu un article au sujet de grenouilles vivant sur le plateau du Serengeti, en Tanzanie. Elles pondaient leurs œufs sur les berges du fleuve, au moment des pluies, quand la terre noire était gorgée d'humidité. Bientôt la sécheresse revenait et, parfois, se prolongeait, et les œufs se trouvaient pris dans le sol, devenu aride. Mais, dès que les pluies réapparaissaient, ils éclosaient et de jeunes batraciens remontaient à la surface de la boue, telles des bulles, puis se mettaient en quête de partenaires pour perpétuer le cycle naturel.

C'est impossible que la vie s'adapte à de telles conditions, avait alors pensé Joe. Pourtant, il se sentait un peu comme ces animaux, à présent. La rencontre avec les parents de Díana avait soulagé quelque chose en lui. Pas la culpabilité, du moins pas en totalité, mais leur pardon et leur compréhension avaient allégé le fardeau qu'il portait. Pour la première fois depuis le décès de sa femme, il se redressait enfin. Il songeait qu'il existait peut-être un moyen pour lui de sortir de l'impasse. Pas la médecine. Il ne supporterait plus de la pratiquer ni de regarder la mort de près. Mais autre chose...

Et puis, il y avait Meghann. À la grande surprise de Joe, elle avait appelé. Pour lui proposer qu'ils se voient. Le premier vrai rendez-vous de Joe avec une femme en près de quinze ans. Il n'était même pas sûr de savoir comment se préparer pour l'occasion. Meghann n'était pas comme Diana. Il n'y avait pas de douceur en elle. Avec elle, aucun moment ne présageait quoi que ce soit, surtout pas un autre. Même au paroxysme de son intimité avec Joe, elle détournait parfois la tête.

Il savait qu'il serait sans doute plus judicieux de l'oublier, ainsi que les désirs qu'elle avait fait renaître en lui. Judicieux, mais impossible. Comme d'attendre de ces grenouilles qu'elles sentent l'eau de pluie et ne regagnent pas la surface. Des milliers d'années d'évolution des espèces avaient aiguisé certains instincts à tel point qu'on ne pouvait pas les ignorer.

Sans doute encore davantage que le pardon des Roloff, c'était Meghann qui avait ramené Joe à la vie. Il ne pouvait pas lui tourner le dos.

C'était aussi à cause d'elle qu'il osa enfin aller en ville. Pendant l'heure du déjeuner, il descendit Main Street, les yeux baissés, le visage en partie caché par sa casquette de base-ball. Il dépassa les deux vieux bonshommes assis devant la quincaillerie Vis à vis et une femme traînant deux enfants en bas âge hors de chez le marchand de glaces. Bien qu'il ait conscience que les passants le montraient du doigt en murmurant, il continua sa route. Il finit par s'engouffrer dans la vieille boutique du barbier et grimpa sur un fauteuil vide.

— J'ai besoin d'une coupe, dit-il sans chercher à rencontrer le regard de Frank Hill, qui l'avait coiffé pour la première fois quand il n'avait encore que neuf ans.

— Ça, c'est sûr.

Frank termina de balayer le sol avant d'attraper ses instruments. Après avoir mis un tablier en papier à Joe, il lui donna un coup de peigne.

— On se redresse !

Joe tarda un peu avant de lever la tête. De l'autre côté de la pièce, un miroir lui renvoyait son reflet. La tristesse et la culpabilité avaient laissé leur empreinte au coin de ses yeux, chargé de rides, et dans ses cheveux gris argenté. Pendant la demi-heure qui suivit, il resta assis sans bouger, l'estomac noué, les poings serrés, en attendant que Frank le reconnaisse.

Une fois la coupe terminée et réglée, il se dirigea vers la porte. Il venait juste de l'ouvrir quand Frank lui lança :

— Reviens me voir quand tu veux, Joe. Tu as encore des amis dans cette ville.

Cette phrase de bienvenue lui donna le courage d'aller jusqu'au magasin Swain, où il acheta de nouveaux vêtements. Plusieurs anciennes connaissances lui sourirent. Il rentra au garage avant treize heures et travailla le reste de la journée.

— C'est au moins la dixième fois que tu regardes cette horloge en quelques minutes, remarqua Smitty à seize heures trente.

Debout devant l'établi, il était occupé à façonner le cadeau d'anniversaire destiné à son petit-fils : un skate-board.

— Il faut... euh... que je m'absente, répondit Joe.

Smitty attrapa une clé à vis.

— Sans blague.

Joe referma brusquement le capot du camion.

— Je me disais que je pourrais partir quelques minutes plus tôt.

— Ce n'est pas un problème.

— Merci.

Joe baissa les yeux sur ses mains, noires de cambouis. Il n'imaginait pas toucher Meghann ainsi, bien que la graisse qu'il avait sous les ongles n'ait pas semblé la déranger, les autres fois. C'était l'une des choses qu'il aimait chez elle. Les femmes qu'il fréquentait dans sa vie d'avant méprisaient les hommes ressemblant à celui qu'il était devenu.

— Qu'est-ce que tu fabriques, ce soir, si c'est pas indiscret ? demanda Smitty en s'approchant de lui.

— Je reçois quelqu'un pour dîner.

— C'est le quelqu'un qui roule en Porsche ?

— Oui.

Smitty sourit malicieusement.

— Tu veux peut-être emprunter notre barbecue. Ou cueillir quelques fleurs dans le jardin de Helga ?

— Je ne savais pas comment le demander.

— Bon sang, Joe, tu demandes, c'est tout. Tu ouvres la bouche et tu dis s'il te plaît. Ça fait partie du jeu, quand on est voisins et collègues.

— Merci.

— Helga a fait du cheese-cake, hier soir. Je parie qu'il lui en reste quelques parts.

— Mon amie apporte le dessert.

— Ah. Un peu à la fortune du pot, hein ? C'est pas comme ça qu'on faisait, de mon temps. Remarque, de mon temps, nous autres les hommes, on cuisinait jamais.

Smitty fit un clin d'œil à Joe.

— Pas sur la cuisinière, en tout cas. Passe une bonne soirée, Joe.

Fredonnant un air guilleret, Smitty se remit à la tâche.

Joe fourra le chiffon sale dans sa poche arrière et sortit de l'atelier. En chemin, il s'arrêta chez Smitty, bavarda avec Helga et repartit chargé d'un petit barbecue japonais. Il l'installa sur la véranda à l'avant du bungalow et le remplit de briquettes achetées le matin chez Swain.

À l'intérieur, il balaya la pièce du regard en dressant mentalement la liste des préparatifs : « Beurrer, envelopper et piquer les pommes de terre ; effeuiller le maïs ; assaisonner les steaks ; arranger les fleurs dans un broc d'eau ; mettre la table. » Il regarda la pendule. Meghann serait là dans une heure et demie.

Il se doucha et se rasa avant d'enfiler ses habits neufs et d'aller dans la cuisine.

Pendant l'heure suivante, il passa d'une tâche à l'autre, jusqu'à ce que les pommes de terre soient au four, le maïs sur le feu, les fleurs sur la table et les bougies allumées. Finalement, tout était prêt. Joe se versa un verre de vin rouge et s'installa dans le salon pour attendre Meghann.

Il s'assit sur le canapé et étendit les jambes. De sa position sur la cheminée, Diana lui souriait. Joe fut traversé d'un éclair de culpabilité, comme s'il avait fait quelque chose de mal. C'était stupide ; il n'était pas infidèle. Pourtant...

Posant son verre sur la table basse, il s'approcha du cadre.

— Salut Di, commença-t-il tout bas en tendant la main vers la photo.

C'était une de ses préférées, prise le soir du réveillon à Whistler Mountain. Avec son chapeau en fourrure blanche et sa parka, Diana rayonnait de beauté et de jeunesse.

Pendant trois ans, Joe lui avait ouvert son cœur, confié ses moindres pensées et, soudain, il ne trouvait plus rien à lui dire. Derrière lui, les bougies jetaient une lueur vacillante sur le couvert, mis pour deux.

Joe toucha la surface du verre, froide et lisse.

— Je t'aimerai toujours.

C'était vrai. Diana resterait à jamais son premier amour, et sans doute le plus intense. Mais il fallait qu'il essaie à nouveau.

Fort de cette décision, il ramassa tous les clichés, hormis celui sur la cheminée, et les rangea soigneusement dans la chambre. Plus tard, il en rapporterait certains chez sa sœur.

Quand il revint dans le salon pour se rasseoir, il avait le sourire aux lèvres en pensant à Meghann.

À vingt et une heures trente, son sourire s'était évanoui. Joe était assis sur le canapé, seul, à moitié saoul, la bouteille de vin vide à côté de lui. Les pommes de terre avaient fini de se consumer et les bougies de brûler depuis bien longtemps. La porte d'entrée restait ouverte, accueillante, mais la rue devant était vide.

À minuit, Joe alla se coucher.

Au cours des neuf derniers jours, Claire et Meghann avaient vu plusieurs spécialistes. C'était extraordinaire la vitesse à laquelle les médecins acceptaient de vous recevoir quand vous aviez une tumeur au cerveau et beaucoup d'argent. Des neurologues. Des neurochirurgiens. Des oncologues. Des radiologues. Claire et Meghann allèrent de Johns Hopkins à Sloan-Kettering et Scripps. Quand elles ne se trouvaient pas dans un avion, elles écumaient les salles d'attente des hôpitaux et des cabinets privés. Elles avaient appris des dizaines de nouveaux mots effrayants : glioblastome, astrocytome de type anaplasique, craniotomie... Certains docteurs se montraient humains et pleins de compassion, mais, le plus souvent, ils étaient froids, distants et trop occupés pour parler longtemps. Ils exposaient des types de traitement qui se ressemblaient tant les uns les autres que c'en était déprimant et assommaient leurs interlocutrices de statistiques qui leur laissaient peu d'espoir.

Tous s'accordaient sur un point : c'était inopérable. Peu importait que la tumeur de Claire soit bénigne ou non : dans les deux cas, elle serait fatale. La plupart de ces pontes pensaient qu'il s'agissait d'un glioblastome multiforme. Une maladie qu'ils avaient surnommée le Terminator !

Chaque fois que Claire et Meghann quittaient une ville, Meghann plaçait tout son espoir dans la destination suivante.

Jusqu'à ce qu'à Scripps, un neurologue la prenne à part :

— Écoutez, vous êtes en train de perdre un temps précieux. La radiothérapie est le traitement qui donnera les meilleures chances à votre sœur. Vingt-cinq pour cent des tumeurs au cerveau y répondent positivement. Si celle-ci régresse assez, elle deviendra peut-être opérable. Ramenez Claire chez elle. Arrêtez de vous battre contre le diagnostic et concentrez-vous sur la maladie.

Claire étant d'accord, Meghann et elle prirent le chemin du retour. Le lendemain, Meghann emmena Claire à l'Hôpital suédois, où un oncologue de plus leur redit la même chose, appuyant son opinion sur l'avis d'un énième radiologue. Claire accepta de commencer la radiothérapie le lendemain.

Une fois par jour pendant quatre semaines.

— Je vais devoir rester ici pour le traitement, constata Claire en s'asseyant sur le bord froid de la cheminée en pierre, dans l'appartement de Meghann. Hayden, c'est trop loin.

— Bien sûr. Je vais appeler Julie pour prendre des congés supplémentaires.

— Pas la peine. J'irai en bus à l'hôpital.

— Je ne daignerai pas répondre à ça. Même moi, je ne suis pas assez garce pour te laisser faire une chose pareille.

Claire regarda par la fenêtre.

— Une de mes amies est passée par la chimio et la radiothérapie...

Elle fixa la ville étincelante, obnubilée par Diana, qui avait dépéri et perdu son âme en même temps que ses cheveux. En fin de compte, tous les soins n'avaient servi à rien.

— Je ne veux pas qu'Alison me voie comme ça. Elle restera chez papa. On lui rendra visite le week-end.

— Je vais louer une voiture pour Bobby. Ça facilitera vos déplacements.

— Je ne vais pas le dire à Bobby... Pas tout de suite.

Meghann n'en revenait pas.

— Quoi ?

— Je ne vais pas appeler mon mari pour lui annoncer que j'ai une tumeur au cerveau. Il reviendrait et je ne le supporterais pas. Il a attendu l'occasion qui s'est offerte à lui toute sa vie. Je refuse de la lui gâcher.

— Mais s'il t'aime...

— Il m'aime, confirma Claire. Justement. Et je l'aime. Je veux qu'il ait sa chance. D'ailleurs, il ne pourra rien faire d'autre que me tenir la main.

— Je croyais que l'amour servait à se soutenir mutuellement dans les moments difficiles.

— C'est ce que je fais.

— Ah bon ? À mon avis, en réalité, tu redoutes que Bobby n'ait pas envie de venir.

— Tais-toi !

Meghann choisit ce moment pour s'approcher de sa sœur et s'asseoir à côté d'elle.

— Je sais que tu as peur, Claire. Maman et moi t'avons abandonnée, il y a longtemps. Nous t'avons...

fait du mal. Mais tu dois laisser à Bobby la possibilité de...

— Ça n'a rien à voir avec le passé.

— Ma psy affirme que tout a un rapport avec notre passé et je commence à être d'accord avec elle. L'important c'est...

— Tu n'as pas à me dire ce qui est important dans ma vie. S'il te plaît. C'est moi qui ai une tumeur, poursuivit Claire d'une voix blanche. Moi. Ce n'est pas à toi d'orienter ni de critiquer mes choix, d'accord ? J'aime Bobby et je ne compte pas lui demander de tout sacrifier pour moi.

Claire se leva.

— On ferait mieux d'y aller. Il faut que je raconte ce qui se passe à papa.

— Et maman ?

— Quoi, maman ?

— Tu veux l'appeler ?

— Et l'entendre expliquer qu'elle est trop occupée à choisir des tissus pour son canapé pour venir voir sa fille malade ? Non, merci. Je lui téléphonerai si ça empire. Tu sais qu'elle déteste les scènes inutiles. On y va ?

Deux heures plus tard, Meghann tournait dans River Road. Claire et elle étaient arrivées. Le soleil de la fin d'après-midi cascadait sur les bardeaux jaunes des maisons et donnait aux roses en fleur une teinte orangée. Le jardin explosait de couleurs. Un vélo équipé de stabilisateurs gisait renversé dans l'herbe haute.

— La vache..., lâcha Claire dans un souffle.

— Courage, lui glissa Meghann. Les rayons peuvent te sauver. On en a parlé. Je t'aiderai.

Le sourire de Claire tremblotait.

— Il faut que je parle seule à papa et Ali.

Meghann comprenait. C'était la famille de sa sœur, pas la sienne.

— D'accord.

Claire sortit de la voiture et remonta le sentier d'un pas mal assuré. Meghann la suivit en lui offrant le bras pour la soutenir.

Devant la porte d'entrée, Claire marqua un temps d'arrêt pour respirer un grand coup.

— Je peux y arriver : « Maman est malade. »

— « Les docteurs vont s'occuper d'elle pour qu'elle aille mieux. »

Désemparée, Claire regarda Meghann.

— Comment vais-je parvenir à promettre ça à Ali ? Et si...

— On en a discuté, Claire. Tu promets. On verra comment gérer les « et si » plus tard.

Claire fit oui de la tête.

— Tu as raison.

Plaquant un sourire forcé sur ses lèvres, elle ouvrit la porte.

Sam était assis sur le canapé, vêtu de son éternelle salopette fanée, l'air heureux.

— Salut, vous deux. Vous êtes en retard. Comment c'était, cette semaine de remise en forme ?

Au milieu de la phrase, son sourire se figea. Son regard alla de Claire à Meghann. Il se leva lourdement.

— Qu'est-ce qui se passe ?

Par terre, Alison jouait avec sa ferme Fisher-Price.

— M'man ! s'exclama-t-elle en se levant d'un bond pour courir vers Claire.

455

Celle-ci se laissa tomber à genoux et souleva Alison.

Remarquant que sa sœur tremblait, Meghann brûla de la prendre dans ses bras, comme dans leur enfance. Elle sentit une nouvelle poussée de rage. Comment une chose pareille avait-elle pu s'abattre sur Claire ? Comment celle-ci réussirait-elle à regarder sa fille en face et à lui dire « maman est malade » sans s'effondrer comme un château de cartes ?

— M'man, finit par se plaindre Alison, tu m'écrases !

Elle se dégagea de l'étreinte de Claire en se tortillant.

— Tu m'as rapporté un cadeau ? On peut tous aller à Hawaii, pour Noël ? Grand-père dit...

Claire se redressa. Elle jeta un regard nerveux derrière elle, en direction de Meghann.

— Reviens me prendre à dix-huit heures, d'accord ?

Puis, bravement, elle se tourna vers son père et sa fille :

— Vous deux, j'ai des choses à vous dire.

Meghann n'avait jamais vu quelqu'un d'aussi courageux.

« Il faut que je parle seule à papa et Ali. »

Franchissant le pas de la porte à reculons, Meghann courut se réfugier dans la Porsche et démarra en trombe. Elle ne savait même pas où elle allait jusqu'à ce qu'elle soit arrivée à destination.

Le chalet avait l'air sombre et inhabité. Laissant son sac sur le siège passager, Meghann traversa la rue et avança jusqu'à la porte d'entrée. Elle frappa. Joe lui ouvrit.

— Tu te fiches de moi, ce n'est pas possible.

C'est alors que Meghann se souvint de leur rendez-vous, le vendredi précédent. Elle devait apporter le vin et le dessert. Il lui semblait que cela remontait à plusieurs décennies. Regardant derrière Joe, elle aperçut un bouquet de fleurs flétries sur la table basse, espéra qu'il ne les avait pas achetées pour leur soirée. Bien sûr que si ! Combien de temps avait-il attendu, se demanda-t-elle, avant de se décider à dîner seul ?

— Je suis désolée. J'avais oublié.

— Donne-moi une bonne raison de ne pas te claquer la porte au nez.

Meghann leva les yeux vers Joe, se sentant si fragile qu'elle arrivait à peine à respirer.

— Ma sœur a une tumeur au cerveau.

L'expression de Joe changea. Ses yeux furent envahis par une sorte de compréhension déchirante, qui poussa Meghann à se demander quelles routes sombres il avait empruntées dans sa vie.

— Seigneur !

Elle marcha vers ses bras grands ouverts et, pour la première fois, se laissa aller à pleurer.

Debout sur la véranda, Joe regardait la nuit tomber. Une partie de base-ball battait son plein dans le parc de l'autre côté de la rue. De temps en temps, un rugissement s'échappait de la foule et venait rompre le silence. Sinon, on n'entendait que le bruissement du vent frais qui agitait les branches de chèvrefeuille.

Il aurait mieux valu que Joe soit en colère contre Meghann et qu'il fasse une croix sur elle parce qu'elle lui avait posé un lapin. Quand elle s'était réfugiée dans ses bras et qu'elle l'avait regardé avec des larmes plein les yeux, il avait eu envie de l'aider.

« Ma sœur a une tumeur au cerveau. »

Joe ferma les yeux, essayant de refouler ses souvenirs et de résister à ses sentiments. Meghann était restée contre lui pendant presque une heure. Elle avait pleuré jusqu'à ce qu'elle n'ait plus de larmes, avant de sombrer dans un sommeil agité. Joe supposait qu'elle n'avait pas dormi depuis des jours. Il savait ce que c'était. Après un diagnostic comme celui-là, on dormait trop ou pas du tout.

Ils n'avaient parlé de rien d'important. Il lui avait simplement caressé les cheveux et embrassé le front en la laissant sangloter. Il n'arrivait pas à y penser sans se sentir honteux.

Derrière lui, la porte grillagée s'ouvrit en crissant et se referma avec un claquement. Incapable de se retourner pour croiser le regard de Meghann, Joe se raidit. Quand il s'y décida, il constata qu'elle était embarrassée.

Elle avait les joues roses et ses beaux cheveux formaient une masse emmêlée et crépue. L'effort qu'elle fit pour sourire déchira le cœur de Joe.

— Je vais proposer ton nom pour que tu sois décoré pour ta bravoure.

Joe n'osa pas reprendre Meghann dans ses bras. À présent, tout était différent entre eux, même si elle ne pouvait pas le deviner. Les hôpitaux. Les tumeurs. La mort. Les mourants. Joe refusait d'être impliqué dans cet univers-là. Il commençait juste à se remettre de son dernier passage dans cet enfer.

— Il n'y a pas de mal à pleurer.

— J'imagine que non. Mais ça n'avance pas à grand-chose.

Meghann se rapprocha de Joe. Il se demanda si elle était consciente qu'elle se tordait les mains. Il comprenait confusément que le moment qu'elle avait passé dans ses bras l'avait à la fois réconfortée et déstabilisée. Un peu comme si elle détestait admettre qu'elle pouvait dépendre de lui. Joe était resté seul assez longtemps pour le savoir.

— Je voulais te remercier pour… Je ne sais pas. Avoir été là. Je n'aurais pas dû débarquer comme ça.

Joe devinait qu'elle espérait qu'il la contredise par une phrase bateau : « Je suis content que tu sois venue. » Comme il restait silencieux, elle fit un pas en arrière en fronçant les sourcils.

— J'ai l'impression que c'est un peu trop à la fois et que ça va trop vite pour toi. Je comprends. Moi aussi, je déteste les gens qui ont besoin de moi. Bien. Il vaut mieux que j'y aille. Claire commence la radiothérapie demain.

Joe ne put s'empêcher de demander :

— Où ça ?

Meghann marqua une pause avant de répondre.

— À l'Hôpital suédois.

— Tu as pris d'autres avis ?

— Tu plaisantes ? Claire a vu les meilleurs spécialistes du pays. Ils n'étaient pas d'accord sur tout, mais « inopérable » était un de leurs mots favoris.

— Il y a un type, un neurochirurgien, à l'université de Californie, à Los Angeles. Stu Weissman. Il est bon.

Meghann regarda Joe, sceptique.

— Ils le sont tous. Comment connais-tu ce Weissman ?

— J'ai fait mes études en même temps que lui.

— À la fac ?

— Pas de quoi être si surprise. Ce n'est pas parce que je vis de cette façon que ça a toujours été le cas. J'ai un diplôme en littérature américaine.

— On ne sait rien l'un de l'autre.

— Peut-être que c'est mieux ainsi.

— En temps normal, j'aurais trouvé une repartie amusante. Mais aujourd'hui, je suis lente. Avoir une sœur avec une tumeur au cerveau peut avoir cet effet-là. Fais comme si j'avais dit un truc spirituel.

La voix de Meghann chevrota. Elle lui tourna le dos et s'éloigna.

À chacun de ses pas, Joe brûlait de lui courir après pour s'excuser et lui avouer la vérité sur son identité et les épreuves qu'il avait traversées. Peut-être comprendrait-elle, alors, qu'il y avait des chemins qu'il ne pouvait plus prendre. Mais il ne bougea pas.

Il rentra dans le chalet. Son regard s'arrêta sur la photo de Diana, qui trônait sur la cheminée. Pour la première fois, Joe eut la sensation qu'une lueur accusatrice brillait dans les yeux de sa femme.

— Quoi ? se défendit-il. Je ne peux rien faire.

Alison écoutait avec attention Claire lui expliquer qu'elle avait un « bobo » de la taille d'une balle de golf dans le cerveau.

— C'est petit, une balle de golf, remarqua-t-elle au bout d'un moment.

Claire acquiesça en souriant.

— Oui, c'est petit.

— Un pistolet spécial va lui envoyer des rayons magiques jusqu'à ce qu'elle disparaisse ? Comme quand on frotte la lampe d'Aladin ?

— Exactement.

— Pourquoi tu es obligée d'habiter chez tante Meg ?

— L'hôpital est loin. Je ne peux pas faire l'aller et retour chaque jour.

— D'accord, finit par lâcher Alison.

Sur ce, elle se remit debout et courut à l'étage.

— Je reviens tout de suite, m'man ! hurla-t-elle de là-haut.

— Tu ne m'as pas regardé, constata Sam après le départ d'Alison.

— Je sais.

Il se leva, traversa la pièce et alla s'asseoir à côté de Claire. Il passa un bras autour d'elle et l'attira contre lui. Elle s'abandonna à sa chaleur rassurante et familière, et posa la tête sur l'angle aigu de son épaule. Sentant un flot de larmes lui couler sur le visage, elle réalisa qu'elle pleurait.

— J'aurais pu faire la navette pour te conduire et te ramener, tu sais, reprit Sam avec douceur.

Cela déclencha un élan d'amour chez Claire. Mais elle ne voulait pas faiblir devant son père. Meghann et elle avaient lu la littérature disponible au sujet des rayons : concentrés sur le cerveau, ils pouvaient rendre le patient vraiment malade. Claire aurait besoin de toutes ses ressources pour rester forte au cours du traitement. Et puis elle n'avait pas le courage de se voir, chaque soir, à travers les yeux de Sam.

— Je sais que tu as toujours été là pour moi.

Sam soupira en s'essuyant les yeux.

— Tu en as parlé à Bobby ?

— Pas encore.

— Tu vas le faire ?

— Bien sûr. Dès qu'il aura fini à Nashville.

— Tu ne devrais pas attendre.

Claire regarda Sam, déboussolée par la soudaine dureté de sa voix.

— Pourquoi ?

— J'ignorais que ta mère était enceinte. Est-ce que je te l'ai déjà raconté ?

— Oui.

— Elle m'avait envoyé faire une course au magasin du coin et quand je suis rentré, elle avait filé. J'ai essayé de lui remettre la main dessus, mais tu la connais, quand elle part, c'est pour de bon. Je suis retourné travailler à la fabrique de papier et j'ai tenté de l'oublier. Ça m'a pris longtemps.

Claire posa la main sur celle de son père.

— Je sais tout ça.

— Pas tout. Quand Meg m'a appelé pour que je vienne te chercher, je suis passé en un coup de fil de type seul au monde à père d'une fillette de neuf ans. À ce moment-là, j'ai détesté Ellie à un point que tu ne peux pas imaginer. J'ai mis des années à arrêter de la haïr pour m'avoir privé de ton enfance. Je n'arrivais pas à penser à autre chose qu'à ce que j'avais manqué : ta naissance, tes balbutiements, tes premiers pas. Je ne t'ai jamais tenue, bébé, dans mes bras.

— Quel est le rapport avec Bobby ?

— Tu ne dois pas prendre de décisions pour les autres, Claire, surtout s'ils t'aiment.

462

— Mais je peux me sacrifier pour eux. Ce n'est pas ça, l'amour ?

— Tu y vois un sacrifice. Et si Bobby estimait que c'est de l'égoïsme ? Si… le pire arrive, tu lui auras volé la seule chose qui ait de l'importance : le temps.

Claire regarda Sam, suppliante.

— Je ne peux pas le lui dire, papa. Je ne peux pas.

— Je tuerais Ellie pour ce qu'elle vous a infligé, à Meg et toi.

— Ma réaction n'a rien à voir avec le fait que maman nous a laissées tomber, insista Claire. J'aime Bobby. Je ne veux pas qu'il abandonne la chance qui s'offre à lui pour moi.

Avant que Sam ait eu le temps d'ajouter quoi que ce soit, Alison entra dans la pièce en coup de vent, traînant derrière elle la couverture avec laquelle elle dormait chaque nuit.

— Tiens, m'man, je te prête mon lulu jusqu'à ce que tu sois guérie.

Claire accepta le présent. Elle ne put s'empêcher de l'approcher de son visage pour respirer l'odeur sucrée qui l'imprégnait.

— Merci, Ali, répondit-elle d'une voix fêlée.

Alison se faufila dans les bras de sa mère et la serra fort.

— Ne pleure pas, m'man. Je suis une grande fille. Je n'ai pas besoin de mon lulu.

26

Assise dans la salle d'attente, Meghann essayait de lire le dernier *People Magazine*, consacré à ceux qui étaient le « mieux et le moins bien habillés ». Elle aurait pu jurer qu'elle ne voyait aucune différence entre les deux. De guerre lasse, elle jeta le numéro sur la table en bois bon marché à côté d'elle. L'horloge murale marqua le passage d'une minute avec un cliquetis.

Meghann retourna au bureau.

— Ça fait plus d'une heure. Vous êtes sûre que tout se passe bien pour ma sœur ? Claire...

— Austin, je sais. J'ai eu le service de radiologie il y a cinq minutes. Elle a presque fini.

Meghann se retint de faire remarquer à la fille qu'elle lui avait répondu presque la même chose un quart d'heure plus tôt, mais elle retourna s'asseoir avec un soupir las. La seule revue qui lui restait à feuilleter parlait de chasse et de pêche. Meghann ne lui accorda pas un coup d'œil.

Claire sortit enfin.

Meghann mit un moment à se lever. Sur le côté droit du crâne de sa sœur, un petit espace avait été rasé.

— Comment c'était ?

Claire toucha l'emplacement chauve sur sa tête.

— On m'a marquée. Je me sens comme Damien, l'enfant de *La Malédiction*.

Meghann regarda les points noirs qui ressortaient sur la peau pâle.

— J'arrangerai tes cheveux pour qu'on ne remarque pas ton...

— Mon début de calvitie ? Ce serait génial.

Claire et Meghann se dévisagèrent en silence pendant une minute.

— Eh bien, allons-y, proposa Meghann.

Les deux sœurs traversèrent l'hôpital jusqu'au parking. Pendant le court trajet du retour, Meghann essaya de trouver les mots appropriés. Désormais, elle devrait faire attention et dire ce qu'il fallait. Même si elle n'avait aucune idée de ce que c'était.

— Ce n'est pas douloureux, raconta Claire.

— Vraiment ? Tant mieux.

— Mais c'était dur de rester sans bouger.

— Oui... Évidemment.

— J'ai fermé les yeux en imaginant qu'il s'agissait des rayons du soleil et qu'ils me soignaient. Comme dans cet article que tu m'as donné.

Meghann lui avait préparé une pile de documentation sur la pensée positive. Jusqu'alors, elle ne savait pas si elle s'était plongée dedans.

— Je suis ravie que ça t'ait aidée. La dame du centre de recherche Fred Hutchinson contre le cancer est censée m'envoyer d'autres informations.

Claire se renfonça dans son siège en regardant par la fenêtre. Sous ce profil-là, rien ne trahissait sa

465

maladie. Meghann aurait aimé trouver les mots appropriés ; il y avait tant de non-dits entre elles.

Elle conduisit la Porsche dans le parking souterrain et la gara à son emplacement habituel.

Toujours en silence, elles montèrent à l'appartement. Meghann se tourna vers Claire et son regard s'attarda sur la plaque rasée une seconde de trop.

— Tu veux manger quelque chose ?

— Non.

Claire effleura le bras de sa sœur de ses doigts glacés.

— Merci de m'avoir accompagnée. Ça m'a rassurée de ne pas être seule.

Leurs regards se croisèrent. Une fois de plus, Meghann sentit le poids de la distance qui les séparait.

— Je crois que je vais m'allonger. Je n'ai pas bien dormi la nuit dernière.

En réalité, Claire et Meghann étaient restées éveillées à fixer le plafond, chacune de son côté. Meghann regrettait de ne pas être allée au chevet de Claire, de ne pas s'être assise sur son lit pour parler de choses importantes.

— Moi non plus.

Claire fit un signe de tête affirmatif. Elle attendit encore une seconde avant de tourner les talons pour partir dans sa chambre.

Meghann regarda la porte se refermer entre elles. Debout, elle écouta les pas traînants de sa sœur de l'autre côté du battant, se demandant si Claire bougeait plus lentement, si ses yeux étaient voilés par la peur ou si elle examinait le carré de peau rose dans la glace. La courageuse Claire s'effondrait-elle dans l'intimité de cette pièce ?

Elle pria pour que ce ne soit pas le cas en se dirigeant vers la troisième chambre, qui faisait office de bureau. Auparavant, les chemises cartonnées, les dossiers et les dépositions encombraient la surface de verre de la table. Désormais, celle-ci disparaissait sous les ouvrages médicaux, les articles du *Journal of American Medicine Association*, les mémoires et les comptes rendus d'essais cliniques. De nouveaux documents en provenance des librairies en ligne Barnes & Noble et Amazon arrivaient tous les jours.

Meghann s'assit devant la pile. Sa lecture du jour traitait des façons de réagir face au cancer. Il était ouvert sur un nouveau chapitre : « N'arrêtez pas de parler au moment où vous devez commencer. » Elle lut : « Cette période tragique peut être riche d'occasions de progresser. Pas seulement pour le patient, mais aussi pour sa famille. Il est possible que le malade et ceux qu'il aime se rapprochent. »

Fermant le livre, Meghann attrapa un article traitant des effets positifs potentiels du tamoxifène dans la réduction des tumeurs. Elle ouvrit un de ses blocs jaunes et prit des notes. Elle travailla furieusement, remplissant des pages entières. Des heures plus tard, levant les yeux, elle aperçut Claire, qui lui souriait dans l'embrasure de la porte.

— Pourquoi ai-je l'impression que tu te prépares à m'opérer toi-même ?

— J'en sais déjà plus sur ta maladie que le premier médecin qu'on a vu.

Claire entra dans la pièce, enjambant avec précaution les cartons d'Amazon vides et les magazines déjà lus. Impressionnée, elle considéra les blocs noircis et les stylos usés.

— Pas étonnant que tu sois la meilleure avocate de la ville.

— Les recherches, c'est mon fort. Je commence à comprendre ce que tu as. D'ailleurs, je t'ai préparé un genre de résumé, un synopsis de ce que j'ai lu.

— Je crois que je devrais tout lire moi-même, non ?

— Certains passages sont… plutôt durs.

Claire tendit la main vers la chemise cartonnée posée à gauche du bureau, avec le mot « Espoir » écrit à l'encre rouge sur l'étiquette. Elle la souleva.

— Non, implora Meghann. Je viens juste de m'atteler au sujet.

Claire ouvrit le dossier. Il était vide. Elle jeta un regard surpris à Meghann.

— Ça va là-dedans, ajouta celle-ci très vite en arrachant plusieurs pages de son carnet. Tamoxifène.

— Un médicament ?

— Il doit bien y avoir des gens qui arrivent à vaincre leur tumeur au cerveau, enragea Meghann. Je les trouverai les uns après les autres et je mettrai leur histoire ici. C'est à ça que sert cette pochette.

Claire se pencha pour ramasser une feuille de papier vierge. Elle écrivit son nom dessus, la glissa dans la chemise et reposa celle-ci. Sidérée, Meghann leva les yeux vers elle.

— Est-ce que tu sais que tu n'es vraiment pas ordinaire ?

— Nous autres, les filles Sullivan, on est des dures à cuire.

— On y est bien obligées.

Meghann sourit. Pour la première fois depuis le début de la journée, elle eut l'impression de respirer normalement.

— Tu veux regarder un film ?

— Tout sauf *Love Story*.

On sonna à la porte.

Meghann fronça les sourcils.

— Qui ça peut être ?

— À t'entendre, on dirait que personne ne te rend jamais visite.

Se faufilant derrière Claire, Meghann se dirigea vers la porte. Le temps qu'elle l'atteigne, la sonnette avait retenti huit fois.

— Bon à rien de portier, grommela Meghann en ouvrant.

Gina, Charlotte et Karen étaient massées sur le palier.

— Où est notre chérie ? cria Karen.

Quand Claire apparut, elles se mirent à hurler. Karen et Charlotte plongèrent en avant pour étreindre leur amie, marmonnant un vague bonjour à Meghann.

— C'est Sam qui nous a appelées, expliqua Gina à celle-ci une fois qu'elles furent seules dans le couloir. Comment va Claire ?

— Pas mal, je crois. La séance de radiothérapie s'est bien passée. Claire en a une par jour pendant quatre semaines.

Devant l'air effrayé de Gina, Meghann ajouta :

— Je ne voulais pas que vous vous fassiez du souci.

— Oui, c'est ça… Claire ne peut pas rester seule dans une situation pareille.

— Mais je suis là, répondit Meghann, vexée.

Gina lui serra le bras.

— Claire va avoir besoin de nous toutes.

Meghann approuva en silence. Gina et elle échangèrent un regard lourd de sens.

— Tu m'appelles. N'importe quand, insista Gina à voix basse.

— Merci.

Leur conversation terminée, Gina contourna Meghann pour rejoindre la bande dans le salon en claironnant :

— On a apporté des masques de beauté, des boules de pop-corn gluantes, des films hilarants et, bien sûr, des jeux. On commence par quoi ?

Meghann observa les retrouvailles des quatre meilleures amies, qui parlaient toutes en même temps. Elle ne fit pas mine de s'approcher et elles ne lui demandèrent pas de se joindre à elles. Meghann retourna donc dans son bureau et ferma la porte. De son poste, bien qu'elle soit plongée dans la lecture des derniers développements sur la chimiothérapie et la barrière hémato-encéphalique, elle entendait le rire clair de sa sœur.

Elle décrocha le téléphone pour appeler Élisabeth.

— Salut ! dit-elle d'une voix inaudible quand son amie prit l'appareil.

— Qu'est-ce qu'il y a ? demanda Élisabeth. Tu parles bien bas.

— Claire…

Ce fut tout ce que Meghann parvint à articuler avant d'être submergée par les larmes.

Affalé sur le canapé, Joe buvait une bière. La troisième. Il essayait de ne penser à rien.

L'éphémère possibilité d'une rédemption, qui, la semaine précédente, brillait de tous ses feux devant ses yeux, telle une oasis sur le bord d'une longue autoroute étouffante, s'était volatilisée. Joe aurait dû se douter que c'était un mirage. Il n'arriverait pas à repartir de zéro, il ne possédait pas le cran nécessaire. Pourtant, il avait espéré qu'avec Meghann, il serait plus fort.

— Meg.

Il prononça son prénom avec douceur, les yeux fermés, et dit une prière pour sa sœur et elle. Il ne pouvait faire davantage.

Meghann.

Joe était incapable de la chasser de son esprit. Il pensait constamment à elle, torturé par les souvenirs et le désir. C'était ce qui le poussait à boire.

Ce n'était pas que Meghann lui manquait, pas exactement. Il ne connaissait même pas son nom de famille, bon sang. Ni son adresse ou ce qu'elle faisait de son temps libre. Ce que Joe pleurait, c'était l'idée de Meghann. Pendant ces quelques moments, aussi tendres qu'inattendus, il avait osé s'aventurer sur les chemins qu'il empruntait autrefois. Il s'était autorisé à désirer quelqu'un, à croire en un avenir différent.

Il but une longue gorgée. Hélas, l'alcool ne lui était pas d'un grand secours.

Dans la cuisine, le téléphone sonna. Joe se leva et se dirigea vers l'appareil. Ce devait être Gina, qui appelait pour prendre des nouvelles. Joe n'avait aucune idée de ce qu'il pourrait lui raconter.

Contre toute attente, c'était le Dr Roloff, parlant d'un ton pressé.

— Joe ? Est-ce qu'on peut prendre un verre ? Disons dans une heure ?

— Ça va ?

— Qu'est-ce que tu dirais du café des Eaux vives ? À quinze heures ?

Joe espérait qu'il arriverait à marcher droit.

— D'accord.

Il raccrocha et se dirigea vers la douche.

Une heure plus tard, il descendait Main Street, vêtu de sa nouvelle tenue. Il planait un peu, mais c'était une bonne chose, car il sentait que les gens le fixaient et faisaient des messes basses à son sujet.

Sourire à l'hôtesse – une parfaite inconnue, Dieu merci ! – qui le conduisait à un box lui demanda un gros effort.

Henry Roloff était déjà arrivé.

— Bonjour, Joe. Merci d'être venu si rapidement.

— Ce n'est pas comme si j'étais très occupé. On est samedi, le garage est fermé.

Joe se glissa sur la banquette.

Pendant quelques minutes, Henry bavarda au sujet du jardin de Tina et des vacances qu'ils avaient passées aux îles Vierges, l'hiver précédent, mais Joe savait qu'il avait une idée derrière la tête. Il remarqua qu'il se redressait progressivement, tendu.

Il ne supporta pas le suspense plus longtemps.

— Qu'est-ce qu'il y a, Henry ?

S'interrompant en plein milieu d'une phrase, celui-ci leva les yeux.

— Je voudrais te demander une faveur.

— Tu sais que je ferais n'importe quoi pour toi, Henry. De quoi as-tu besoin ?

Henry Roloff sortit une grande enveloppe en papier kraft de sous la table. Joe devina de quoi il s'agissait. Il recula, mettant les mains devant lui comme pour se protéger d'un coup.

— Tout sauf ça, Henry. Je ne peux pas.

— Je voudrais juste ton avis. La patiente est…

Le bip de Henry Roloff sonna.

— Une minute.

Henry Roloff sortit son portable et tapa un numéro. Joe fixa l'enveloppe. Le dossier médical de quelqu'un. Un compte rendu de ses souffrances.

Joe refusait de reprendre contact avec ce monde-là. Pas question. Quand un homme avait perdu la foi en son métier aussi profondément que lui, un retour en arrière était impossible. D'ailleurs, Joe n'avait plus le droit de pratiquer la médecine. Il avait laissé sa licence expirer.

Il se leva d'un bond.

— Désolé, Henry, dit-il, interrompant le coup de téléphone de ce dernier. Les consultations médicales, c'est du passé, pour moi.

— Attends, demanda Henry Roloff en levant une main.

Joe s'éloigna de la table, tourna les talons et sortit du café.

Même si la radiothérapie ne durait que quelques minutes chaque fois, elle monopolisait la vie de Claire. Dès le quatrième jour, elle se sentit fatiguée et nauséeuse. Cependant, les effets secondaires n'étaient rien comparés aux coups de téléphone.

Tous les jours, à midi pile, Claire appelait chez elle. Alison répondait à la première sonnerie et demandait si sa maman était guérie, après quoi Sam prenait l'appareil et posait une question identique d'une autre manière. Donner le change demandait à Claire une énergie qui faiblissait déjà.

Durant la communication, Meghann restait debout derrière sa sœur. Elle ne travaillait presque plus. Environ trois ou quatre heures par jour maximum. Elle passait l'essentiel de son temps courbée au-dessus de livres ou d'articles ou sur Internet. Elle s'attaquait au problème de la tumeur avec une énergie équivalente à celle qu'elle avait, jadis, déployée pour poursuivre les pères défaillants.

Claire lui en était reconnaissante et lisait tout ce qu'elle lui donnait. Elle consentait aussi à boire le cocktail destiné à combattre sa tumeur, un mélange de vitamines et de minéraux, que Meghann avait mis au point en se basant sur ses recherches.

Elles discutaient quotidiennement des traitements, des pronostics et des essais cliniques, mais évitaient d'évoquer l'avenir. Claire n'avait pas le courage d'avouer sa peur et Meghann éludait la question.

Le seul moment où celle-ci semblait encline à disparaître dans la nature se situait aux alentours de quatorze heures, lors de la conversation téléphonique quotidienne entre Claire et Bobby.

Ce jour-là, Claire était seule dans le salon. Dans la cuisine, la sonnerie indiquant qu'il était temps d'appeler retentit et, comme d'habitude, Meghann trouva un prétexte pour quitter la pièce.

Décrochant le récepteur, Claire composa le numéro du nouveau portable de son mari.

Il répondit tout de suite.

— Salut, mon chou. Tu as deux minutes de retard.

La voix de Bobby se répandait à travers le corps de Claire et le réchauffait. Elle se laissa aller contre les coussins moelleux du canapé.

— Raconte-moi ta journée.

Il était plus facile à Claire d'écouter que de parler. Au début, elle avait réussi à rire aux histoires de Bobby et à inventer de jolis mensonges. Mais ces derniers temps, son esprit était brumeux et l'épuisement presque insupportable. Elle se demandait combien de temps Bobby mettrait à s'apercevoir qu'elle passait leurs conversations à l'écouter ou que sa voix se fêlait quand elle lui disait qu'elle l'aimait.

— J'ai rencontré le chanteur George Strait, aujourd'hui. Tu te rends compte ? Il a refusé une chanson, qui s'intitule « Dark Country Corners », et m'a dit qu'elle correspondait à ma voix. Je l'ai écoutée et je l'ai trouvée fantastique.

Bobby l'interpréta à Claire. Un sanglot s'étrangla dans la gorge de cette dernière. Il fallait qu'elle arrête son mari avant de fondre en larmes.

— Elle est très belle. Classement garanti dans les dix premiers du Top 50.

— Est-ce que tu vas bien, chérie ?

— Très bien. Tout le monde ici va très bien. Tu serais étonné de voir combien de temps on passe ensemble, Meg et moi. Ali et Sam t'embrassent très fort.

— Fais-leur pareil de ma part. Tu me manques, Claire.

475

— Toi aussi, mais on n'en a plus pour très longtemps...

— Kent pense qu'on devrait avoir choisi l'ensemble des chansons d'ici la semaine prochaine. Ensuite, ça se passe au studio. Tu crois que tu pourrais assister à l'enregistrement ? J'adorerais chanter pour toi.

— Peut-être, temporisa Claire, se demandant quel mensonge elle inventerait le moment venu.

Elle était trop épuisée pour en trouver un sur-le-champ.

— Est-ce que tu profites de chaque minute que tu passes là-bas ?

— Autant que je peux profiter de quelque chose sans toi. Mais, oui.

Elle avait fait le bon choix, décidément.

— Chéri, il faut que je file. Meghann m'invite à déjeuner. Ensuite, on a rendez-vous pour une manucure à l'institut Gene Juarez.

— Je croyais qu'on t'en avait déjà fait une hier ?

Claire grimaça.

— C'était un soin des pieds. Je t'aime.

— Moi aussi, Claire. Tu es sûre que ça va ?

Elle sentit les larmes recommencer à lui piquer les yeux.

— Oui.

— J'ai préparé un pique-nique, annonça Meghann le lendemain matin, après la séance de radiothérapie de Claire.

— Je n'ai pas très faim, répondit Claire.

— Je sais. Mais j'ai pensé...

Claire dut faire appel à toute sa volonté pour se soucier de quelqu'un d'autre qu'elle. Encore une chose qui devenait difficile.

— Tu as raison. C'est une superbe journée.

Meghann conduisit sa sœur jusqu'à la voiture. En quelques minutes, elles furent sur l'autoroute. À leur gauche, le lac Union scintillait dans la lumière du soleil. Elles passèrent devant les bâtiments gothiques en brique de l'université de Washington, avant de franchir le pont flottant à vive allure.

Il y avait du monde sur le lac Washington, ce jour-là. Les bateaux faisaient des allers et retours incessants, traînant des amateurs de ski nautique dans leur sillage.

Au niveau de Mercer Island, Meghann sortit de l'autoroute et tourna dans un chemin étroit bordé d'arbres. Arrivée devant une magnifique maison en bardeaux gris, elle s'arrêta.

— C'est la demeure de mon associée. Elle a proposé qu'on y passe l'après-midi.

— Je suis étonnée qu'elle ne t'ait pas licenciée, avec tous les jours que tu as pris ces derniers temps.

Meghann aida Claire à sortir de la Porsche et à traverser la pelouse drue qui menait au ponton argenté avançant dans l'étendue bleue.

— Tu te souviens du lac Winobee ? demanda-t-elle en guidant sa sœur jusqu'à l'extrémité de la plate-forme en bois, faisant en sorte qu'elle s'asseye sans tomber.

— L'été où j'avais ce maillot de bain rose ?

Meghann posa le panier de pique-nique avant de s'installer à côté de Claire, puis toutes deux balancèrent leurs pieds dans le vide. L'eau clapotait contre les pilotis. À côté d'elles, un voilier vernissé baptisé *La défense se repose*[1] tanguait de gauche à droite, les amarres crissant au moindre mouvement.

— J'avais volé ce bikini, se remémora Meghann. Au magasin Fred Meyer. Quand je me suis retrouvée à la maison, j'avais si peur que j'ai été malade. Maman s'en fichait. Elle s'est contentée de lever les yeux du *Vanity Fair* qu'elle lisait pour déclarer : « Bien mal acquis ne profite jamais. »

Claire se tourna vers Meghann, étudiant son profil.

— J'ai attendu ton retour, tu sais. Papa disait : « Ne t'inquiète pas, Clarinette, c'est ta sœur, elle reviendra. » J'ai attendu et attendu encore. Qu'est-ce qui s'est passé ?

Meghann soupira, comme si elle savait qu'elle n'aurait pas pu éviter cette conversation beaucoup plus longtemps.

— Tu te rappelles quand maman est partie à l'audition pour « Starbase IV » ?

— Oui.

— Elle n'est pas rentrée. J'avais l'habitude qu'elle disparaisse une journée ou deux, mais au bout de cinq jours, j'ai paniqué. On n'avait plus d'argent. On avait faim. Et les services sociaux ont commencé à tourner autour de nous. Je craignais qu'ils ne nous placent. Alors, j'ai appelé Sam.

— Je le sais, Meg.

Meghann ne semblait pas l'avoir entendue.

---

1. Jeu de mots : *The Defense rests* veut aussi dire « plaise au tribunal d'accepter nos conclusions », en début de plaidoirie. (*N.d.T.*)

— Il avait dit qu'il nous accueillerait toutes les deux.

— Et il l'a fait.

— Mais ce n'était pas mon père. À Hayden, j'ai essayé de m'intégrer. Quelle blague. Je me suis mise à avoir de mauvaises fréquentations et à faire l'imbécile. Un thérapeute appellerait ça passer à l'acte. Essayer d'attirer l'attention. Chaque fois que je vous regardais quand vous étiez ensemble, Sam et toi… je crois que je me sentais exclue. Tu étais tout ce que j'avais, en fin de compte, et je ne t'avais plus. Un soir, je me suis saoulée et Sam a explosé. Il m'a dit que comme grande sœur j'étais minable et que si je continuais à ne pas être à la hauteur, j'allais prendre la porte.

— Et tu as filé. Où es-tu allée ?

— J'ai traînassé à Seattle pendant un moment en m'apitoyant sur mon sort. J'ai dormi sous des porches ou dans des immeubles vides, fait des coups dont je ne suis pas fière. Ça ne m'a pas pris longtemps avant de toucher le fond. Et puis un jour, je me suis souvenue d'un de mes profs, M. Earhart, qui s'était intéressé à moi. C'était lui qui m'avait autorisée à sauter une classe, à l'époque où l'on vivait à Barstow. Il m'avait convaincue que les études me permettraient d'éviter de finir comme maman, avec les petits Blancs, sur un terrain réservé aux caravanes. C'est pour cette raison que je collectionnais les très bonnes notes. Toujours est-il que j'ai passé un coup de fil à M. Earhart. Dieu merci, il enseignait toujours dans le même lycée. Il a pris des dispositions pour que je passe mon bac plus tôt et que j'enchaîne sur le test d'admission à la fac, où j'ai obtenu un nombre de points record. L'université de Washington m'a proposé une bourse couvrant mes frais. Et tu connais la suite.

— Mon génie de sœur, commenta Claire.

Pour une fois, sa voix était empreinte de fierté et non d'amertume.

— Je me suis persuadée que c'était mieux pour toi que je disparaisse, que tu n'avais plus besoin de moi. Mais... je savais que je t'avais blessée. Je pense que c'était plus facile pour moi de rester à distance. Je croyais que tu ne me pardonnerais jamais. Alors, j'ai préféré ne pas t'en laisser l'occasion.

Meghann osa enfin faire face à Claire avec un sourire timide.

— Il faudra que je dise à ma psy que je n'ai pas dépensé mon argent pour rien. Elle m'a coûté au moins dix mille dollars, avant que j'arrive à t'avouer ça.

— La seule chose que j'aie à te reprocher, c'est d'être restée loin de moi, répondit Claire doucement.

— Je suis là, désormais.

— Oui. Sans toi, je ne serais pas parvenue à réagir.

Elle contempla l'eau bleue scintillante.

— Ce n'est pas vrai. Tu es la personne la plus courageuse que j'aie rencontrée.

— Je ne suis pas courageuse, tu peux me croire.

Meghann se pencha en arrière pour ouvrir le panier de pique-nique.

— J'attendais le moment propice pour te donner ça.

Elle lui tendit une chemise cartonnée.

— Pas maintenant, Meg. Je suis fatiguée.

— S'il te plaît.

Comme à regret, Claire prit le dossier marqué « Espoir ». Elle regarda Meghann avec suspicion, mais s'abstint de tout commentaire. Quand elle ouvrit la chemise, ses mains tremblaient. Meghann avait rassemblé des dizaines de récits autobiographiques de personnes ayant souffert d'une tumeur de type glioblastome multiforme. À chacune d'elles, on avait annoncé qu'elle avait à peine une année à vivre – il y avait au moins sept ans de cela.

Claire ferma les yeux de toutes ses forces, mais les larmes vinrent quand même.

— C'est ce dont j'avais besoin aujourd'hui.

— C'est ce que je pensais.

Claire déglutit et regarda Meghann dans les yeux.

— J'ai si peur depuis le début.

L'admettre la soulageait.

— Moi aussi, répondit Meghann d'une petite voix.

Puis elle s'approcha de Claire et l'étreignit.

Pour la première fois depuis l'enfance, Claire se retrouva dans les bras de sa grande sœur. Meghann lui caressa la tête, comme quand elle était petite.

Une poignée de cheveux tomba des mains de Meghann et flotta un instant dans le vent. Claire recula à la vue du tas que formaient les mèches blondes. Elles dérivèrent jusqu'à la surface de l'eau, où elles ne ressemblaient plus à grand-chose. Claire suivit d'un regard vide l'amas qui s'éloignait, emporté par le courant.

— Je n'ai pas voulu te dire qu'ils tombaient. Chaque matin, quand je me réveille, mon oreiller en est plein.

— On devrait rentrer, suggéra Meghann.

— Je suis fatiguée, avoua Claire.

Meghann l'aida à se remettre debout. Elles retournèrent tant bien que mal jusqu'à la voiture. Claire marchait d'un pas traînant et incertain en s'appuyant sur le bras de sa sœur.

Durant le trajet, elle fixa le paysage.

De retour à l'appartement, Meghann lui donna un coup de main pour passer son pyjama en flanelle et se mettre au lit.

— Ce ne sont que des cheveux, insista Claire en se laissant aller sur les oreillers.

Meghann posa le dossier « Espoir » sur la table de nuit.

— Ils repousseront.

— Oui.

Avec un soupir, Claire ferma les yeux.

Meghann sortit de la chambre à reculons. Arrivée à la porte, elle s'arrêta. Sa sœur était allongée, semblant à peine respirer, les paupières closes. Des mèches éparses étaient répandues autour de sa tête. Très lentement, sans rouvrir les yeux, elle approcha ses mains de son visage et caressa son alliance. Des larmes coulèrent sur ses joues, parsemant le tissu d'infimes taches grises.

Meghann prit alors une décision. Fermant la porte, elle alla jusqu'au téléphone. Les numéros d'urgence de Claire étaient inscrits sur un bloc-notes à côté de l'appareil. Celui de Bobby aussi. Meghann le composa et attendit impatiemment que son beau-frère décroche.

Dans les vingt-quatre heures précédentes, Claire avait perdu presque toute sa chevelure. La peau nue qu'on voyait apparaître dessous était d'un vilain rouge. Ce matin-là, en se préparant pour son rendez-vous, elle avait passé presque une demi-heure à enrouler un foulard en soie autour de sa tête.

— Arrête de le tripoter, conseilla Meghann quand elles atteignirent la salle d'attente du service de médecine nucléaire. Tu es très bien.

— J'ai l'air d'une diseuse de bonne aventure. Et je ne comprends pas pourquoi tu m'as obligée à me maquiller ; mon visage est si irrité que je ressemble à Martha Phillips.

— Qui ça ?

— Une fille de quatrième. Elle s'était endormie sous une lampe à bronzer. On l'a surnommée Face de tomate pendant quinze jours.

— Les enfants sont des êtres délicieux.

Claire partit subir son traitement et rejoignit Meghann une demi-heure plus tard. Elle ne prit pas la peine de remettre le foulard. La peau de son crâne lui faisait mal.

— Sortons prendre un café, dit-elle quand Meghann se leva pour l'accueillir.

— Ça te rend malade.

— Comme tout le reste. Allons-y quand même.

— Il faut que je passe au bureau, aujourd'hui. J'ai une déposition prévue.

— Oh.

Claire suivit Meghann le long du couloir de l'hôpital, s'efforçant de suivre le rythme. Ces derniers temps, elle était si épuisée qu'elle traînait les pieds comme une vieille femme. Elle faillit s'endormir dans la voiture.

Devant la porte de l'appartement, Meghann s'arrêta, la clé à la main, et chercha son regard.

— J'essaie de faire ce qui est bien pour toi. Ce qui est le mieux.

— Je sais.

— Parfois, je me trompe. J'ai tendance à croire que je sais tout sur tout.

Claire sourit.

— Est-ce que tu attends que je te contredise ?

— Je désire juste que tu t'en souviennes. Je veux bien faire.

— D'accord, Meg. Je me le rappellerai. Va travailler, sinon je vais rater « Judge Judy ». Elle me fait penser à toi.

— Sacrée Claire.

Meghann s'attarda encore un instant à regarder sa sœur avant d'ouvrir.

— Au revoir.

— Ce sont les adieux les plus longs de l'histoire. Au revoir, Meg. Au travail.

Avec un signe de tête, Meghann s'éloigna.

Dès que Claire eut entendu que l'ascenseur amorçait sa descente, elle entra dans l'appartement et referma la porte.

À l'intérieur, la chaîne était allumée. « Pocket of a Clown », du chanteur country Dwight Yoakam, retentissait dans les baffles.

Elle tourna dans le couloir.

Bobby était là.

Elle leva une main pour cacher sa calvitie, courut jusqu'à la salle de bains, souleva la lunette des toilettes et vomit.

Il était derrière elle, la rassurant.

— Je suis là, Claire. Je suis là.

Elle ferma les yeux, refoulant ses larmes d'humiliation, respiration après respiration.

Bobby lui caressait le dos.

Au bout d'un moment, elle alla au lavabo se brosser les dents. Puis elle se retourna vers Bobby et tenta de sourire.

— Bienvenue dans mon cauchemar.

Il vint vers elle et l'amour qu'elle lut dans ses yeux lui donna envie de pleurer.

— Notre cauchemar, Claire.

Elle ne savait que dire, craignant d'éclater en sanglots dès qu'elle ouvrirait la bouche, alors qu'elle voulait avoir l'air forte.

— Tu n'aurais pas dû me cacher ton état.

— Je ne voulais pas tout gâcher. Et j'ai pensé... que j'irais mieux. Tu rêves de chanter depuis si longtemps.

— J'ai rêvé d'être une star, oui. J'aime bien chanter, mais toi, je t'aime tout court. Je n'en reviens pas que tu m'aies dissimulé ta maladie. Et si... ?

Claire se mordit les lèvres.

— Pardonne-moi.

— Tu ne m'as pas fait confiance. Tu imagines ce que je ressens ?

La voix de Bobby était tendue, très différente de d'habitude.

— J'essayais simplement de t'aimer.

— Je me demande si tu sais ce qu'est l'amour. « Je vais à l'hôpital chaque jour, chéri, et je me bats pour ma vie, mais ne t'inquiète pas pour ça, continue à chanter. » Quel genre d'homme crois-tu que je suis ?

— Pardon, Bobby. Je voulais juste…

Accablée, Claire regarda son mari avec un geste d'impuissance. Il l'attrapa, l'attira à lui et la serra si fort qu'il lui arracha un cri étouffé.

— Je t'aime, Claire. Quand vas-tu te mettre ça dans la tête ?

Elle l'entoura de ses bras et s'accrocha à lui comme si, sans son soutien, elle manquait de tomber.

— Je crois que la tumeur m'a empêchée de le comprendre. Mais ça y est, maintenant, ça y est.

Des heures plus tard, quand Meghann revint chez elle, l'obscurité régnait. Elle avança sur la pointe des pieds jusqu'au salon. Une lumière s'alluma avec un petit clic.

Claire et Bobby étaient allongés sur le canapé, leurs corps entremêlés. Bobby ronflait en sourdine.

— Je t'attendais, dit Claire.

Meghann envoya son attaché-case valser sur une chaise.

— Je devais prévenir Bobby, Claire.

— Comment savais-tu ce qu'il ferait ?

Meghann baissa les yeux sur Bobby.

— Il était au studio, au moment de mon coup de fil. En pleine séance d'enregistrement. Sincèrement, je ne pensais pas qu'il viendrait.

Claire considéra tour à tour son mari endormi et Meghann. Les sœurs échangèrent un regard entendu, où passa le peu qui leur restait de leur enfance.

— Moi non plus, reconnut-elle tout bas.

— Il n'a pas hésité une seconde, Claire. Pas une seconde. Il a dit, je cite : « Au diable cette chanson. Je serai là demain. »

— C'est la deuxième fois que tu appelles un homme à ma rescousse.

— Tu as de la chance d'être tant aimée.

Le regard de Claire ne vacilla pas.

— Oui, dit-elle en souriant à Meghann. C'est vrai.

27

Assis sur le canapé, Joe fixait l'écran noir et blanc de la télévision.

Il était si absorbé par l'émission qu'il lui fallut un moment avant de remarquer le bruit de pas dehors. Sur ses gardes, il se redressa d'un coup.

Une clé cliqueta dans la serrure. Gina se tenait dans l'ouverture, les mains sur les hanches.

— Hé ! grand frère, c'est vraiment gentil à toi d'appeler.

Joe soupira.

— Smitty t'a donné une clé.

— On s'inquiétait pour toi.

— J'avais beaucoup de choses à faire.

À la vue du tas de canettes de bière et de boîtes de pizza, Gina eut un sourire sarcastique.

— Tu vas venir chez moi. Il y a un rôti au four et j'ai loué Y *a-t-il quelqu'un pour tuer ma femme*. On va boire du vin et s'amuser.

Le ton de Gina se radoucit.

— Ça me ferait du bien de rire un peu.

Quelque chose dans la façon dont elle avait prononcé cette phrase remplit Joe de honte. Trop occupé à se débattre avec ses problèmes, il avait oublié que sa sœur avait les siens.

— Est-ce que ça va ?

— Allez, viens, enchaîna-t-elle, éludant la réponse. Smitty m'a demandé de te traîner de force hors de ton « fichu trou », selon ses propres termes. C'est ce que je compte faire.

À l'expression de Gina, Joe comprit qu'il était inutile qu'il tente de discuter et, honnêtement, il n'en avait pas envie. Il était fatigué d'être seul. Il suivit Gina jusqu'à sa voiture et, en quelques minutes, ils furent chez elle.

Ils entrèrent dans la cuisine claire et spacieuse, et Gina leur servit un verre de merlot. Pendant qu'elle arrosait le rôti et retournait les pommes de terre, Joe déambula dans la pièce principale. Il découvrit que Gina avait installé une machine à coudre dans un coin. Du tissu aux couleurs vives était entassé sur le sol, juste à côté. Joe ramassa le vêtement, s'apprêtant à complimenter sa sœur, quand il comprit de quoi il s'agissait. À cause de la fente dans le dos, il était impossible de s'y méprendre.

— C'est une chemise d'hôpital, confirma Gina en arrivant par-derrière. J'aurais dû ranger tout ça. J'ai oublié. Désolée.

Joe se souvint du jour où elle était arrivée chez lui, porteuse de blouses d'hôpital version « couture », comme celle-ci. « Tu ne devrais pas être obligée d'avoir la même que tout le monde », avait-elle annoncé à Diana, qui avait pleuré en recevant le cadeau. Cela lui avait fait très plaisir. Ce n'était pas grand-chose – seul le tissu différait de celui des modèles standard –, mais Diana avait retrouvé le sourire.

— Pour qui est-ce ?

— Claire. Elle est en radiothérapie.

— Claire.

Joe prononça son prénom à mi-voix, écœuré. La vie était si injuste, parfois.

— Elle vient juste de se marier.

— Je ne voulais pas t'en parler parce que... eh bien... je savais que ça raviverait tes souvenirs.

— Où suit-elle son traitement ?

— À l'Hôpital suédois.

— C'est le meilleur endroit. Bien.

La radiothérapie. Joe se rappelait tout en détail : la peau brûlée comme par un coup de soleil, les boursouflures, la façon dont les cheveux de Diana s'étaient mis à tomber. D'abord par mèches, puis par poignées.

Gina et Joe avaient eu plus que leur dose de temps passé dans la zone « phase terminale ». Il avait du mal à imaginer comment sa sœur arrivait à tenir à nouveau le choc.

— Claire a parcouru le pays pour consulter les spécialistes les plus en vue. Je sais qu'elle va s'en sortir. Ce ne sera pas comme...

— Comme Diana, compléta Joe, rompant le silence gêné qui s'installait.

Elle s'approcha de lui et lui mit la main sur l'épaule.

Il regarda fixement par la fenêtre, vers le jardin aménagé pour les enfants. Un jour, Diana et lui avaient rêvé d'amener leurs bébés jouer ici.

— Peut-être que tu aimerais rendre visite à Claire.

— Non, répliqua Joe trop vite.

Il savait qu'elle comprenait.

— Pour moi, le temps des hôpitaux est révolu.

— Oui, renchérit Gina. Ce soir, on va regarder un film drôle.

Joe enlaça sa sœur et l'attira contre lui.

— J'ai besoin de rire.

Assise dans le fauteuil qu'elle trouvait auparavant si confortable, Meghann regardait le Dr Bloom.

— Ces séances avec vous, ce n'était qu'un moyen, pour la nombriliste que je suis, d'évacuer les erreurs qu'elle a commises dans sa vie, se plaignit-elle amèrement. Pourquoi ne m'avez-vous jamais dit que rien de tout ça n'avait d'importance ?

— Parce que ça en a.

— Non. J'avais seize ans quand c'est arrivé. Seize ans. Rien ne compte : ma peur, ma culpabilité, la rancune de ma sœur. On s'en fiche.

— Pourquoi donc ?

— Claire est malade.

— Oh, répondit Harriet, compatissante. Je suis désolée.

— J'ai la frousse, Harriet, avoua Meghann. Et si... je n'étais pas à la hauteur ?

— De quoi ?

— Si je n'arrivais pas à rester au chevet de Claire pour lui tenir la main en la regardant mourir ? Je suis terrifiée à l'idée de la décevoir une fois de plus.

— Ce ne sera pas le cas.

— Comment le savez-vous ?

— Meghann, la seule personne que vous décevez, c'est vous-même. Vous serez là pour Claire. Vous l'avez toujours été.

Même si ce n'était pas vrai à cent pour cent, Meghann aurait aimé le croire. À l'avenir, elle avait envie d'être quelqu'un sur qui l'on pouvait se reposer.

— Si j'étais malade, je ne souhaiterais avoir personne d'autre que vous à mon côté, Meghann. Vous êtes si occupée à patauger dans vos vieux malheurs que vous n'avez pas pris le temps de remonter à la surface pour respirer. Vous vous êtes réconciliée avec Claire, que vous ayez prononcé les mots qu'il fallait ou non. Vous êtes à nouveau sa sœur. Pardonnez-vous à vous-même et allez de l'avant.

Meghann s'accorda un instant pour digérer le conseil. Son visage s'éclaira peu à peu. Harriet disait vrai. Ce n'était pas le moment de se laisser envahir par la peur et les regrets. Elle leur avait déjà consacré de trop nombreuses années. Ces temps-ci devaient être dominés par l'espoir et, cette fois, Meghann serait assez forte pour croire que la maladie de Claire aurait une fin heureuse. Il n'était plus question qu'elle s'enfuie à l'idée qu'elle pourrait avoir du chagrin. C'était l'erreur qu'elle avait commise dans son mariage. Sa peur panique d'avoir le cœur brisé l'avait conduite à ne pas donner tout son amour à Éric.

— Merci, Harriet, dit-elle enfin. J'aurais pu m'offrir une seconde voiture de sport avec ce que vous m'avez facturé, mais vous m'avez aidée.

Harriet sourit, à la grande surprise de Meghann, qui réalisa qu'elle n'avait jamais vu sa thérapeute le faire auparavant.

— De rien.

Meghann se leva.

— Voilà. Je vous revois la semaine prochaine, à la même heure ?

— Bien sûr.

Meghann sortit du bureau, prit l'ascenseur et émergea dans le soleil de juillet.

Elle était presque arrivée quand elle leva les yeux par hasard. De l'autre côté de la rue, le jardin près du marché couvert bourdonnait d'activité telle une ruche. Des jeunes gens en âge d'aller à l'université jouaient au ballon, des touristes donnaient à manger aux mouettes, qui attrapaient la nourriture en effectuant des descentes en piqué, des passants se reposaient de leurs courses. Meghann n'était pas sûre de ce qui avait attiré son attention.

Alors elle l'aperçut, debout près de la balustrade. Bien qu'il lui tournât le dos, elle reconnut son jean délavé et sa chemise en denim. Il était probablement le seul homme de tout le centre de Seattle à porter un chapeau de cow-boy un jour de beau temps.

Elle traversa la rue pour le rejoindre.

— Salut, Bobby.

Il ne lui accorda pas un regard.

— Meg.

— Qu'est-ce que tu fais ici ?

— Claire dort.

Bobby finit par se retourner. Il avait les yeux rouges et humides.

— Elle a été malade pendant presque une heure. Même quand elle n'avait plus rien dans l'estomac. Ne t'inquiète pas. J'ai nettoyé.

— Je ne m'inquiétais pas pour ça, répondit Meghann.

— Claire a l'air mal en point, aujourd'hui.

— Certains jours sont pires que d'autres. Je parie que c'est plutôt joli, Nashville, en cette saison, non ? s'enquit-elle pour essayer de détendre l'atmosphère.

— Tu essaies d'être drôle ? Ma femme est dans un état physique pitoyable et tu crois que je me fais du souci pour ma carrière ?

— Je suis désolée. J'ai la sensibilité d'un tueur en série.

Bobby soupira.

— Non, c'est moi qui suis désolé. J'avais besoin de me défouler sur quelqu'un.

— Ne t'en fais pas : avec moi, tu auras toujours une bonne raison de hurler.

Il lui répondit par un sourire las.

— C'est juste que... j'ai une trouille de tous les diables. Et je ne veux pas que Claire s'en rende compte.

— Je sais.

Meghann sourit à son tour à son beau-frère. Claire avait de la chance d'être aimée par un homme pareil. Sans raison apparente, Meghann pensa à Joe, le jour où elle l'avait trouvé en train de pleurer sur son divorce. Lui aussi était le genre d'homme qui savait aimer.

— Tu es un type bien, Bobby. Je me suis trompée sur toi.

Il éclata de rire.

— Et toi, tu n'es pas aussi garce que je le croyais.

Elle passa son bras sous le sien.

— Je vais faire comme si c'était un compliment.

— C'en était un.

— Bien. Maintenant, allons essayer de distraire un peu Claire.

Les jours passaient au ralenti. Chaque matin, Claire se réveillait plus fatiguée que la veille au soir. Même si elle s'efforçait d'adopter une attitude positive, elle déclinait rapidement. Elle se représentait les rayons du soleil à la place de ceux de la radiothérapie, méditait une heure par jour en s'imaginant dans une splendide forêt ou assise au bord de sa rivière bien-aimée. Enfin, elle suivait le régime macrobiotique dont Meghann jurait qu'il l'aiderait à guérir.

Les Bleues venaient souvent, séparément ou ensemble, et faisaient de leur mieux pour soutenir le moral de leur amie. Élisabeth avait rendu visite quelques jours à Meghann et sa présence avait aidé Claire. Le plus dur restait le week-end. À Hayden, pour Alison, Claire essayait de faire comme si cela allait.

Le soir, en revanche, Meghann, Claire et Bobby étaient seuls dans l'appartement trop calme. En général, ils regardaient un film. À l'arrivée de Bobby, ils avaient essayé de parler ou de jouer aux cartes ; cela s'était révélé difficile, car l'avenir était entre parenthèses. Aucun d'eux ne pouvait le mentionner sans tiquer, sans penser : « Est-ce qu'on va passer Noël ensemble ? Thanksgiving ? L'été prochain ? » Si bien que par un accord tacite ils avaient laissé à la télévision le soin de meubler leurs soirées.

Claire appréciait ce répit, car pendant ces quelques heures, elle restait assise sans avoir à faire semblant.

Le traitement se termina enfin.

Le lendemain matin, Claire se leva tôt. Elle se doucha, s'habilla et but son café sur la terrasse donnant sur le bras de mer, surprise de constater que tant de gens étaient déjà debout, vaquant à leurs occupations habituelles.

La journée s'annonçait décisive.

— C'est le grand jour, commenta Meghann en rejoignant sa sœur.

Celle-ci se força à sourire.

— Oui.

— Ça va ?

Claire avait conçu une véritable aversion pour cette question, ces derniers temps.

— Très bien.

— Tu as dormi, la nuit dernière ? poursuivit Meghann.

— Non. Et toi ?

— Non plus.

Meghann glissa un bras autour de Claire et la tint serrée contre elle. Claire se raidit, se préparant à entendre un petit laïus encourageant, mais sa sœur resta muette.

Derrière elles, la baie vitrée s'ouvrit.

— Bonjour, mesdames.

Bobby s'approcha de sa femme et l'enlaça en l'embrassant dans le cou.

Ils restèrent dehors encore une minute en silence, avant d'aller à l'unisson jusqu'à la porte et de quitter l'appartement.

Ils atteignirent l'Hôpital suédois en un rien de temps. Au moment où ils entraient dans la salle d'attente du service de médecine nucléaire, Claire remarqua les autres patients coiffés d'un chapeau ou d'un foulard. Quand leurs regards se croisaient, ils étaient empreints d'une triste compréhension mutuelle. Ils faisaient partie d'un club auquel personne n'avait envie d'appartenir. À présent, Claire regrettait de s'être embêtée à dissimuler sa calvitie. L'accepter, c'était faire preuve d'une certaine audace, qu'elle aurait aimé posséder.

Elle n'attendit pas, ce jour-là, au cours duquel elle devait obtenir les réponses tant redoutées. Elle alla directement à l'IRM. On l'installa sur-le-champ dans la machine, non sans lui avoir, au préalable, injecté une substance radioactive.

L'examen terminé, elle retourna s'asseoir dans la salle d'attente entre Meghann et Bobby, qui lui tendirent tous deux les bras. Elle leur prit chacun une main.

On appela enfin son nom.

Elle se leva, soutenue par Bobby.

— Je suis là, chérie.

Ils entamèrent le périple à travers les couloirs jusqu'au bureau du Dr Sussmann. La plaque vissée sur la porte précisait « Chef du service de neurologie ». Le Dr McGrail, chef du service de radiologie, était également présent.

— Bonjour, Claire ; bonjour, Meghann ; bonjour, Bobby, les salua le Dr Sussmann.

— Alors ? interrogea Meghann.

— La tumeur a réagi à la radiothérapie. Elle a régressé d'environ douze pour cent, expliqua le Dr McGrail.

— C'est formidable, s'enthousiasma Meghann.

Les médecins échangèrent un regard, puis le Dr Sussmann alluma l'écran lumineux et les images en noir et blanc du cerveau de Claire apparurent. La tache était bien là. Le médecin se tourna vers Claire.

— La diminution de la tumeur vous donne un répit. Malheureusement, ça reste inopérable. Je suis désolé.

Désolé...

Claire s'assit dans le fauteuil en cuir. Elle avait l'impression que ses jambes allaient se dérober sous elle.

— Mais ça a marché, s'insurgea Meghann. Ça a marché, non ? Peut-être qu'avec davantage de séances... ou une chimiothérapie... J'ai lu que certains produits traversaient la barrière hémato-encéphalique...

— Assez ! lâcha Claire.

Bien qu'elle n'ait pas eu l'intention de crier, sa voix était retentissante. Elle regarda le neurologue.

— J'ai combien de temps ?

La voix du Dr Sussmann se fit plus douce.

— Les taux de survie ne sont pas bons, j'en ai peur, avec une tumeur de cette taille et à cet emplacement. Certains patients vivent un an. Parfois un peu plus.

— Et les autres ?

— Six à neuf mois.

Atterrée, Claire regarda la bague que sa grand-mère Myrtle avait portée pendant soixante ans.

Meghann s'approcha de sa sœur et tomba à genoux devant elle.

— On ne va pas les croire. Les dossiers…

— Ne fais pas ça, murmura Claire, anéantie en pensant à Alison.

Elle vit soudain les yeux de sa fille, son sourire édenté, pareil à une éclaircie, et l'entendit dire : « Tiens, m'man, je te prête mon lulu jusqu'à ce que tu sois guérie. » Elle en fut terrassée. Les larmes ruisselèrent sur ses joues. Réalisant que Bobby, campé derrière elle, enfonçait ses doigts dans ses épaules, elle sut qu'il pleurait, lui aussi. Tout en s'essuyant les yeux, elle adressa un regard interrogateur au médecin.

— Et maintenant ?

Meghann se leva avec brusquerie et se mit à arpenter la pièce en observant les tableaux et les diplômes accrochés aux murs. Claire savait qu'elle était terrifiée et, de ce fait, en colère.

Le Dr Sussmann retourna une chaise et s'assit face à elle.

— Nous avons plusieurs options. Pas très sympathiques, mais…

— Qui est-ce ?

La voix de Meghann était inhabituellement aiguë et désespérée. Elle tenait une photo encadrée qu'elle avait décrochée du mur.

Le Dr Sussmann plissa le front.

— C'est le groupe d'étudiants auquel j'appartenais en fac de médecine.

Il se retourna vers Claire.

Meghann posa le cadre sur le bureau avec une telle force que le verre se fendilla. Elle désigna du doigt quelqu'un sur le cliché.

— Qui est ce type ?

Le Dr Sussmann se pencha en avant.

— Joe Wyatt.

— Il est médecin ?

Claire regarda sa sœur avec stupéfaction.

— Tu connais Joe ?

— Et toi ? rétorqua Meghann d'un ton rogue.

— Il est radiologue.

C'était le Dr McGrail qui avait répondu.

— Un des meilleurs du pays. Tout du moins, il l'était. Une véritable légende en matière d'IRM. Il voyait des choses, des possibilités, qui échappaient à ses confrères.

Claire parut déboussolée.

— Meghann, laisse tomber. Ça fait longtemps qu'on a passé le stade où l'on avait besoin d'un radiologue. Et crois-moi, ce n'est pas Joe qu'on aurait pu solliciter. Il m'aurait fallu un miracle.

Meghann regarda intensément le Dr McGrail. Elle n'écoutait pas Claire.

— Qu'est-ce que vous sous-entendez à propos de Joe Wyatt ? Qu'est-ce qui lui est arrivé ?

— Il n'exerce plus. Il a disparu.

— Pourquoi ?

— Il a tué sa femme.

28

Le trajet en voiture parut durer une éternité. Personne ne parlait.

Une fois à l'appartement, Bobby serra Claire à l'étouffer avant de s'éloigner d'elle en titubant.

— Il faut que je prenne une douche, se justifia-t-il d'une voix cassée.

Elle le laissa aller, consciente de son besoin d'isolement. De son côté, elle avait déjà eu quelques crises de larmes dans la luxueuse cabine en verre dépoli de la salle de bains.

Elle alla s'effondrer sur le canapé. Sa tête tournait et elle se sentait épuisée. Ses oreilles tintaient, sa main droite la picotait, mais elle ne pouvait rien avouer de tout cela à Meghann, pas quand celle-ci arborait son regard de bouledogue qui ne lâche pas le morceau.

S'asseyant devant la table basse, Meghann se tourna vers elle.

— Toutes sortes d'essais cliniques ont lieu en ce moment. Il y a ce médecin, à Houston...

— Celui que le gouvernement a tenté de poursuivre en justice ?

— Ça ne signifie pas que c'est un imposteur. Ses patients...

Claire leva une main pour faire taire sa sœur.

— Est-ce qu'on peut être réalistes ne serait-ce qu'une minute ?

L'expression de Meghann était si abattue que Claire ne put s'empêcher de rire.

— Quoi ? demanda Meghann.

— Quand j'étais petite, je rêvais souvent d'attraper une maladie rare qui vous retiendrait à mon chevet, maman et toi. Je vous imaginais pleurant sur ma mort.

— S'il te plaît, non...

Claire fixa sa sœur, désormais pâle et tremblante.

— Je ne veux pas que tu pleures.

Meghann se leva si brutalement qu'elle se cogna le tibia sur la table. Elle laissa échapper une bordée de jurons.

— Je ne peux pas parler de ta mort. Vraiment pas.

Elle quitta la pièce sans demander son reste.

— J'ai besoin de toi, répondit Claire au salon vide.

La migraine, qui avait attendu son heure, tapie à l'arrière de son crâne toute la journée, s'insinuait derrière ses yeux. Claire s'apprêtait à se laisser aller dans le canapé quand la douleur frappa. Le souffle coupé, elle tenta de crier pour se manifester. Elle avait l'impression que sa tête allait exploser. Incapable de bouger, de respirer, elle essaya d'appeler sa sœur. Mais « Thunder Road », de Bruce Springsteen, passait sur la chaîne et la musique étouffa sa petite voix.

Alison, pensa Claire. Puis tout devint noir.

Debout au chevet de Claire, Meghann agrippait les barreaux métalliques du lit d'hôpital.

— Est-ce que les médicaments font de l'effet ?

Enfouie sous les couvertures, Claire semblait toute petite, délicate, avec sa peau trop pâle et ses cheveux clairsemés. Son sourire bravache était à fendre le cœur.

— Oui. C'était une attaque de grand mal. Bienvenue dans ma nouvelle vie. J'imagine que c'est une chance que je n'aie pas eu de crise cardiaque en plus. Je suis là pour combien de temps ?

— Quelques jours.

— Il faut appeler maman.

Meghann se crispa. Sa bouche trembla.

— D'accord.

— Dis à papa, à Ali et aux Bleues qu'ils peuvent venir me voir aussi. Gina arrive toujours à me faire rire.

Meghann percevait la défaite dans la voix de sa sœur. Pire encore, l'acceptation. Elle voulait s'insurger contre sa réaction et lui insuffler la colère dont elle avait besoin pour se battre, mais la parole lui faisait défaut. Elle eut un mouvement de tête navré.

— Oui, Meg, confirma Claire avec une résolution qui étonna son aînée. Et maintenant, je vais dormir. Je suis fatiguée.

— Ce sont les drogues.

— Ah bon ?

Claire sourit d'un air entendu.

— Bonne nuit. Occupe-toi de Bobby, ce soir, d'accord ? Il n'est pas aussi solide qu'il en a l'air.

Sur ce, elle ferma les yeux.

Meghann s'approcha de Claire. Faisant bien attention de ne pas déplacer la perfusion dans son bras, elle lui prit la main.

— Tu vas t'en sortir.

Bien qu'elle ait répété cette phrase à dix reprises au moins, espérant chaque fois une réponse, elle n'en reçut aucune. Quelques minutes plus tard, Bobby arriva dans la chambre, hagard, les paupières rouges et gonflées.

— Claire s'est réveillée, l'informa Meghann à mi-voix. Et rendormie.

— Zut !

Il saisit la main de sa femme et la serra.

— Hé, chérie. Je suis revenu. J'étais juste allé boire un café. Elle est en train de lâcher prise, ajouta-t-il en soupirant.

— Je sais. Elle veut que j'appelle les uns et les autres pour qu'ils viennent la voir. Comment on annonce ça à Ali ?

Le regard de Meghann était brouillé par les larmes quand elle leva la tête vers Bobby.

— Je vais le lui dire, chuchota Claire en rouvrant les yeux.

Elle adressa un sourire fatigué à son mari.

— Bobby, dit-elle dans un murmure, je t'aime.

Meghann ne pouvait rester là une seconde de plus. Chaque bouffée d'air que rejetait Claire était comme un adieu.

— J'ai des coups de fil à passer. Au revoir.

Meghann sortit de la pièce en quatrième vitesse. Elle préférait encore appeler sa mère, plutôt que de rester plantée là en s'obligeant à faire bonne figure, alors qu'elle avait la sensation qu'on lui arrachait le cœur.

Il se faisait tard. L'équipe de nuit avait pris son service et les couloirs étaient calmes. Avisant une rangée de téléphones payants, Meghann composa le numéro d'Eliana.

Celle-ci répondit, la voix avinée et sonore.

— Allô, Frank ?

— Maman, c'est moi, Meghann.

— Meggy ? J'croyais que tu faisais la tournée des bars, à cette heure-ci.

— Claire est malade.

— Elle est en lune de miel.

— C'était il y a un mois, maman. Elle est à l'hôpital, maintenant.

— T'as intérêt à ce que ce ne soit pas une de tes entourloupes, Meggy. Comme la fois où tu m'as appelée parce que Claire était tombée du lit et que tu pensais qu'elle était paralysée. J'ai perdu quarante dollars de pourboires pour la retrouver endormie.

— J'avais onze ans.

— Peu importe.

— Claire a une tumeur au cerveau, maman. La radiothérapie n'a pas marché et personne n'a le cran de l'opérer.

Il y eut un long silence à l'autre bout du fil, puis :

— Est-ce qu'elle va s'en tirer ?

— Oui, répondit Meghann, incapable d'imaginer une autre réponse.

Elle rectifia ensuite avec douceur :

— Peut-être pas. Tu devrais venir la voir.

— J'ai une émission pour « Starbase IV », demain à quatorze heures, et un...

— Tu viens demain ou je contacte *People Magazine*, pour raconter que tu n'es pas allée voir ta fille qui souffre d'une tumeur au cerveau.

Un moment s'écoula avant qu'Eliana ajoute :

— J'suis pas douée pour ce genre de chose.

— Personne ne l'est, maman.

Meghann raccrocha sans dire au revoir. Après le code d'appel de sa carte téléphonique, elle composa le numéro de Sam. Au bout d'une sonnerie, elle renonça. Elle ne pouvait pas lui annoncer la mauvaise nouvelle par téléphone.

Elle reposa le récepteur sans ménagement sur son socle et retourna dans la chambre de sa sœur.

Debout à côté du lit, Bobby chantait en sourdine pour Claire, qui dormait. Devant ce spectacle, Meghann s'arrêta net. Il leva la tête. Des larmes brillaient sur ses joues.

— Elle n'a pas rouvert les yeux.

— Elle va le faire. Continue à chanter. Je suis sûre qu'elle adore ça.

— Oui.

Les mots s'étranglèrent dans sa gorge.

Meghann n'avait jamais vu un homme souffrir à ce point. Le regard de Bobby était aussi torturé que le sien.

— Je vais chez Sam. Je dois lui parler. Si Claire se réveille... Quand Claire se réveillera, dis-lui que je l'aime et que je reviens bientôt. Tu as les clés de chez moi ?

— Je dormirai ici, cette nuit.

— D'accord.

506

Elle aurait aimé ajouter quelque chose, mais elle ne voyait pas quoi. Alors, elle sortit de la chambre et courut presque jusqu'à sa voiture. Une fois dedans, elle appuya sur l'accélérateur et roula vers le nord.

Une heure et demie plus tard, elle était à Hayden. Ralentissant pour traverser la ville, elle s'arrêta à un feu. Et se retrouva pile devant le baraquement en tôle.

Joe Wyatt. « Il est radiologue. Un des meilleurs du pays. » Le souvenir de la conversation revenait en force à Meghann et, avec lui, cette découverte stupéfiante, que Meghann avait enterrée sous son immense chagrin : Dr Joseph Wyatt. Bien sûr ! Pas étonnant que Meghann ait eu l'impression de l'avoir déjà vu. Le procès avait fait la une des journaux. Meghann et ses associés avaient spéculé sur le sort de l'accusé en buvant bière sur bière. Elle était de son côté et s'attendait à ce qu'il soit acquitté. Il ne lui était pas venu à l'esprit de s'inquiéter de ce qui lui était arrivé après la fin de l'affaire.

Maintenant, elle savait. Il s'était enfui, caché. Est-ce qu'il restait un des meilleurs radiologues du pays ? Et verrait-il « des choses, des possibilités, qui échappaient à ses confrères » ? Quand Meghann était allée le trouver en sanglotant à cause de Claire, il n'avait rien fait. Rien. Alors qu'il connaissait sa sœur.

— Salaud !

Meghann jeta un regard de biais à l'enveloppe de l'hôpital posée sur le siège passager. Tournant brusquement le volant, elle freina un grand coup pour garer la Porsche le long du trottoir. Ensuite, elle attrapa l'enveloppe et marcha vers la retraite de Joe au pas de charge.

Elle tambourina à la porte en criant jusqu'à ce qu'elle entende un bruit de pas à l'intérieur. Joe finit par ouvrir et découvrit Meghann sur le seuil.

— Qu'est-ce que..., eut-il le temps de dire.

Elle lui donna une bourrade dans la poitrine, si violente qu'il recula en titubant.

— Salut, Joe ! Invite-moi donc à entrer.

Meghann referma la porte d'un coup de pied.

— Il est presque minuit.

— En effet, docteur Wyatt.

Joe s'affaissa sur le canapé et jeta un regard las à Meghann.

— Tu m'as tenue dans tes bras et tu m'as laissée pleurer.

La voix de Meghann tremblait et la douleur qui lui tordait le cœur stimulait sa colère.

— Et tu m'as proposé de recommander Claire à un confrère. Quel genre d'homme es-tu donc ?

— Le genre qui est conscient que son passé de héros est derrière lui. Si tu sais qui je suis, tu sais aussi ce que j'ai fait.

— Tu as tué ta femme.

Voyant que Joe encaissait, Meghann continua :

— Si j'avais su ton nom de famille, je m'en serais souvenue. Ton procès a fait du bruit, à Seattle. La poursuite en justice d'un médecin qui avait euthanasié sa femme, mourante.

— Euthanasie est un plus joli mot qu'homicide involontaire.

Le ton étouffé et triste de Joe atténua la fureur de Meghann. Elle avait appris à quoi ressemblait le chagrin, au cours du mois précédent.

— Écoute, Joe. Dans d'autres circonstances, je discuterais avec toi de ce que tu as fait. Je pourrais sans doute te prendre dans mes bras et te dire que je comprends, que quiconque possédant une once de compassion aurait agi pareil. C'est ce que ton acquittement signifiait. J'aurais même pu te poser des questions sur le chemin que tu as suivi depuis, ce voyage qui a mené un radiologue de renom jusqu'à cet endroit. Mais pour moi, aujourd'hui, les circonstances sont loin d'être ordinaires. Ma sœur est en train de mourir.

Meghann buta sur le terme, sentant les larmes lui picoter les yeux.

— Voici les résultats de son IRM. Peut-être que tu peux l'aider.

— J'ai laissé ma licence expirer. Je n'ai plus le droit d'exercer la médecine. Désolé.

— Désolé ? *Désolé ?* Tu as le pouvoir de sauver des vies et tu te caches dans ce bungalow en buvant du whisky bon marché et en t'apitoyant sur ton sort ? Sale égoïste !

Meghann toisa Joe avec l'envie désespérée de le haïr, de lui faire du mal, sans arriver à imaginer l'un ou l'autre.

— Je tenais à toi.

— Je suis désolé, répéta Joe.

— Je t'enverrai un faire-part de décès.

Tournant les talons, Meghann se dirigea vers la porte.

— Emporte ça avec toi.

Elle s'arrêta pour lui lancer un dernier regard méprisant.

— Non, Joe. Il va falloir que tu touches ces clichés. Jette-les toi-même à la poubelle. Essaie de te regarder dans la glace après.

Ensuite, elle sortit et réussit à regagner sa voiture avant de se mettre à pleurer.

Assise dans la Porsche devant le mobile home de Sam, Meghann essayait de se redonner une contenance. Chaque fois qu'elle ouvrait son poudrier pour retoucher son maquillage, la vue de ses yeux humides suffisait à déclencher une nouvelle crise de larmes. Elle ne savait pas trop depuis combien de temps elle était là, mais au bout d'un moment, il se mit à pleuvoir. Les gouttes résonnaient sur la capote et martelaient le pare-brise.

Meghann finit par sortir de la Porsche pour aller jusqu'à la caravane.

Sam ouvrit la porte avant qu'elle ait frappé, l'air inquiet.

— Je me demandais si tu allais rester assise là-bas longtemps.

— Je pensais que tu n'avais pas remarqué ma présence.

Il sourit faiblement.

— Tu t'es toujours crue plus futée que moi.

— Pas seulement toi, Sam. Tout le monde.

Elle aurait aimé sourire, mais n'y arriva pas.

— C'est grave ?

— Oui.

À peine avait-elle répondu que les larmes revinrent de plus belle. Elle les essuya d'un geste.

— Viens par ici, souffla Sam en lui ouvrant les bras.

Elle hésita.

— Allez, viens.

Elle plongea en avant, laissa Sam l'enlacer et sanglota sans pouvoir s'arrêter. Au bout d'un moment, il pleurait aussi. Ils reculèrent et se dévisagèrent longuement. Elle n'avait pas idée de ce qu'elle devait dire.

Soudain, un bruit de pas se fit entendre dans le couloir. Alison déboula en courant, en pyjama rose, sa Groovy Girl à la main. Elle leva les yeux vers Meghann.

— On peut aller voir m'man ? Elle est guérie ?

Meghann s'agenouilla pour prendre sa nièce dans ses bras et la serra très fort.

— Oui, articula-t-elle avec difficulté, tu verras ta maman demain.

Toute la nuit, Meghann se tourna et se retourna, sombrant dans un sommeil agité aux alentours de l'aube. Quand elle se réveilla, épuisée et les yeux bouffis, elle fut surprise de constater qu'il était déjà neuf heures trente. Une brève inspection de l'appartement lui apprit que Sam et Alison étaient partis pour l'hôpital. Bobby n'était pas rentré, la nuit précédente. Meghann se força à sortir du lit et tituba jusqu'à la douche. Quand elle gara la Porsche dans le parking de l'hôpital, il était dix heures.

La salle d'attente était pleine.

Installée dans un fauteuil près de la fenêtre, Gina tricotait une délicate couverture rose. À côté d'elle, Karen et Charlotte jouaient aux cartes. Debout près de la fenêtre, Bobby regardait dehors. Il leva les yeux à l'arrivée de Meghann. À son expression, elle comprit que Claire avait passé une mauvaise nuit. Alison était assise à ses pieds, en plein coloriage.

— Tante Meg, cria-t-elle en bondissant vers elle.

Meghann la souleva pour lui faire un câlin.

— Grand-père est avec m'man. Je peux y aller ? Oui ?

Elle consulta silencieusement Bobby, qui soupira en haussant les épaules, comme pour signifier qu'il n'avait pas la force de l'accompagner.

— Bien sûr, répondit-elle.

Son angoisse grandissant à chaque pas, elle porta Alison jusqu'à l'extrémité de l'interminable couloir. Devant la porte fermée de la chambre, elle marqua un temps d'arrêt pour mettre au point un sourire de commande avant d'entrer.

Sam était au chevet de Claire. Il pleurait en lui tenant la main.

Alison se tortilla pour s'échapper des bras de Meghann, glissant sur le sol. Elle alla immédiatement vers son grand-père, qui se baissa pour la soulever.

— Qu'est-ce qui se passe, grand-père ? Tu as quelque chose dans l'œil ? Une fois, Sammy Chan a reçu un coup dans l'œil et Eliot Zane l'a traité de pleurnichard.

Meghann et Claire échangèrent un bref regard.

— Laissez mon bébé avec moi, dit Claire en ouvrant les bras.

Alison ne remarqua pas la façon que sa mère avait de grimacer au moindre mouvement, au moindre contact.

Sam s'essuya les yeux et parvint à sourire.

— Il faut que j'aille appeler le plombier. Le filtre de la piscine sent mauvais.

Alison approuva de la tête.

— Ça pue.

— Alison Katherine, je t'ai déjà dit de ne pas copier le langage de ton grand-père, releva Claire.

— Pardon.

Alison pouffa.

Meghann et Sam se regardèrent, formulant en silence la question qui restait suspendue entre eux, claire comme de l'eau de roche : « Qui dira la vérité à Alison ? »

Meghann sortit de la chambre à reculons pour laisser un peu d'intimité au trio et retourna dans la salle d'attente feuilleter un magazine.

Environ une heure plus tard, son attention fut attirée par le vacarme qui retentissait dans le hall. Elle leva la tête.

Sa mère était arrivée. Enveloppée dans un élégant vêtement noir fluide, un petit chien dans un sac brodé de perles à la main, elle avançait à la tête d'une troupe de gens. Un photographe la mitraillait.

Une fois dans la salle d'attente, elle jeta un regard circulaire autour d'elle. Dès qu'elle eut repéré Meghann, elle fondit en larmes.

— Comment va notre chérie ?

Tirant un mouchoir de soie de sa manche, elle s'essuya délicatement les yeux.

Un flash crépita. Eliana esquissa un sourire courageux.

— V'là mon autre fille, Meghann Dontess. D. O. N. T. E. S. S. Elle a vingt-neuf ans.

Meghann compta jusqu'à dix, puis elle lâcha :

— Les chiens ne sont pas admis dans l'hôpital.

— J'ai dû le faire entrer en cachette. Tu sais, Elvis...

— Elvis va se retrouver aussi mort que son homonyme dans à peu près dix secondes.

Insensible au petit cri offusqué de sa mère, Meghann avisa un homme au cou de taureau qui se tenait à l'écart de la foule. Habillé tout en noir, il ressemblait à un militant de l'Organisation mondiale pour la protection de la nature.

— Vous, le garde du corps, ramenez cet animal dans la voiture.

— À l'hôtel, corrigea Eliana avec un soupir théâtral et affligé. Il y a plein d'place dans la suite.

— Oui, madame.

Il prit le sac contenant Elvis et s'éloigna.

Il ne restait plus qu'Eliana, le photographe et un garçon frêle au visage de rongeur armé d'un magnétophone. Le journaliste.

— Excusez-moi, dit Meghann à son intention.

Elle agrippa le bras de sa mère et l'attira dans un coin tranquille.

— Qu'est-ce que tu as fait ? Tu as engagé une attachée de presse ?

Se grandissant du mieux qu'elle pouvait, Eliana fit la moue.

— J'étais avec elle sur l'autre ligne quand tu m'as appelée. Qu'est-ce que j'étais censée lui dire ? C'est pas ma faute si *Us Magazine* a voulu couvrir ma visite à ma fille gravement malade. Après tout, j'fais l'actualité. La célébrité, ça peut être un fardeau.

Meghann fronça les sourcils. Elle aurait dû être folle de rage, prête à plonger sa mère dans l'huile avec laquelle on faisait frire le poulet dans son prétendu Sud natal. Mais dans le regard exagérément maquillé d'Eliana elle lut quelque chose de surprenant.

— Tu as peur, remarqua-t-elle. C'est pour ça que tu as amené ton entourage. Pour que ce soit comme un spectacle.

Eliana roula des yeux.

— J'ai peur de rien du tout, c'est juste... juste...

— Quoi ?

— C'est Claire, finit par répondre Eliana en se détournant. Claire.

Sa voix s'enroua et, pour une fois, Meghann y perçut de l'honnêteté.

— J'peux la voir ?

— Pas si tu emmènes ton escorte.

— Tu veux bien venir avec moi, alors ? murmura Eliana.

La requête surprit Meghann. Elle avait toujours imaginé sa mère comme une midinette superficielle au cœur de pierre, une femme qui savait ce qu'elle voulait dans la vie et qui allait droit au but pour l'obtenir, une personne capable de passer outre les cordons de police pour piétiner un cadavre s'il se trouvait en travers de son chemin. Maintenant, elle se demandait si elle ne s'était pas trompée et si, en fin de compte, Eliana n'était pas un être faible et apeuré. Jouait-elle la comédie ou non ? La peur était un sentiment que Meghann comprenait, surtout lorsqu'elle naissait de la culpabilité.

— Bien sûr que je vais t'accompagner.

Elles allèrent négocier avec l'équipe du magazine. Dans un plaidoyer larmoyant, Eliana demanda un peu d'intimité en ce moment difficile, avant de recommander un restaurant de l'autre côté de la rue pour la suite de l'interview.

Ses talons hauts claquaient sur le sol en linoléum. Cela semblait destiné à attirer l'attention, pourtant personne ne le remarquait.

Devant la porte de la chambre, Meghann s'arrêta.

— Prête ?

Eliana prit un air faussement joyeux, fit oui de la tête et entra dans la pièce telle une héroïne des années cinquante, ses longues manches flottant derrière elle.

— Claire, mon chou, c'est maman.

Claire fit de son mieux pour sourire, mais elle paraissait lasse, et sa pâleur ressortait anormalement sur le blanc des oreillers et le gris de la couverture. Sa calvitie partielle lui donnait un aspect bizarre, comme si elle avait la figure de travers.

— Bonjour, maman. Tu as raté Sam et Ali. Ils viennent juste de descendre à la cafétéria.

Eliana trébucha, baissa les bras. Elle regarda en arrière, vers Meghann.

— Je sais que j'ai une mine à faire peur, maman, la rassura Claire en essayant de rire.

Eliana s'approcha avec précaution.

— Mais enfin, mon chou, c'est pas vrai. T'es charmante.

Tirant une chaise, elle s'assit près du lit.

— Eh bien, j'me souviens d'un épisode de « Starbase IV ». Il s'intitulait « Attaquez le buffet », tu te rappelles ? J'mangeais un peu de nourriture de l'espace avariée et mes fichus cheveux tombaient. J'ai envoyé la scène au jury des Emmy Awards. Ça n'a pas marché. Trop politique. J'aimais plutôt la liberté de ne pas avoir de cheveux.

— Tu avais une pellicule de plastique sur le crâne, maman.

— Quand même. Ça met les yeux d'une femme en valeur. J'regrette de ne pas avoir pris mon maquillage. T'as bien besoin d'un peu de blush, p't-être d'une touche d'eye-liner, aussi. Meghann aurait dû me prévenir. J'te rapporterai une jolie petite liseuse. Avec un soupçon d'fourrure sur le col, p't-être. J'me rappelle une robe que j'ai portée, un jour...

— Maman...

Claire tenta de se pencher en avant, un effort qui la fatigua visiblement.

— Il y a une tumeur qui détruit mon cerveau.

Le sourire d'Eliana se teinta d'affolement.

— C'est cru de ta part, mon chou. Nous autres, les femmes du Sud...

— S'il te plaît, maman, s'il te plaît.

Eliana s'affala sur la chaise. D'une certaine façon, on aurait dit qu'elle devenait quelconque et qu'elle allait rapetisser jusqu'à disparaître dans les plis de sa tenue, laissant derrière elle une femme maigre qui avait abusé des liftings.

— Je ne sais pas ce que tu attends de moi.

Pour la première fois en vingt ans, Claire venait d'entendre la vraie voix de sa mère. L'intonation du Sud avait fait place à l'accent monocorde et pincé du Midwest.

— Maman, répondit Claire, bien sûr que tu ne sais pas. Tu n'as jamais souhaité d'enfants. Tu voulais un public. Je suis désolée. Je suis trop fatiguée pour être polie. Je veux que tu saches que je t'aime. Je t'ai toujours aimée. Même quand tu... regardais ailleurs.

Regardais ailleurs... C'était de cette façon qu'Eliana présentait les choses : « Un jour, j'étais en train d'm'occuper de mes chéries, et puis j'ai regardé ailleurs une minute, et elles avaient disparu toutes les deux. » Meghann avait alors pensé que sa mère préférait raconter cette histoire, plutôt que d'être confrontée au fait qu'elle avait laissé partir Claire.

— Sam était un type bien, dit Eliana, si bas que ses filles durent tendre l'oreille. Le seul que j'aie jamais trouvé.

— C'est vrai, approuva Claire.

Eliana agita les mains d'un geste désinvolte.

— Mais vous me connaissez, vous autres. C'est pas mon genre d'fouiller dans le passé.

L'accent était de retour.

— J'vais de l'avant. C'est ma façon d'faire.

Meghann et Claire avaient retrouvé leur mère. Quelle que soit la brèche qui avait été ouverte en elle par la maladie de Claire, elle s'était déjà refermée. Eliana s'était requinquée. Elle se leva.

— J'veux pas te fatiguer. J'vais filer chez Nordstrom vous acheter du maquillage, à vous autres. Ça t'ennuierait si un ami prenait une petite photo d'nous deux ?

— Maman..., gronda Meghann.

— Bien sûr, concéda Claire en s'affaissant sur ses oreillers. Meghann, est-ce que tu peux m'envoyer Bobby et Ali ? Je voudrais les embrasser avant de faire un autre somme.

Eliana se pencha pour poser un baiser sur le front de Claire puis quitta la chambre en coup de vent. Meghann faillit lui rentrer dedans en sortant.

— Du maquillage, maman ?

— C'est pas parce que Claire est mourante qu'elle doit se laisser aller comme ça, non mais !

Eliana commençait à perdre son sang-froid. Meghann lui tendit les bras.

— T'avise pas de me toucher, Meggy. J'le supporterais pas.

Eliana fit volte-face et s'éloigna, les talons cliquetant sur le sol.

Tout le monde sans exception la regarda passer.

Claire s'affaiblissait. Dès sa deuxième journée à l'hôpital, elle ne voulait que dormir.

Ses amis et sa famille l'épuisaient. Ils étaient venus religieusement. Tous. Les Bleues avaient fondu sur sa chambre, apportant de la vie et du rire, des fleurs et de la nourriture trop riche, ainsi que les films préférés de Claire. Elles avaient parlé, raconté des blagues et s'étaient remémoré le bon vieux temps. Mais seule Gina avait eu le cran de s'aventurer sur un terrain cruel et glacial : l'angoisse de Claire.

— Je serai toujours là pour Ali, tu sais, promit-elle quand tout le monde fut descendu à la cafétéria.

Claire n'avait jamais autant aimé son amie qu'à ce moment-là. Aucune mission en temps de guerre n'aurait demandé plus de courage.

— Merci, réussit-elle à répondre. Je ne suis pas encore arrivée à lui dire la vérité, avoua-t-elle d'une voix étranglée.

— Comment pourrais-tu ?

Le regard de Gina rencontra le sien et se voila de larmes. Toutes deux venaient de penser à la façon dont une femme pouvait dire au revoir à sa fille de cinq ans. Après un silence, Gina sourit avec espièglerie.

— Alors, qu'est-ce qu'on va faire pour tes cheveux ?

— Je pensais couper et teindre ceux qui me restent en blond platine, pourquoi pas ?

— Très chic. Charlotte, Karen et moi aurons l'air de femmes au foyer vieillissantes, à côté de toi.

— Je rêve de devenir une femme au foyer vieillissante, ne put s'empêcher de répliquer Claire.

Au bout du compte, même si elle adorait la compagnie de ses amies, elle fut contente de les voir plier bagage. Tard dans la soirée, dans la pénombre, elle cessa de combattre et s'endormit. Elle se réveilla en sursaut. Son cœur battait à tout rompre, irrégulièrement. Elle n'arrivait pas à respirer ni à s'asseoir. Il y avait un problème.

— Claire, est-ce que ça va ?

C'était Bobby. Assis à côté du lit, il venait de se réveiller. Il se leva en se frottant les yeux, vint près de Claire. Pendant une seconde, elle crut à une hallucination, songea que la tumeur avait grignoté les parties saines de son cerveau, tel le monstre du jeu de Pacman, la rendant folle. Puis Bobby s'approcha plus près et Claire entendit le tintement de ses clés.

— Bobby, appela-t-elle, essayant en vain de soulever ses bras lourds, si lourds.

— Je suis là, ma chérie.

Malgré l'effort que le geste lui demandait, elle tendit la main pour caresser la joue humide de son mari.

— Je t'aime, Robert Jackson Austin. Plus que tout au monde, à part mon Ali Gator. Viens. Mets-toi au lit avec moi.

Bobby considéra les machines, les perfusions, les tubes et les câbles.

— Chérie...

Il se borna à se pencher pour l'embrasser.

La douce pression de ses lèvres faisait du bien à Claire. Elle ferma les yeux, sentit qu'elle s'enfonçait dans les oreillers.

— Ali, chuchota-t-elle. Je veux mon bébé...

La douleur explosa derrière son œil droit.

À côté du lit, une alarme sonna.

La douleur n'est plus là. Claire n'a pas mal. Elle tâtonne pour toucher la bande de peau qui la démange sur son crâne et rencontre de beaux cheveux longs à la place.

Elle s'assied. Les tubes qui la reliaient aux machines ont disparu. Elle veut crier qu'elle va mieux, mais il y a des gens dans sa chambre, tous habillés en blanc. Ils la bousculent et parlent en même temps pour qu'elle ne comprenne pas.

Soudain, elle découvre qu'elle se regarde d'en haut – dans les airs, quelque part – et qu'elle observe les docteurs qui s'affairent sur son corps. Ils ont déchiré sa chemise et lui enfoncent quelque chose dans la poitrine.

— On dégage ! hurle quelqu'un.

C'est un tel soulagement d'être là-haut, au-dessus d'eux, où la douleur n'existe pas...

— On dégage !

Alors Claire pense à Alison, son amour de petite fille, qu'elle n'a pas pu tenir dans ses bras une dernière fois.

Son bébé, qui va devoir apprendre que sa maman est partie.

Le médecin recula.

— C'est fini.

Meghann courut vers le lit en hurlant.

— Ne fais pas ça, Claire ! Reviens ! Reviens, bon sang !

Quelqu'un essaya de l'écarter. Elle lui donna un violent coup de coude.

— Je suis sérieuse, Claire. Reviens ! Ali est dans la salle d'attente. Tu ne lui as pas dit au revoir. Elle a au moins droit à ça. Reviens !

Meghann prit Claire par les épaules et la secoua comme un prunier.

— Tu n'as pas intérêt à nous faire ça, à Ali et moi !

— Le cœur bat ! cria une infirmière.

On poussa Meghann sur le côté. Elle tituba jusqu'à un angle de la pièce, réduite à observer la scène et à prier tandis qu'on stabilisait sa sœur.

Finalement, les médecins partirent, poussant leur chariot de réanimation devant eux. Seuls les bourdonnements et les bips des appareils troublaient le calme de la chambre.

Meghann regardait la poitrine de Claire monter et descendre. Il lui fallut un moment pour se rendre compte qu'elle respirait à fond, comme si elle essayait d'intimer au corps de sa sœur l'ordre de suivre le rythme du sien.

— Je t'ai entendue, tu sais.

Au son de la voix de Claire, Meghann s'éloigna du mur contre lequel elle s'appuyait et s'avança vers elle.

Claire était allongée là, à moitié chauve et pâle comme un linge, mais elle lui souriait.

— J'ai pensé : « Je suis morte, et Meg me hurle encore dessus. »

29

Joe avait essayé de jeter l'enveloppe maudite au moins dix fois. Le problème, c'était qu'il n'arrivait pas à se résoudre à la toucher.

Lâche !

Il lui sembla entendre le mot si distinctement qu'il en releva la tête. Le chalet était vide. Joe fixa Diana, qui lui rendit son regard de son poste, sur la cheminée. Fermant les yeux, il souhaita qu'elle vienne à nouveau à lui et s'asseye sur le lit à son côté en disant, comme avant : « Tu me brises le cœur, Joey. » Mais elle ne lui avait pas rendu visite depuis si longtemps qu'il avait oublié l'effet que produisaient sur lui ces hallucinations.

Néanmoins, il n'avait pas besoin de faire apparaître l'image de Diana pour savoir quels mots elle utiliserait à ce moment précis. Elle aurait honte de lui, autant qu'il avait honte de lui-même. Elle lui rappellerait qu'il avait, un jour, prêté serment d'aider les gens.

En plus, il ne s'agissait pas de n'importe qui, mais de Claire Cavenaugh, la femme qui était restée au chevet de Diana jour après jour pendant sa maladie, à jouer au Scrabble et à regarder des séries télévisées avec elle. Joe se souvenait d'un soir en particulier. À la fin de sa journée de travail, il avait pris le chemin de la chambre d'hôpital de Diana, épuisé à l'avance à la perspective de passer une autre soirée au chevet de sa femme mourante. Quand il avait ouvert la porte, Claire était en petite tenue, slip et soutien-gorge, et elle dansait. Diana, qui n'avait pas souri depuis des semaines, riait tant que les larmes lui coulaient sur les joues. Joe avait demandé ce qui se passait.

« Pas question qu'on t'avoue ce qu'on était en train de faire, avait répondu Claire.

— Les filles doivent savoir garder quelques secrets, avait ajouté Diana, même envers l'amour de leur vie. »

Maintenant, c'était Claire qui était allongée dans un lit, dans une chambre puant le désespoir, avec vue sur un ciel grisâtre, même en plein été.

Il n'y avait probablement rien que Joe puisse faire pour elle, mais comment se supporterait-il, s'il n'essayait pas ? Sans doute était-ce la façon que Dieu avait de lui rappeler qu'un homme ne pouvait pas continuer à s'accrocher à ses vieilles angoisses s'il voulait prendre un nouveau départ.

Si Diana avait été auprès de lui, aujourd'hui, elle lui aurait confirmé qu'aucune seconde chance ne lui serait offerte aussi explicitement. C'était une chose de fuir dans l'absolu, mais c'en était une autre de tourner le dos à une série de radios, avec le nom d'une amie inscrit dessus, dans un coin. Tu es en train de la tuer et cette fois aucun joli mot comme euthanasie ne fera l'affaire, songea Joe.

Il expira longuement avant de prendre l'enveloppe, ignorant le tremblement de ses mains, sa soudaine et furieuse envie d'alcool. Sortant les clichés, il les emporta dans la cuisine, où le soleil entrait à flots par la fenêtre au-dessus de l'évier. Joe étudia soigneusement le premier avant de passer les autres en revue. L'adrénaline accélérait les battements de son cœur.

Il comprenait pourquoi la tumeur avait été jugée inopérable. À sa connaissance, quasiment personne ne possédait l'habileté nécessaire à la réalisation de l'opération. Seul un neurochirurgien aux mains miraculeuses et doté de l'ego qui allait avec réussirait. Un de ceux qui n'avaient pas peur d'échouer. Avec une résection très minutieuse… il existait une chance. Il était possible – juste possible – que l'ombre que Joe voyait ne soit pas la tumeur, mais des tissus réagissant à sa présence.

Il n'avait aucun doute sur ce qui lui restait à faire.

Après une longue douche chaude, il revêtit la chemise bleue qu'il avait achetée récemment et son jean neuf, regrettant, en son for intérieur, de ne pas avoir de plus beaux vêtements. Ensuite, il récupéra les radios, les remit dans l'enveloppe et marcha jusque chez Smitty. Helga préparait le déjeuner dans la cuisine pendant que son mari regardait « Judge Judy » dans le salon.

Quand Joe frappa, il leva les yeux.

— Salut, Joe.

— Je sais que c'est assez inhabituel, mais est-ce que je peux emprunter la camionnette ? Je dois aller à Seattle. J'y passerai éventuellement la nuit.

Smitty fureta dans ses poches à la recherche des clés et les lui lança.

— Merci.

Joe monta dans le pick-up Ford 1973 rouillé. La portière claqua derrière lui avec un bruit de ferraille. Il examina le tableau de bord : il y avait des années qu'il ne s'était pas retrouvé à la place du conducteur. Il démarra et appuya sur l'accélérateur. Deux heures plus tard, il garait le véhicule dans un parking souterrain à l'angle de Madison et Broadway, et pénétrait dans le hall d'un gratte-ciel noir.

Le tableau d'Elmer Nordstrom était toujours là, veillant sur l'élégant bâtiment du même nom.

Joe garda la tête baissée en marchant vers les ascenseurs. Là, évitant de rencontrer le regard de qui que ce soit, le cœur battant à tout rompre, il appuya sur le bouton d'appel. Les portes s'ouvrirent avec un déclic et Joe entra dans la cabine. Deux types en blouse blanche s'y entassèrent à côté de lui. Ils parlaient de résultats d'analyses et descendirent au troisième étage, celui qui conduisait à la passerelle d'accès reliant l'immeuble de bureaux à l'Hôpital suédois.

Joe n'arrivait pas à se souvenir de l'époque où il parcourait les lieux la tête haute, comme un homme certain de la place qu'il occupait dans le monde.

Les battants se rouvrirent au quatorzième étage.

Joe resta immobile une demi-seconde de trop à fixer les lettres noires bordées d'un filet d'or sur les portes en verre de l'autre côté du palier. « Les spécialistes en médecine nucléaire de Seattle. » Le cabinet qu'il avait créé lui-même. Les noms de sept ou

527

huit médecins s'alignaient en dessous. Celui de Joe n'en faisait pas partie. Bien sûr que non.

À la dernière minute, comme les portes allaient se refermer, Joe sortit de l'ascenseur et traversa l'entrée. La réceptionniste – Imogene, d'après son badge – leva les yeux vers lui.

— Je peux vous aider ?

— J'aimerais voir le Dr Li Chinn.

— Votre nom ?

— Dites-lui qu'un confrère sollicite une consultation en urgence.

Imogene considéra Joe d'une manière critique, remarquant sans doute ses vêtements bon marché et sa coupe de cheveux approximative. Contrariée, elle appela le bureau de Li pour lui communiquer le message. Peu de temps après, elle raccrocha.

— Le docteur peut vous recevoir dans un quart d'heure. Asseyez-vous.

Joe s'installa dans un des fauteuils de la salle d'attente, se rappelant que Diana en avait choisi les teintes et les tissus. À une époque, leur maison était tapissée d'échantillons du sol au plafond. « Je veux que ce soit parfait, avait-elle protesté, un jour où Joe se moquait d'elle. Ton travail est la seule chose que tu aimes plus que moi. » Il aurait voulu sourire à ce souvenir-là, si agréable.

— Docteur, docteur ?

Avec un sursaut, Joe leva les yeux. C'était un terme qu'on n'avait pas employé à son égard depuis longtemps.

— Oui ?

Il se leva.

— Le Dr Chinn va vous recevoir. Suivez le couloir et tournez à droite...

— Je sais où c'est.

Joe se dirigea vers la porte, marquant au passage un temps d'arrêt en essayant de respirer normalement. Il transpirait, ses mains étaient moites. Ses empreintes digitales allaient maculer l'enveloppe.

— Ça va, docteur ?

Il souffla et poussa le battant. Les couloirs et les bureaux étaient remplis de visages familiers : des infirmières, des assistantes, des techniciens en radiologie.

Il se força à relever le menton.

Les uns après les autres, ses anciens collègues croisèrent son regard, le reconnurent et détournèrent aussi vite les yeux. Quelques-uns sourirent, embarrassés, ou lui firent un signe de la main, mais aucun d'eux ne lui parla. Joe avait l'impression d'être un fantôme traversant le monde des vivants. Personne n'était prêt à reconnaître l'avoir vu.

Certains regards le condamnaient ; c'était ceux-là que Joe se rappelait et qui l'avaient poussé à fuir. D'autres, en revanche, semblaient gênés d'être surpris en train de le détailler et perturbés par son apparition soudaine. Que dire à un homme qu'on avait admiré à une époque et qui avait été poursuivi pour avoir tué sa femme avant de disparaître pendant trois ans ?

Joe passa devant une file de patientes en blouse d'hôpital attendant une mammographie puis devant la seconde salle d'attente, avant de tourner dans un couloir plus calme. À l'extrémité, il atteignit une porte fermée. Il respira profondément et frappa.

— Entrez, lança une voix familière.

Joe pénétra dans le grand bureau d'angle qui avait, jadis, été le sien. D'immenses baies vitrées encadraient la vue sur les gratte-ciel de Seattle.

Assis à son bureau, Li Chinn lisait. Quand Joe entra, il leva la tête. Une expression de surprise presque comique envahit son visage d'habitude impassible.

— Je ne le crois pas ! s'écria-t-il sans bouger de son siège pour autant.

— Salut, Li.

Gêné, Li ne semblait pas trop savoir comment réagir ni que dire.

— Ça fait longtemps, Joe.

— Trois ans.

— Où es-tu allé ?

— Est-ce que ça a de l'importance ? Je voulais t'annoncer mon départ. Mais…

Réalisant à quel point son explication semblait pathétique, Joe soupira.

— Je n'ai pas eu le cran.

— J'ai laissé ton nom sur la porte pendant près d'un an.

— Je suis désolé, Li. C'était sûrement mauvais pour les affaires.

Li acquiesça. Cette fois, Joe lut de la tristesse dans ses yeux sombres.

— Oui.

— J'ai apporté une radio sur laquelle j'aimerais que tu me donnes ton avis.

Comme Li faisait un signe de tête affirmatif, Joe se dirigea vers l'écran lumineux et y posa le cliché. Li approcha pour l'examiner. Il resta silencieux un moment.

— Tu vois quelque chose que je ne vois pas ?

Il montra un point du doigt.

— Ça.

Li croisa les bras et son front s'assombrit.

— Peu de chirurgiens tenteraient un truc pareil. Les risques sont importants.

— Sans opération, la malade mourra.

— Elle peut aussi mourir du fait de l'intervention.

— Tu penses que ça vaut le coup d'essayer ?

Li regarda Joe, de plus en plus perturbé.

— L'ancien Joe Wyatt n'aurait pas posé une telle question.

— Les choses changent, répondit Joe.

— Tu connais quelqu'un qui accepterait d'intervenir ? Et qui en serait capable ?

— Stu Weissman.

— Le cow-boy. Oui, peut-être.

— Je ne peux plus exercer. J'ai laissé ma licence expirer. Tu pourrais envoyer la radio à Stu ? Je le contacterai.

Li éteignit la lumière.

— D'accord. Tu sais, il n'y a rien de plus facile que de faire rétablir ta licence.

— Oui.

Joe ne bougea pas tout de suite. Le silence se répandit comme une tache entre les deux hommes.

— Bien. Il faut que j'appelle Stu.

Joe fit un pas vers la sortie.

— Attends.

Il se retourna.

— Est-ce que certains employés d'ici t'ont parlé ?

— Non. C'est dur de trouver les mots pour s'adresser à un meurtrier.

Li se rapprocha de lui.

— D'aucuns ont cru ça de toi, c'est vrai. La plupart d'entre nous… ne savent pas quoi dire. Beaucoup auraient voulu avoir la force d'agir comme toi. Diana souffrait, tout le monde en avait conscience, et il n'y avait plus d'espoir. Nous remercions tous Dieu de ne pas avoir été à ta place.

Joe resta muet.

— Tu as un don, Joe, continua Li. Ce serait un crime de le laisser perdre. Quand tu seras prêt – si tu l'es un jour –, reviens me voir. Ici, on s'occupe de sauver des vies ; on n'a que faire des ragots.

— Merci.

C'était un petit mot, bien insuffisant pour traduire la gratitude de Joe. Embarrassé par l'intensité de ses émotions, il balbutia de nouveaux remerciements et sortit du bureau. En bas, dans le hall, il avisa une rangée de téléphones payants et appela Stu Weissman.

— Joe Wyatt, s'exclama Stu, comment tu vas, bon Dieu ? Je pensais que tu avais disparu de la surface de la terre. C'est honteux que tu aies eu à endurer un cauchemar pareil.

Joe ne voulait pas perdre de temps avec des questions du genre « où étais-tu passé ? ». Stu et lui auraient l'occasion de parler quand ils se retrouveraient. Il enchaîna donc.

— Il y a une opération que j'aimerais que tu prennes en charge. C'est risqué. Tu es le seul que je connaisse qui soit assez bon pour la tenter.

Les compliments faisaient toujours craquer Stu.

— Explique-moi tout.

Joe exposa ce qu'il savait de la santé de Claire en général et de sa maladie, et résuma ce qu'il avait vu sur la radio.

— Et tu crois que je peux faire quelque chose.

— Toi seul.

— Joe, tu as les meilleurs yeux de la profession. Adresse-moi les documents. Si je repère la même chose que toi, je prends le prochain avion. Mais assure-toi que la patiente comprend les risques qu'elle court. Je ne veux pas arriver pour faire demi-tour aussi sec.

— Pas de problème. Merci, Stu.

— Ça m'a fait plaisir d'avoir de tes nouvelles, conclut Stu avant de raccrocher.

Joe reposa le combiné. Il ne lui restait plus qu'à parler à Claire.

Il reprit les ascenseurs pour traverser la passerelle menant à l'Hôpital suédois, les yeux rivés au sol. Quelques membres du personnel parurent soudain réprobateurs en le reconnaissant, certains chuchotèrent dans son dos. Il les ignora. Personne n'eut le courage de lui adresser la parole ni de l'interroger sur les raisons de son retour, jusqu'à ce qu'il atteigne le service des soins intensifs. Là, quelqu'un le héla.

— Docteur Wyatt ?

C'était Trish Bey, la responsable des infirmières du service. Joe avait travaillé avec elle pendant des années. À la fin, Diana et Trish étaient très proches.

— Bonjour, Trish.

Elle sourit chaleureusement.

— Contente de vous revoir ici. Vous nous avez manqué.

Ils restèrent face à face à s'observer, mal à l'aise, puis il lui adressa un signe de tête, marmonna un au revoir et se dirigea vers la chambre de Claire. Il frappa un petit coup avant d'ouvrir la porte.

Assise dans son lit, Claire dormait, la tête inclinée sur le côté. Avec sa bande irrégulière de calvitie, elle avait l'air incroyablement jeune.

Joe s'approcha, essayant de ne pas se souvenir de l'époque où Diana avait eu la même allure : pâle et fragile, les cheveux si clairsemés qu'elle ressemblait à une poupée ancienne abandonnée après avoir été trop aimée.

Claire se réveilla en battant des cils et le fixa.

— J'avais entendu dire que tu étais de retour. Bienvenue.

Il tira une chaise près du lit et s'assit.

— Salut, Claire.

— Je sais. Je ne suis pas à mon top.

— Tu es belle. Tu l'as toujours été.

— Dieu te bénisse, Joe. Je dirai bonjour à Di pour toi.

Elle baissa les paupières.

— Désolée, mais je suis fatiguée.

— Ne sois pas si pressée d'aller retrouver ma femme.

Claire rouvrit les yeux. Elle sembla mettre une minute ou deux avant de parvenir à poser son regard sur Joe.

— Il n'y a aucun espoir, Joe. Toi plus que quiconque, tu sais ce que c'est. C'est trop dur de faire semblant. D'accord ?

— Je vois ça... différemment.

— Tu penses que les blouses blanches se sont trompées ?

— Je ne veux pas te donner de faux espoirs, Claire, mais, oui, c'est possible.

— Tu es sûr ?

— Personne ne l'est jamais.

— Je ne demande pas l'opinion de quelqu'un d'autre. Je veux la tienne, Joe. Est-ce que tu es en train de me dire de ne pas baisser les bras ?

— Une opération pourrait te sauver. Mais elle peut aussi entraîner un tas d'effets secondaires très embêtants, Claire. La paralysie. La perte de tes facultés motrices. Des lésions cérébrales.

Claire salua cette énumération de catastrophes d'un sourire.

— Tu sais à quoi je pensais juste avant ton arrivée ?

— Non.

— À la façon dont j'allais dire à Ali que sa maman va mourir. Je prendrais n'importe quel risque, Joe, plutôt que d'embrasser ma fille pour la dernière fois.

La voix de Claire se brisa et il réalisa à quel point elle souffrait. Son courage le stupéfiait.

— J'ai envoyé tes radios à un de mes amis. S'il est d'accord avec mon diagnostic, il t'opérera.

— Merci, Joe, murmura-t-elle en fermant les yeux.

Voyant qu'elle était épuisée, Joe se pencha en avant et l'embrassa sur le front.

— Au revoir, Claire.

Il avait presque atteint la porte quand elle le rappela.

— Joe ?

Il se retourna.

— Oui ?

Émergeant un instant de son demi-sommeil, elle le regardait.

— Elle n'aurait pas dû te le demander.

— Qui ?

— Diana. Je n'exigerais jamais une chose pareille de Bobby. Je sais ce que ça lui ferait.

Joe n'avait pas de réponse. Gina disait la même chose. Il quitta la pièce et tira la porte derrière lui. Avec un soupir, il s'adossa au mur et ferma les yeux. « Elle n'aurait pas dû te le demander. »

— Joe ?

Il revint à la réalité. Debout quelques mètres plus loin, Meghann le fixait. Elle avait les joues et les paupières rouges et humides. Joe eut une envie irrésistible de sécher ses larmes.

Elle marcha vers lui.

— Dis-moi que tu as trouvé un moyen d'aider Claire.

Joe avait peur de répondre, car l'espoir était à double tranchant : rien n'était plus dur à encaisser que la déception quand on y avait cru.

— J'ai parlé à un confrère. S'il est d'accord avec moi, il opérera, mais...

Meghann se jeta sur Joe et se cramponna à lui.

— Merci.

— C'est très risqué, Meg. Il se peut que Claire ne survive pas à l'opération.

Elle recula, chassant ses larmes en cillant.

— Nous, les filles Sullivan, on préfère partir en se battant. Merci, Joe. Et... excuse-moi pour ce que je t'ai dit. Je suis une vraie garce, quand je veux.

— C'est un peu tard pour me prévenir.

Avec un sourire, Meghann s'essuya les yeux.

— Tu sais, tu aurais dû me raconter, pour ta femme.

— Pendant une de nos discussions à cœur ouvert ?

— Oui.

— Ce n'est pas un bon sujet de conversation sur l'oreiller. Comment peut-on faire l'amour à quelqu'un et lui annoncer, ensuite, qu'on a tué son épouse ?

— Tu ne l'as pas tuée. Le cancer l'a fait. Tu as mis fin à ses souffrances.

— Et j'ai fait en sorte qu'elle arrête de respirer.

Meghann regarda Joe bien en face.

— Si Claire me le demandait, je le ferais. Je serais prête à aller en prison s'il le fallait. Je ne la laisserais pas souffrir.

— Prions le ciel pour qu'on ne se retrouve pas dans cette situation.

Il entendit sa voix se fêler. Autrefois, il aurait eu honte de paraître aussi vulnérable : une époque où il croyait en lui, où il se voyait, au bas mot, comme un demi-dieu.

— Qu'est-ce qu'on fait, maintenant ? demanda-t-elle pour rompre le silence gêné qui s'installait.

— Pour Claire, je veux dire.

Elle s'écarta, soudain désireuse de remettre de la distance entre Joe et elle.

— On attend d'avoir des nouvelles de Stu Weiss-man. Et on croise les doigts pour qu'il soit d'accord avec mon évaluation du cas de ta sœur.

Joe avait atteint l'entrée quand il entendit appeler son nom. Il s'arrêta net et se retourna.

C'était Gina.

— Il paraît que mon frère se comporte à nouveau en médecin.

— Je me suis contenté d'appeler Stu.

Elle approcha en souriant.

— Tu as donné une chance à Claire, Joe.

— On va voir ce que dit Stu, mais oui. Peut-être. Je l'espère.

Elle lui toucha le bras.

— Diana serait fière de toi. Moi aussi, je le suis.

— Merci.

— Viens t'asseoir avec nous dans la salle d'attente. Tu es resté seul trop longtemps. Le moment est venu, pour toi, de commencer une nouvelle vie.

— Il faut d'abord que je règle quelque chose.

— Promets-moi que tu vas revenir.

— Je te le promets.

Une heure plus tard, Joe était à bord du ferry pour Bainbridge Island. Quand le bateau arriva dans le port d'Eagle Harbor, Joe se posta sur le pont supérieur, le long du bastingage. La jolie baie semblait lui souhaiter la bienvenue, avec ses maisons bien entretenues et ses voiliers massés dans la marina. Joe était heureux de constater que le site n'avait pas changé, que les arbres étaient toujours plus nombreux que les habitations et que le front de mer n'avait pas été découpé en parcelles.

« C'est ici, Joey. Je veux élever nos enfants ici. »

Ses doigts accentuèrent leur pression sur la rambarde. Ce jour-là n'était pas si loin – dix ans, environ –, mais pour lui il remontait à une éternité. Diana et lui étaient jeunes et pleins d'espoir. Ils n'avaient pas imaginé qu'ils ne seraient pas ensemble pour toujours. Que l'un des deux continuerait la route seul.

Le ferry fit résonner sa corne.

Joe retourna à la camionnette sur le pont inférieur. Dès que le ferry eut accosté, il mit les gaz pour débarquer.

Les souvenirs l'assaillirent à chaque coin de rue, chaque pancarte : « Va me chercher cette armoire au magasin Bad Blanche, s'il te plaît, Joey... Faisons un saut aux chais, aujourd'hui. J'ai envie de sentir les raisins... On pourrait sauter le dîner, Joey, emmène-moi au lit, si tu ne veux pas me perdre... »

Joe tourna dans son ancienne rue. Les arbres, immenses, dominaient le paysage de toute leur hauteur, bloquant le soleil. Dans l'ombre, la route était calme et tranquille. Il n'y avait pas une maison en vue, juste des boîtes aux lettres et des allées qui partaient sur la droite.

Arrivé à la dernière, il ralentit.

Leur boîte était toujours là. « Dr et Mme Joe Wyatt ». C'était un des premiers achats qu'avait faits Diana, une fois qu'ils avaient signé la promesse de vente.

Il roula le long du chemin bordé d'arbres. Sa maison trônait au milieu d'une tache de soleil, sur le gazon, à côté d'une large plage de graviers. C'était un joli bâtiment comme on en trouve à Cape Cod, avec des bardeaux en cèdre et un liséré d'un blanc brillant.

Il nota que la glycine était revenue à l'état sauvage : ses feuilles vertes et denses envahissaient les balustrades de la véranda, grimpant autour des piliers et sur certains murs extérieurs.

Joe avait quitté l'habitacle rassurant de la camionnette et marchait à pas comptés vers la bâtisse, haletant. La première chose qu'il remarqua fut l'odeur. La saveur vivifiante de l'air marin se mélangeait au parfum sucré des roses en fleur.

Il trouva la clé dans son portefeuille ; il l'avait gardée exprès pour ce jour-là. Il y avait eu des semaines, des mois, où il s'était dit qu'il n'aurait jamais le cran d'y toucher à nouveau.

Il la glissa dans la serrure ; elle cliqueta.

Joe ouvrit la porte – « Chérie, je suis rentré » – et pénétra à l'intérieur.

L'endroit était dans l'état où il l'avait laissé. Il se souvenait encore du jour où il était revenu du tribunal – en théorie, dans la peau d'un homme qui avait été innocenté (non, plutôt d'un non-coupable) – pour faire sa valise. Le seul coup de téléphone qu'il avait passé avait été pour Gina.

« Je suis désolé, avait-il dit, trop épuisé pour être éloquent, mais il faut que je m'en aille.

— Je m'occuperai de ta maison, avait promis Gina à travers ses larmes. Tu reviendras.

— Je ne sais pas, avait répliqué Joe. Comment pourrais-je ? »

Et il était là. Gina avait tenu parole. Elle avait payé les impôts locaux et les factures avec l'argent que Joe lui avait laissé sur un compte. La poussière ne s'était pas amassée sur les meubles ni sur les appuis de fenêtre, aucune toile d'araignée ne pendait des hauts plafonds.

Il déambula de pièce en pièce, touchant les objets, assailli par les souvenirs. Chaque meuble lui rappelait un moment et un endroit particuliers : « Ce fauteuil est parfait, Joey, tu ne crois pas ? Tu pourras t'y asseoir pour regarder la télé. »

Chaque bibelot avait son histoire. Il avançait en piétinant, à la manière d'un aveugle, posant les mains partout, comme si, plus que la vue, le toucher possédait, d'une certaine façon, le pouvoir de faire revivre le passé.

Finalement, il se retrouva dans la chambre. Cela lui fut presque insupportable, mais il se força à continuer. Rien n'avait bougé. Le grand lit ancien que Diana et lui avaient reçu des Roloff comme cadeau de mariage, la superbe courtepointe en patchwork qui leur était revenue à la mort de son père. Les tables de nuit qui croulaient, autrefois, sous les livres : des romans sentimentaux du côté de Di, des histoires de guerre du côté de Joe. Même le minuscule oreiller en tapisserie au petit point qu'elle avait brodé au début de sa maladie.

S'asseyant sur le lit, il prit le coussin, remarquant les taches brunes qui avaient abîmé le tissu. « Je ne crois pas que cet ouvrage soit une bonne thérapie. Je perds tant de sang en me piquant que j'ai la tête qui tourne. »

— Salut, Diana, dit-il, regrettant l'époque où il arrivait à faire apparaître son image.

Il caressa l'oreiller, se rappelant combien il aimait toucher sa femme.

— Je suis allé à l'hôpital, aujourd'hui. C'était bien.

Il savait ce que Diana aurait répondu. Pourtant, il n'était pas sûr d'être prêt à replonger. Sa vie avait changé, volant en éclats qui pourraient fort ne jamais se recoller.

541

Il n'avait pas oublié la façon que les gens avaient de le regarder à son ancien travail. Ils se demandaient en le voyant : « C'est donc à ça que ressemble un meurtrier ? »

Perdu dans la contemplation de l'oreiller, il en effleurait la surface machinalement.

— Tu n'aurais pas dû me le demander, Diana. Ça... m'a fichu en l'air. Enfin, je me suis sans doute fichu en l'air aussi, admit-il sourdement.

Il aurait dû rester ici, dans cette communauté à laquelle il tenait. Son erreur avait été de s'enfuir. Il était temps qu'il cesse de se cacher et de jouer les fugitifs, qu'il relève la tête face à ceux qui le jugeaient mal et dise : « Ça suffit ! » Le moment était venu pour lui de reprendre sa vie en main.

Il arriva à se lever, s'approcha du placard et ouvrit les portes. Les vêtements de Diana prenaient les deux tiers de la place. Trois ans plus tôt, Joe avait essayé de les mettre dans des cartons pour les donner aux œuvres. Il lui avait suffi de plier un malheureux pull en cachemire rose pour tout arrêter.

Il tendit le bras vers un modèle à col montant en angora beige, que Diana adorait. Il le fit glisser du cintre en plastique blanc et l'approcha de son visage. Le parfum de sa femme y persistait, presque imperceptible. Les larmes piquèrent les yeux de Joe.

— Au revoir, Diana, murmura-t-il.

Sur ce, il alla chercher un carton.

30

Le lendemain matin, Stu Weissman appela Claire. Son ton était précipité, ses phrases hachées. Claire était si abrutie et désorientée qu'il lui fallut quelques secondes pour comprendre de quoi il s'agissait.

— Attendez, finit-elle par demander en se redressant. Vous êtes en train de me dire que vous allez m'opérer ?

— Oui, mais il va falloir jouer serré. Il est possible que ça tourne mal. Vous pouvez vous retrouver paralysée, avoir des lésions cérébrales, ou pire.

— Vous voulez dire que ça peut empirer plus tôt que prévu.

Le commentaire fit rire Stu.

— Oui.

— Je prends le risque.

— Dans ce cas, moi aussi. Je serai là ce soir. L'opération est prévue à huit heures demain matin.

Stu se radoucit.

— Je ne veux pas avoir l'air négatif, Claire, mais vous devriez mettre vos affaires en ordre. Vous me suivez ?

— Je comprends. Merci, docteur Weissman.

Claire consacra la journée à dire au revoir à ses amies. Elle les prit une par une, convaincue que chacune d'elles méritait toute son attention.

Avec Karen, elle plaisanta au sujet des cheveux gris que Willie ne manquerait pas de lui donner durant les prochaines années et la supplia de faire en sorte que son troisième mariage soit un succès.

Elle tint des propos encourageants à Charlotte :

— N'abandonne pas ton idée d'avoir un bébé. Les enfants sont la marque de notre passage en ce monde. Si tu ne peux pas en avoir, adoptes-en et aime-les de tout ton cœur.

Avec Gina, ce fut plus difficile. Elles passèrent presque une heure ensemble ; Claire s'assoupissait à intervalles réguliers, tandis que, debout à côté du lit, Gina essayait de ne pas pleurer.

— Occupe-toi de ma famille, finit par demander Claire en faisant un gros effort pour garder les yeux ouverts.

— Occupe-t'en toi-même, rétorqua Gina en essayant de prendre un ton léger. Tu sais bien que je le ferai, ajouta-t-elle très bas.

Ces adieux, embarrassés et douloureux, étaient remplis de non-dits et de barrières invisibles. Tout le monde se comportait comme si Claire serait toujours là le lendemain soir, à rire et à plaisanter comme à son habitude. Elle laissa ses amies avec cette conviction ; pourtant, même si elle voulait garder la foi, l'espoir lui faisait l'effet d'un pull emprunté qui ne lui allait pas tout à fait.

Elle était épuisée et elle avait peur. Le Dr Weissman avait semblé aussi réservé dans son optimisme que franc dans son évaluation du risque. N'avait-il pas expliqué qu'il « était possible que ça tourne mal » ? L'aspect le plus pénible de la peur était l'intense sentiment de solitude qu'elle engendrait. Claire ne pouvait en parler à personne.

De temps à autre, au cours de cette journée qui n'en finissait pas, elle s'était surprise à souhaiter être déjà morte et avoir quitté ce monde à l'improviste, en flottant. Elle ne pouvait pas partir en douce, maintenant que les êtres qu'elle aimait étaient rassemblés dans la salle d'attente à prier pour elle. Elle était accablée par l'idée des adieux qu'il lui restait à faire. Bobby et Sam pleureraient en la prenant dans leurs bras, et Meghann crierait sa colère haut et fort.

Et puis il y avait Alison. Comment Claire résisterait-elle à cette épreuve ?

L'hôpital possédait une chapelle œcuménique au deuxième étage.

Meghann marqua un temps d'arrêt dans l'embrasure de la porte. Il y avait des années qu'elle n'était pas allée chercher de réconfort à l'église, des décennies, même.

Elle entra, laissant les battants se refermer derrière elle. Le bruit régulier de ses pas était assourdi par la moquette couleur moutarde. Se glissant sur un des bancs du milieu, elle s'agenouilla sur le sol. Il lui semblait normal d'adopter cette position pour demander un miracle. Joignant les mains, elle baissa la tête.

— Je m'appelle Meghann Dontess, dit-elle en guise d'introduction. Je suis sûre que vous m'avez oubliée. Je ne vous ai pas parlé depuis... oh... la fin

545

du collège, je crois. C'était quand j'ai prié pour qu'on ait assez d'argent pour les leçons de danse classique de Claire. Ensuite, maman s'est fait virer et on a déménagé. J'ai... cessé de croire que vous pouviez nous aider.

Elle pensa à Claire, là-haut, si pâle et fatiguée dans son lit, et aux risques que l'opération lui ferait courir.

— Ma sœur fait partie des bons, mon Dieu. S'il vous plaît, protégez-la. Ne laissez pas Ali grandir sans sa maman.

Meghann ferma les yeux de toutes ses forces. Des larmes roulèrent sur ses joues et atterrirent sur ses mains. Elle aurait aimé en dire plus, peut-être proposer un marché, mais elle n'avait que son désespoir à offrir.

Derrière elle, la porte s'ouvrit, puis se referma. Quelqu'un remonta l'allée. Meghann se rassit sur le banc en se tamponnant les paupières.

— Meg ?

Surprise, elle releva la tête. Sam était debout à côté d'elle, son grand corps voûté par l'impuissance, les yeux rouges.

— Claire dit adieu à ses copines.

— Je sais.

— Je ne supporte pas de les voir sortir de la chambre les unes après les autres. Leur sourire s'évanouit aussitôt et elles se mettent à pleurer.

Meghann avait pris la fuite pour la même raison.

— Claire a de la chance d'avoir des amies si fidèles.

— Oui. Je peux me joindre à toi ?

Elle se glissa vers la droite pour lui faire de la place. Il s'installa à côté d'elle, assez près pour qu'elle sente la chaleur de son corps. Ils restèrent dans cette position, sans se toucher ni parler. Sam finit par reprendre la parole.

— J'avais trente ans quand tu m'as appelé.

Meghann fit la moue.

— Oh.

Qu'espérait-il ?

— Je n'avais ni frères ni sœurs, et pas d'autres enfants.

— Je sais, Sam. Tu me le rappelais chaque fois que je faisais une bêtise.

Il soupira.

— J'étais furieux contre Eliana. Elle m'avait privé de l'enfance de ma fille. Pendant toutes ces années, j'avais été seul, alors que ce n'était pas une nécessité... Et la façon dont Claire et toi viviez, à la petite semaine, me révulsait.

— Je sais.

Il se contorsionna pour la regarder en face.

— Claire était facile. Elle a levé ses grands yeux confiants vers moi et m'a dit : « Bonjour, papa. » Simplement. Et je suis tombé sous le charme. Mais toi, tu me fichais une trouille bleue. Tu étais dure, grande gueule et tu pensais que rien de ce que je disais à Claire n'était bien. Je ne savais pas que tu te comportais juste comme une adolescente. Pour moi, tu ressemblais à...

— Maman.

— Oui. Et je refusais que Claire paie les pots cassés. Ça m'a pris pas mal de temps – des années – pour me rendre compte que tu ne ressemblais pas à Ellie. Mais à ce moment-là c'était trop tard.

— Je suis sans doute vraiment comme maman, marmonna Meghann.

— Non, objecta Sam. Tu as été un roc pour Claire tout au long de ce cauchemar. Tu as du cœur, assez pour sauver des gens, même si tu n'en es pas convaincue. Et je suis désolé de ne pas l'avoir réalisé quand j'étais plus jeune.

— Beaucoup de choses se sont clarifiées, ces derniers temps.

— Oui.

Il se redressa.

— Je ne sais pas comment je vais résister aux événements.

Elle n'avait rien à répondre. Comment aurait-elle pu, alors qu'elle était hantée par la même question ?

Quelques minutes plus tard, la porte s'ouvrit à nouveau. Cette fois-ci, c'était Bobby. Il était décomposé.

— Claire veut voir Ali, chuchota-t-il d'un ton cassant. Je ne peux pas m'en occuper.

Sam eut un petit gargouillis affolé.

— Mon Dieu !

— Je m'en charge, proposa Meghann.

Et elle se leva.

Claire avait dû s'endormir encore une fois. Quand elle se réveilla, le soleil au-dehors avait baissé, baignant la pièce d'une douce lumière dorée.

— Ta maman est réveillée.

Claire aperçut Alison. Elle s'accrochait à Meghann comme un petit singe, les bras enroulés autour de son cou, les jambes enserrant sa taille.

Claire eut un gémissement étouffé avant de se ressaisir en souriant d'un air las. La seule façon de supporter cet instant était de prétendre qu'il y en aurait un autre. Pour Alison, il lui fallait croire aux miracles.

— Coucou, Ali Kat. Il paraît que tu manges tous les petits pains à la cannelle de la cafétéria ?

Alison rit nerveusement.

— Seulement trois, m'man. Tante Meg a dit que si j'en prenais un de plus, j'allais vomir.

Claire ouvrit les bras.

— Viens ici, mon bébé.

Meghann se pencha en avant pour déposer sa nièce avec précaution dans les bras frêles de Claire. Celle-ci tint sa fille si fort contre elle qu'on aurait dit qu'elle n'allait plus la lâcher. Elle refoulait ses larmes et son sourire ne tenait qu'à un fil, tandis qu'elle chuchotait dans l'oreille d'Alison, rose comme un coquillage :

— Rappelle-toi que je t'aime.

— Je sais, m'man, répondit Alison en se blottissant encore plus près.

Elle restait immobile tel un bébé endormi, plus calme qu'elle ne l'avait été depuis des années. Alors, Claire réalisa qu'elle comprenait.

— J'ai promis à Dieu que je ne réclamerais plus jamais de pétales de maïs aux pépites de chocolat, si tu guérissais.

Claire sentit quelque chose se déchirer en elle. Elle resta agrippée à son enfant aussi longtemps que possible.

— Ramène Ali à la maison, finit-elle par demander à Meghann quand le chagrin fut insupportable.

Celle-ci reprit la fillette, qui se contorsionna pour échapper à son étreinte et glissa sur la chaise en plastique moulé à côté du lit. Elle resta debout sur le siège branlant, à fixer sa mère.

— Je ne veux pas que tu meures, m'man, dit-elle d'une voix enrouée.

Claire avait trop de peine pour pleurer. Regardant son bébé chéri, elle réussit à sourire.

— Je sais, mon poussin, et je t'aime plus que toutes les étoiles dans le ciel. Maintenant, file à la maison en vitesse avec grand-père et Bobby. Il paraît qu'ils vont t'emmener voir un film.

Meghann s'inclina une nouvelle fois pour prendre Alison dans ses bras. Elle aussi était au bord des larmes.

— Oblige Bobby à rentrer, demanda Claire à sa sœur. Il est resté ici chaque nuit. Raconte-lui que je t'ai dit qu'Ali avait besoin qu'il soit là ce soir.

Meghann s'approcha et prit la main de Claire.

— C'est nous qui avons besoin de toi.

Claire soupira.

— Il faut que je dorme, se contenta-t-elle de répondre.

Des heures plus tard, Claire se réveilla en sursaut. Son cœur battait la chamade et elle se sentait au bord de l'étourdissement. Pendant une fraction de seconde, elle ne se rappela pas où elle était. Puis elle vit les fleurs et les appareils. En plissant les yeux, elle arriva à distinguer l'horloge murale. La lueur de la lune se reflétait sur sa surface de verre bombée. Il était quatre heures du matin.

Bientôt, on lui ouvrirait le crâne.

Claire commençait à paniquer quand elle aperçut Meghann, qui dormait dans un coin, étalée sur un des fauteuils inconfortables.

— Meg, implora-t-elle tout bas en appuyant sur le bouton de la télécommande pour redresser le lit.

En dépit du bourdonnement de l'appareil, sa sœur ne se réveilla pas.

— Meg, insista Claire.

Meghann se redressa brutalement et balaya la pièce des yeux.

— J'ai raté l'examen ?

— Par ici.

Battant des paupières, Meghann passa la main dans ses cheveux hirsutes et emmêlés.

— C'est maintenant ?

— Non. On a encore quelques heures.

Meghann se leva et traîna le fauteuil près du lit.

— Tu as dormi ?

— Je me suis assoupie. Quand on sait qu'on va être trépané, on a tendance à rester éveillé.

Claire eut un bref regard en direction du clair de lune. Elle eut soudain si peur qu'elle se mit à trembler. La bravoure de façade qu'elle avait affichée pour sa famille et ses amies avait disparu, la laissant confrontée à sa vulnérabilité.

— Tu te rappelles ce que je faisais quand j'avais un cauchemar ?

— Tu te glissais dans mon lit.

— Oui. Le vieux lit de camp dans le salon de la caravane.

Claire sourit à cette évocation.

— Il sentait le bourbon renversé et la fumée de cigarette, et il était trop petit pour nous deux. Mais

551

quand je me mettais dedans et que tu me serrais fort, j'avais l'impression que rien de mauvais ne pourrait m'arriver.

Levant les yeux vers sa sœur, elle écarta la couverture.

Après un moment d'hésitation, Meghann s'allongea près de Claire et l'attira à elle. Elle avait remarqué à quel point sa sœur avait maigri, mais s'abstint de tout commentaire.

— Comment se fait-il qu'on ait oublié ce qui comptait ?

— J'ai été idiote.

— On a perdu du temps.

— Je suis navrée, dit Meghann. Il y a belle lurette que j'aurais dû te le dire.

Claire prit la main de sa sœur.

— Je vais te demander quelque chose, Meg, et je ne veux pas que tu me mettes des bâtons dans les roues en disant tes bêtises habituelles. Je ne pourrai pas le faire deux fois : prononcer chaque mot, c'est comme avaler du verre brisé. Si le pire se produit, je veux que tu t'occupes d'Ali. Il lui faudra une mère.

Meghann serra sa main si fort qu'elle lui coupa la circulation. Les secondes s'écoulèrent avant qu'elle réponde, avec une émotion visible.

— Je m'assurerai qu'elle se souvienne toujours de toi.

Incapable de parler, Claire acquiesça.

Ensuite, elles restèrent allongées dans le noir, enlacées, jusqu'à ce que l'aube pénètre dans la pièce et que les médecins viennent chercher Claire.

Debout près de la fenêtre, Meghann regardait le fouillis de bâtiments beiges de l'autre côté de la rue. Durant les trois heures qui s'étaient écoulées depuis qu'on avait emmené Claire en salle d'opération, elle avait compté toutes les fenêtres et les portes visibles. Vingt-trois personnes étaient passées au coin de Broadway et de James Street. Seize autres avaient fait la queue devant le café Starbucks.

Quelqu'un tira Meghann par la manche. Elle regarda vers le bas. Alison était là, le visage levé vers elle.

— J'ai soif.

À la vue des yeux verts si brillants de sa nièce, Meghann faillit éclater en sanglots.

— D'accord, ma puce, réussit-elle à articuler en la soulevant dans ses bras.

Elle la porta jusqu'à la cafétéria en s'obligeant à ne pas la serrer trop fort.

— Je voudrais un Pepsi aux myrtilles. C'est ce que tu m'as pris la dernière fois.

— Il n'est que onze heures. Un jus de fruit, c'est plus sain.

— Tu parles comme m'man.

Meghann avala sa salive.

— Tu savais que ta maman aimait le Coca light et les sodas bien chimiques, quand elle était petite ? Mais je la forçais à boire du jus d'orange.

Elle paya la boisson et repartit pour la salle d'attente, Alison toujours dans les bras. Cependant, quand elle se pencha pour la reposer, celle-ci l'agrippa plus fort.

— Ali..., laissa-t-elle échapper en tenant sa nièce contre elle.

Elle avait envie de lui promettre que sa maman irait mieux, mais les mots restèrent coincés dans sa gorge.

Elle s'assit sans lâcher Alison et lui caressa les cheveux. En l'espace de quelques minutes, l'enfant s'endormit.

De l'autre côté de la pièce, Gina leva les yeux, notant la présence de Meghann et d'Alison, avant de se replonger dans les mots croisés. Sam, Eliana, Bobby, Karen et Charlotte jouaient aux cartes. Dans un coin, Joe lisait un magazine. Il n'avait pas levé les yeux ni adressé la parole à quiconque depuis des heures. En réalité, personne n'avait beaucoup parlé. Qu'y avait-il à dire ?

Vers midi, une infirmière du service de chirurgie vint annoncer qu'il y en aurait encore pour plusieurs heures.

— Vous devriez manger quelque chose, conseilla-t-elle avec sollicitude. Si vous tombez dans les pommes, ça n'aidera pas Claire.

Sam fit un signe approbateur du menton et se leva.

— Allez, enjoignit-il à la cantonade. Si on sortait pendant un moment ? Je vous offre le déjeuner.

— Je reste ici, répondit Meghann. Ali dort.

La nourriture était le cadet de ses soucis.

Bobby lui toucha l'épaule.

— Tu veux qu'on te rapporte quelque chose ?

— Peut-être un sandwich à la confiture et au beurre de cacahuète pour Ali.

— C'est comme si c'était fait.

Une fois les autres partis, elle se rencogna dans le fauteuil, appuyant sa tête contre le mur. Dans ses bras, Alison se reposait. Il lui semblait qu'hier encore elle tenait sa sœur de cette façon en lui murmurant que tout irait bien.

— Claire y est depuis plus d'quatre heures. Qu'est-ce qu'ils font tous là-dedans, d'ailleurs ?

Meghann leva les yeux pour découvrir sa mère, une Virginia Slim pas encore allumée à la main. Par endroits, son maquillage avait débordé. Sans ses apprêts habituels, elle avait l'air fanée.

— Je croyais que tu étais partie déjeuner.

— Dans une cafétéria ? Très peu pour moi. J'dînerai plus tôt dans ma suite.

— Assieds-toi, maman.

Eliana s'effondra sur la chaise à côté de Meghann.

— C'est le pire jour de ma vie. Sérieux. Et c'est rien d'le dire.

— C'est dur. L'attente.

— J'devrais aller chercher Sam. P't-être qu'il voudra jouer aux cartes.

— Pourquoi l'as-tu quitté, maman ?

— C'est un homme bien, répliqua Eliana.

Meghann pensa d'abord que ce n'était pas une réponse, puis elle comprit. Sa mère avait pris la fuite précisément parce que Sam était quelqu'un de bien. Meghann en savait long sur ce genre de peur.

— Il y a des choses que j'aurais dû dire, confessa Eliana à mi-voix en gesticulant avec sa cigarette. Mais j'ai jamais été très bonne, sans avoir de texte.

— Aucune de nous trois n'est douée pour parler.

— Dieu merci ! Parler ne change rien.

Eliana se leva brusquement.

— Ça me remonte toujours le moral d'rencontrer des journalistes. Au revoir, Meggy. J'serai de l'autre côté de la rue quand… vous autres apprendrez qu'elle va bien.

Sur ces bonnes paroles, Eliana sortit majestueusement de la salle d'attente, un sourire hollywoodien aux lèvres.

Les heures se succédèrent jusqu'à ce que, aux alentours de seize heures, le Dr Weissman pénètre dans la salle d'attente. Meghann fut la première à l'apercevoir. Resserrant son étreinte sur Alison, elle se mit debout. Ensuite, ce fut le tour de Bobby, puis celui de Sam, et enfin de Joe, Gina, Karen et Charlotte. Le groupe s'approcha en silence du médecin, qui se passait les mains dans les cheveux en souriant avec lassitude.

— L'opération s'est bien déroulée.

— Merci, mon Dieu, murmurèrent les uns et les autres.

— Mais Claire est loin d'être sortie d'affaire. La tumeur était plus invasive qu'on ne le pensait.

Le Dr Weissman leva les yeux vers Joe.

— On en saura plus dans les heures qui suivent.

31

À son réveil en salle de réanimation, Claire était sonnée et désorientée. Un mal de tête lancinant battait derrière ses orbites. Elle était sur le point d'appuyer sur le bouton d'appel quand elle prit brutalement conscience d'un fait essentiel.

Elle était vivante.

Elle mit sa mémoire à l'épreuve en comptant jusqu'à cent et en essayant de faire la liste des villes où elle avait habité pendant son enfance, mais elle n'en était qu'à Barstow quand la première infirmière entra. Ensuite, on l'inspecta, on la tâta et on la testa jusqu'à ce qu'elle n'arrive plus à penser.

Bientôt, la famille se relaya à son chevet. Bobby, assis près du lit, lui tint un paquet de glace sur la tête des heures durant et Sam lui donna des glaçons à sucer quand elle avait soif. Meghann avait apporté le dessin le plus récent d'Alison, qui représentait trois personnages de couleur vive grossièrement représentés debout au bord d'une rivière. Avec un tracé incertain, proche du gribouillage, Alison avait écrit : « Je t'aime, maman. »

Le deuxième jour après l'intervention, Claire devint irritable ; elle avait mal. Non seulement son corps était perclus de douleurs, mais les ecchymoses sur son front lui donnaient des élancements terribles. Les médecins refusaient de trop la droguer pour ne pas masquer les éventuelles répercussions postopératoires.

— Je me sens très mal, confia-t-elle à Meghann, assise sur une chaise près de la fenêtre.

— Tu as mauvaise mine.

Non sans peine, Claire sourit.

— Toujours aussi aimable, comme garde-malade. Tu crois qu'on va bientôt venir me chercher ?

Meghann leva les yeux de son livre, qui était à l'envers, comme le remarqua sa sœur.

— Je vais vérifier encore une fois.

Elle posa l'ouvrage. Elle se levait quand la porte s'ouvrit.

Dolores, l'infirmière de l'équipe de jour qui s'occupait de Claire, entra en souriant. Elle poussait un fauteuil roulant vide.

— C'est l'heure de votre IRM.

Claire fut prise de panique. Tout d'un coup, elle n'avait plus envie de savoir. Elle se sentait mieux. Elle n'en demandait pas plus…

Meghann se plaça à côté d'elle et lui prit la main. Ce simple geste l'aida à passer le cap difficile.

— Très bien, Dolores. Allons-y.

Quand le fauteuil passa dans le couloir, Bobby s'y trouvait.

— C'est l'heure ?

— Oui, répondit Meghann.

Bobby tint la main de Claire durant le trajet jusqu'au service de médecine nucléaire. Puis la jeune femme affronta seule le couloir blanc, désormais familier. Quelques minutes plus tard, allongée dans la machine, submergée par son bruit de marteau-piqueur, elle visualisa une radio sans tache de son cerveau, si clairement qu'une fois l'examen terminé elle avait les tempes trempées de larmes.

Meghann, Bobby et Dolores l'attendaient à sa sortie de l'appareil. Dolores l'aida à s'installer dans le fauteuil roulant et à placer ses pieds chaussés de pantoufles sur la barre. Ils retournèrent dans la chambre.

Dès lors, l'attente fut insupportable. Meghann faisait les cent pas dans la chambre. Bobby serrait la main de Claire si fort qu'elle en avait perdu toute sensation dans les doigts. Sam entrait et sortait sans cesse.

Dolores revint enfin.

— Les médecins vous attendent, Claire.

Claire supporta le trajet en fauteuil sans hurler grâce à la paume chaude de Bobby sur son épaule, au monologue sans conséquence de Dolores et à la proximité de Meghann.

— On y est.

Dolores s'arrêta devant la porte du bureau et frappa.

— Entrez !

Dolores tapota l'épaule de Claire.

— On prie pour vous, mon ange.

— Merci.

Meghann se plaça derrière le fauteuil et poussa Claire dans le bureau. Il y avait plusieurs médecins dans la pièce. Le Dr Weissman fut le premier à parler.

— Bonjour, Claire.

— Bonjour, répondit-elle en essayant de ne pas céder à la tension.

Les praticiens attendirent que Meghann prenne place, jusqu'à ce qu'ils comprennent qu'elle avait l'intention de rester debout.

Le Dr Weissman alluma l'écran lumineux. Les radios de Claire étaient dessus. Son cerveau. Empoignant les roues de son fauteuil, elle le fit rouler plus près. Elle regarda les clichés, puis les médecins, dubitative.

— Je ne vois pas de tumeur.

Le médecin eut un large sourire.

— Moi non plus. Je crois qu'on l'a eue en entier, Claire.

— Mon Dieu.

Elle avait prié pour un tel diagnostic. Elle s'était persuadée d'y croire, mais à présent elle se rendait compte que sa conviction reposait sur des bases plutôt branlantes.

— Les premiers résultats du laboratoire indiquent qu'il s'agit d'un astrocytome bien différencié, reprit le Dr Weissman.

— Pas de glioblastome multiforme ? Merci, mon Dieu.

— En effet, c'est une bonne nouvelle. De plus, la tumeur était bénigne, ajouta le Dr Weissman.

Un de ses confrères s'avança.

— Vous êtes une femme chanceuse, madame Austin. Le Dr Weissman a fait un travail exceptionnel. Cependant, comme vous le savez, nombre de tumeurs au cerveau se régénèrent. Vingt-huit pour cent…

— Arrêtez !

Claire ne réalisa qu'elle avait crié qu'en voyant l'expression effrayée des membres du corps médical. Elle consulta du regard Meghann, qui acquiesça pour l'encourager.

— Je ne veux pas entendre vos statistiques. C'était bénin, n'est-ce pas ?

— Oui, répondit le médecin, mais en ce qui concerne le cerveau, bénin est un terme trompeur. Qu'elles soient ou non de ce type, toutes les tumeurs dans cette partie du corps peuvent avoir une issue fatale.

— Oui, oui, à cause de l'espace limité qu'il y a dans la tête, compléta Claire avec impatience. Mais ce n'est pas un cancer qui va se propager dans mon organisme, n'est-ce pas ?

— Exact.

— Donc la tumeur a disparu et elle était bénigne. C'est tout ce qui m'intéresse. À partir d'aujourd'hui, vous pouvez me parler de traitements, mais pas de statistiques ni de chances de survie. Ma sœur s'est plongée dans vos chiffres.

Claire sourit à Meghann.

— Elle croyait que je ne l'écoutais pas, mais si. Elle gardait un dossier, sur le comptoir de la cuisine, intitulé « Espoir ». Dedans, il y avait des dizaines de récits de personnes à qui on avait diagnostiqué une tumeur au cerveau sept ans auparavant, voire plus, et qui étaient encore en vie. Vous savez ce qu'elles avaient en commun ?

Seul le Dr Weissman souriait.

— On avait annoncé à chacune d'elles qu'elle avait moins de six mois à vivre. Vous, les médecins, êtes comme les météorologues de Seattle en juin. Tout ce que vous prévoyez, ce sont des averses. Mais je ne prends jamais de parapluie. Mon avenir est ensoleillé.

Le sourire du Dr Weissman s'élargit. Il traversa la pièce et se pencha vers Claire pour lui chuchoter :

— Bravo.

Elle leva les yeux vers lui.

— Il n'y a pas de mots qui soient assez forts pour vous remercier.

— C'est Joe Wyatt que vous devez remercier. Bonne chance à vous, Claire.

À peine revenue dans sa chambre, Claire s'effondra en pleurant. On aurait dit qu'elle n'arriverait pas à s'arrêter. Bobby la tint serrée contre lui, embrassant son crâne chauve, jusqu'à ce qu'elle se décide à croiser son regard.

— Je t'aime, Bobby.

S'accrochant à lui, elle lui dit dans le creux de l'oreille :

— Va chercher Ali. Je veux lui annoncer que sa maman va s'en sortir.

Il partit d'un pas pressé.

— Tu as été incroyable, Claire, la complimenta Meghann quand elles se retrouvèrent seules.

— Voici ma nouvelle devise : *Il ne faut pas provoquer Crâne d'œuf.*

— Je m'en garderai bien, confirma Meghann, radieuse.

Claire prit la main de sa sœur et la tint longuement.

— Merci.

Meghann embrassa le front de Claire, où l'on voyait encore les marques des vis, et dit dans un souffle :

— On est sœurs.

La réponse suffisait à Claire.

— Je vais chercher maman. Elle va probablement amener une équipe de reporters.

Meghann quitta la chambre en souriant.

— La tumeur a disparu, s'entraîna à dire Claire dans la pièce vide.

Et elle se mit à rire.

Meghann trouva tout le monde à la cafétéria. Bobby était en grande conversation avec Sam. Debout dans la queue du self-service, Eliana signait des autographes. Assises dans un coin avec Alison, les Bleues discutaient. Le seul à manquer à l'appel était Joe.

— Et j'étais donc…, racontait Eliana à son public, captivé, prête à monter sur scène dans une robe dont la fermeture à glissière ne fermait pas. J'suis pas une planche à pain, précisa-t-elle avec un rire mutin, alors vous pouvez imaginer…

— Maman ? l'interrompit Meghann en lui touchant le bras.

Eliana fit volte-face. Quand elle aperçut son aînée, son sourire factice pâlit. L'espace d'un instant, elle parut moins grande, vulnérable. La petite Blanche, née dans les bas quartiers de Detroit.

— Alors ? demanda-t-elle d'une petite voix.

— Tu peux monter, maman, les nouvelles sont bonnes.

Eliana soupira longuement.

— Bien sûr que oui. Vous avez tant dramatisé, vous autres.

Elle se retourna vers ses admirateurs.

— J'déteste partir en plein milieu d'une histoire, mais il semble que ma fille se soit miraculeusement remise. Ça me rappelle un film télé où j'avais un rôle, à l'époque…

Meghann s'éclipsa.

— Tante Meg ! l'apostropha Alison en bondissant vers elle.

Meghann la souleva pour l'embrasser.

— Ma maman est guérie.

Les Bleues ponctuèrent cette déclaration d'un cri de joie.

— Allons voir Claire.

Bobby s'approcha de Meghann.

— Viens, Ali Gator, fit-il en attirant Alison dans ses bras. On va embrasser maman.

Il avait commencé à s'éloigner mais se ravisa et revint en arrière pour poser un baiser délicat sur la joue de sa belle-sœur.

— Merci, murmura-t-il.

Surprise par l'intensité de son émotion, Meghann ferma les yeux. Quand elle les rouvrit, elle vit à travers ses larmes que Sam venait vers elle.

Il prit son temps, comme s'il avait peur que ses jambes ne se dérobent sous lui, puis tendit la main pour caresser la joue de Meghann.

— Je t'attends à la maison pour Thanksgiving. Pas d'excuses à la noix. On est une famille.

Meghann pensa aux années où elle avait décliné l'offre de Claire et à celles où elle n'en avait pas reçu. Alors, elle se rappela le dernier Thanksgiving, où elle avait mangé des céréales aux raisins en guise de dîner, seule. Pendant tout ce temps, elle avait fait comme si de rien n'était. Mais désormais elle n'avait plus besoin de jouer la comédie ni de supporter la solitude.

— Essaie un peu de m'empêcher de venir, répliqua-t-elle.

Avec un signe de tête, il dévia vers la file d'attente du self-service pour attraper le bras d'Eliana et l'entraîner loin de la foule. Celle-ci envoya des baisers dans les airs à la cantonade en le suivant, la démarche un peu hésitante.

Meghann resta sur place une minute de plus, sans savoir vraiment où aller.

Joe.

Elle emprunta les couloirs, faisant signe que tout allait bien aux infirmières et aux aides-soignantes, qui étaient devenues plus que des amies, pendant les dernières semaines. Dans la salle d'attente, elle s'arrêta d'une glissade.

La pièce était vide, et le magazine que Joe lisait, abandonné, encore ouvert, sur la table.

Meghann regarda en direction de la chambre de Claire, mais sa sœur n'avait plus besoin d'elle. Elles auraient le temps de se retrouver quand l'excitation serait retombée et que la vie reprendrait son cours. Elles avaient l'existence devant elles. Pour l'instant, Claire avait juste besoin de vêtements pour sa sortie de l'hôpital.

Meghann prit l'ascenseur, rejoignit le hall et sortit. Elle brûlait d'appeler Élisabeth pour lui annoncer la nouvelle.

C'était une magnifique journée ensoleillée. Les contours de la ville semblaient plus nets, plus propres. Au loin, le bras de mer brillait d'un bleu argenté entre les gratte-ciel gris. Meghann descendit la colline, réfléchissant à sa vie, son travail, sa famille.

Peut-être qu'elle allait changer de métier, qu'elle s'orienterait vers une autre branche du droit. Ou encore qu'elle monterait une entreprise, une sorte de lieu d'échange pour les personnes atteintes d'une tumeur ; elle trouverait sans doute un médecin ayant perdu ses illusions pour s'associer au projet. Ou peut-être créerait-elle une organisation caritative destinée à aider le financement des meilleurs soins possible dans les pires circonstances. Le monde lui paraissait dorénavant ouvert et plein de possibilités nouvelles.

Il lui fallut moins d'une demi-heure pour regagner son appartement. Elle était sur le point de traverser la rue quand elle l'aperçut, debout devant la porte d'entrée.

En la voyant arriver, Joe alla à sa rencontre.

— Gina m'a expliqué où tu habitais.

— Stu t'a raconté, pour l'IRM ?

— Je viens de passer une heure avec lui. Les choses se présentent bien pour Claire.

— Oui.

Joe s'approcha de Meghann.

— Je suis fatigué de me ficher de tout, Meg, dit-il avec lassitude. Et aussi de faire comme si j'étais mort en même temps que Diana.

Elle leva les yeux vers lui. Ils étaient tout près, assez pour qu'il puisse l'embrasser s'il le décidait.

— Quelle chance a-t-on d'y arriver, nous deux ?

— On a une chance. Comme n'importe qui.

— Mais il se peut qu'on souffre.

— On a déjà survécu à ça.

Joe caressa le visage de Meghann si tendrement qu'elle eut envie de pleurer. Aucun homme n'avait montré une telle douceur avec elle.

— Et peut-être qu'on pourrait tomber amoureux ?

Plongeant son regard dans celui de Joe, Meghann y lut de l'espoir en l'avenir. Et même plus. Elle vit un peu de l'amour dont il parlait. Pour la première fois, elle y crut. Si Claire guérissait, tout était possible.

Meghann entoura Joe de ses bras en se mettant sur la pointe des pieds. Avant de l'embrasser, elle s'enhardit à murmurer :

— Peut-être que c'est déjà fait.

Épilogue

Un an plus tard

Le champ de foire était bourré de monde, le bruit assourdissant. Les enfants hurlaient dans les attractions de la fête foraine et les parents criaient contre eux tandis que les forains aboyaient des invitations à essayer les jeux, au rythme cadencé de l'orgue de Barbarie.

Alison ouvrait la marche, traînant Joe d'un manège à l'autre. Meghann et Claire suivaient en papotant, chargées d'animaux en peluche et de babioles de quatre sous que Joe avait gagnés. La seule séquelle de l'épreuve que Claire avait traversée restait sa claudication, qui devenait moins prononcée au fil des jours. Ses cheveux avaient repoussé, plus bouclés et plus blonds qu'avant.

— C'est l'heure, annonça Claire en appelant Joe d'un geste.

Marchant de front, ils passèrent tous les quatre devant la buvette et tournèrent à gauche en direction des gradins.

— Il y a déjà foule, remarqua-t-elle nerveusement.

— Bien sûr, commenta Meghann.

— Dépêche-toi, m'man, dépêche-toi !

Alison faisait de petits bonds joyeux. Arrivée à la porte réservée sur le côté, Claire montra le coupe-file qui lui donnait accès aux coulisses. Meghann, Alison, Joe et elle se frayèrent un chemin dans la zone de transit, au milieu des musiciens et des chanteurs qui s'échauffaient.

En les voyant arriver, Bobby leur adressa de grands signes. Alison courut vers lui. Il la souleva pour la faire tournoyer en l'air.

— Mon papa va chanter, ce soir, dit-elle à tue-tête pour que tout le monde entende.

— Ça, c'est sûr.

Bobby passa un bras autour de Claire, l'attirant pour l'embrasser.

— Souhaite-moi bonne chance.

— Tu n'en as pas besoin.

Claire parla quelques minutes avec Bobby, avant de le laisser se préparer, puis le groupe grimpa sur les gradins et s'installa au quatrième rang. Meghann aida Claire à s'asseoir : sa sœur avait encore parfois des problèmes d'équilibre.

— Kent Ames a appelé, la semaine dernière, dit Claire. Maman lui a passé un savon d'avoir annulé le contrat de Bobby.

— Ça fait des mois qu'elle l'accable de jurons.

— Je sais. La semaine dernière, elle lui a appris qu'elle avait décroché une audition à Bobby avec Mercury Records. Kent Ames a fait une crise. Il semblerait qu'il veuille donner une autre chance à Bobby, en fin de compte. Mais il dit qu'il espère que Bobby est sûr de ses « priorités », cette fois.

Claire sourit avec fierté.

Un homme monta sur scène pour annoncer :

— Bobby Jack Austin !

Le public applaudit poliment.

Alison sautillait en criant :

— Ouiii, papa !

Bobby bondit sur la scène avec sa guitare. Parcourant l'auditoire des yeux, il repéra Claire et lui envoya un baiser.

— Cette chanson est pour ma femme, qui m'a appris ce que sont le courage et l'amour. Je t'aime, chérie.

Grattant un accord, il se mit à chanter. Sa belle voix pure épousait la musique et hypnotisait la foule. Bobby chanta l'histoire d'un homme qui rencontre la femme de sa vie et qui en tombe amoureux, puis la soutient dans les moments sombres. Dans la dernière strophe, la chanson se réduisit à un murmure enroué, ce qui força l'assistance à tendre l'oreille.

Quand je t'ai vue trébucher
Le long du chemin sur les rochers
J'ai su ce que c'est que le grand amour
Et que c'est un cadeau de vivre encore un jour.

Les applaudissements explosèrent. La moitié des femmes pleuraient. Meghann passa un bras autour des épaules de sa sœur.

— Je t'avais bien dit qu'il ferait un mari génial. Ce type m'a plu dès que je l'ai vu.

Claire rit de bon cœur.

571

— Oui, c'est ça. Et Joe et toi ? Vous habitez pratiquement ensemble. Je dis qu'il y a un contrat de mariage en vue.

Meghann couvait Joe du regard. Il était debout en train d'applaudir, Alison dans les bras. Depuis qu'il s'était remis à pratiquer la médecine, il clamait que tout était possible. Meghann et lui s'étaient mutuellement appris à croire à nouveau à l'amour.

— Un contrat ? Moi ? Pas question. On pensait à une petite réception. Dehors…

— Là où il pleut ? Où les insectes se reproduisent ? Ce dehors-là ?

— Avec, par exemple, des hamburgers, des hot-dogs et…

— La salade de pommes de terre de Gina.

Meghann et Claire prononcèrent cette phrase en même temps en éclatant de rire.

— Oui, conclut Meghann en s'appuyant sur sa sœur. Ce genre de mariage-là.

Remerciements

Merci au Dr Barbara Snyder et à Katherine Stone... encore une fois. Merci à Diane Vanderberk, avocate extraordinaire, pour son aide sur les questions juridiques. Et enfin, merci à John et Diane, et au merveilleux équipage de l'*Olympus* pour cette mémorable et très distrayante excursion en bateau.

Composé par Nord Compo
à Villeneuve-d'Ascq

Achevé d'imprimer par GGP Media GmbH, Pößneck
en octobre 2007
pour le compte de France Loisirs,
Paris

N° d'éditeur : 49829
Dépôt légal : novembre 2007
Imprimé en Allemagne